하리골 사람들 1부

판권

발 행 | 2024년 3월 18일
저 자 | 류제욱
펴낸이 | 한건희
펴낸곳 | 주식회사 부크크
출판사등록 | 2014.07.15.(제2014-16호)
주 소 | 서울특별시 금천구 가산디지털1로 119 SK트윈타워 A동 305호
전 화 | 1670-8316
이메일 | info@bookk.co.kr
ISBN | 979-11-410-7520-0
www.bookk.co.kr

장편소설 1950~1959년

혼돈의 시대

하리골 사람들.1부

류제욱 지음

찾아보기

글 머리 ······ 5
하리골 ······ 6
혼돈의 시대 ······ 19
만남 ······ 33
부산 피난살이 ······ 43
1951. 1. 4 후퇴. ······ 70
고향으로 ······ 87
처갓집 친정 집. ······ 105
日常으로 ······ 128
백마고지 와 공비(共匪) ······ 146
이영주 ······ 176
휴전 ······ 182
하리골의 평화 ······ 189
2대 독자 ······ 197
미운 일곱살 ······ 205
구장집 아들 ······ 219
1955년. ······ 241
범성조부 소식 ······ 251
윤실이 아버지 ······ 255
생활전선 ······ 270
사라 호 태풍 ······ 277
50년대 총평 ······ 286
筆을 놓으며. ······ 288

글 머리.

십 년이면 강산도 변한다고 하였다.
그 강산이 일곱 번도 더 바뀌었지만, 아직도 바뀌지 않은 것은 머릿속에 남아있는 희미해져 가는 옛 기억이다.

해방이 되고, 서로가 다른 사상의 이념 속에서 6.25 전쟁으로 혹독한 피난 생활과 어지러운 사회와 경제속에서도 삶을 이어가는 순박한 마음을 간직하고 살아가는, 고향 사람들의 이야기.

정치. 군사. 경제. 사회. 교육. 사상. 예절. 풍습. 등등….
혼란의 시대를 지내 온 그때를 되 돌아보면서,
해박한 지식으로 筆을 들어 보았다.

2024년 매화 가지에 물오름 소리가 들리는 계절에,
帛村 류제욱

하리골

아직 해방의 감격도 가시지 않은 이른 늦 여름의 아침이었다.
마당 한구석 그늘진 곳에서 웅크리고 낮잠을 자던 누렁이 독구가 부스스 일어나더니 멀리 한 곳을 응시하고 있었다.
양잿물로 깨끗이 닦아 신은 하얀 고무신에 짧게 깎아 단정히 손질한 콧수염, 그리고 가을 햇살에 반사되어 하얗게 비춰 보이는 두꺼운 돋보기가 무겁게 느껴지는 하얀 노인 한 사람을 주시하였다.

얼마 전에 뒷집 삼식이 할머니가 돌아가셨을 때도 왔었던 일을 알아차린 누렁이 독구가 꼬리를 반쯤 흔들며 대가리를 외로 꼬아 아래를 향하여 굽신거리며 제 딴에는 아는 체를 하였다.
  "얘야, 집터 보러 왔구나."
마당에서 서성이던 김 노인이 얼굴에 환한 함박웃음을 주름살 위로 드러내며 헛간채를 돌아보면서 큰 소리로 말하였다.
헛간에서 쓰러진 기둥을 새끼줄로 얽어매던 서른 초반의 아들인 범성이도 환하게 웃으며 옷에 달라붙은 짚 검불을 털면서 마당으로 나섰다.

하얀 노인은 이 동네에서 십 오리쯤 떨어져 있는 매곡리라는 동네에서 사는데 집안 윗대부터 풍수를 보아주는 최 씨 성을 가진 노인이었다.
  "아이구, 날도 더운디 오느라구 혼났겠슈."
  "날씨가 따끈따끈 하니깨 나락도 잘 여물겠구먼."

김 노인의 반기는 인사치레에 최 노인이 화답하면서 적삼 앞섶을 들추고는 들고 있던 부채를 열심히 흔들어 적삼 속으로 바람이 들어가도록 하였다.

"얘야, 여기 시원한 물 좀 가져와라."

김 노인이 말하자 범성은 마당 한구석에 있는 우물가로 가서 두레박을 내렸다.

우물 속으로 떨어져 물에 부딪히는 두레박 소리가 시원하게 들렸다.

시원한 물을 두어 모금 마신 최 노인은 물그릇을 든 채로 고개를 이리저리 돌리며 주위를 둘러보면서,

"그래, 집터는 어디로 잡을껴.?"

"요기 울타리 넘어서 저쪽 밭 맹 끄트머리쯤에 지었으면 하는디유."

최 노인의 물음에 범성이 대답하였다.

"그려.?"

최 노인은 고개를 끄덕이며 사립문을 나서서 범성이 가르쳐 준 산비탈이 끝나는 무우 밭쪽으로 천천히 걸어가고 그 뒤를 따라서 김 노인과 범성도 함께 걸어갔다.

앞서가던 최 노인이 발걸음을 멈추고는 쭈그리고 앉아서 윤도를 꺼내어 이쪽저쪽으로 방위를 재어 본 다음에,

"여기가 좋구먼. 남향이라서 햇볕도 잘 들고. 그런디 대문은 저쪽으로, 그러니깨 동남 쪽 방향으로 쬐끔 틀어서 저기 저 솔매산을 향해서 대문을 내면 좋겠구먼."

최 노인이 땅 위에 펼쳐놓은 윤도를 집어 들고 허리를 펴 말하면서 윤도를 다시 옆구리에 차고 뒤 허리춤에서 한 자 길이의 짧은 담뱃대를 끄집어내어서 담배쌈지 속의 담배를 꺼내어 엄지손가락으로 꾹꾹 쑤셔 넣으며 ,

"언제쯤 집 질뀨.?"

하며 김 노인을 흘금 쳐다보았다.

범성이 대답하였다.
"우선 집터를 다져놓고 갈 일이나 끝나야 안 되겠시유.?"
"그러면 추울텐디 어짤라구?"
"뭐 당장 살 곳도 있고한디 되는대로 해야쥬. 대충 지어놓고 나머지는 내년 봄에 또 하쥬 뭐."
"뭐, 허긴 그래두 되지."
최 노인은 두 볼이 홀쭉하게 쏙 들어갈 정도로 담뱃대를 빨아 연기를 들이켜고는 발아래를 내려다보면서,
"무시가 튼실하게 됬구만,"
하며 무우 밭을 둘러보았다.

최 영감이 다녀간 며칠 후,
집터를 만들기가 시작되었다.
그날은 동네 남자들이 아침 일찍 모두 모여서 항아리만 한 커다란 돌을 가마니에 넣고 서너 발쯤 되는 밧줄을 여러 줄로 묶어서 예닐곱의 사람들이 밧줄을 당겼다 놓으면 가마니에 쌓인 무거운 돌이 위로 치솟았다가 떨어지면서 집터 바닥을 다지는 일부터 시작이 되었다
시골에서는 어느 집에 큰일이 있으면 모두 나와서 하루 일을 거들어주는 부역이라는 공동체 풍속이 있었다.
지붕을 새로 엮어서 올리거나, 또는 혼례식이나 초상이 났을 때는 특별한 사정이 없으면, 하루 정도는 일손을 거들어주기도 하는 부역이라는 마을 공동체의 관습이 있었다.

집터가 어느 정도 잘 다져갈 즈음에 그 집 며느리인 범성의 아낙이 댑싸리 광주리에 집에서 담근 술과 안줏거리로 김치부침개를 담아서 내왔다.
잘 익은 술의 누룩 냄새가 솔솔 풍기는 술을 한 사발 그득히 들이키고는 구수한 들기름으로 만든 시큼하게 잘 익은 김치부침개를 입

에 넣으면서,

"아 뭣들 하는겨? 얼릉 와서 한 사발씩 혀."

배 목수가 머리에 쓴 수건을 벗어서 입가를 씻으며 바닥을 다지는 마을 사람들을 돌아보며 까무잡잡한 얼굴에 가뜩이나 작은 눈이 눈웃음을 지니 가느다란 눈은 감았는지 떴는지 억센 손 마디의 손으로 손짓하면서 바닥을 다지는 사람들을 불렀다.

"그랴 다 들 목 구녕이나 추기고 햐."

주섬주섬 사람들이 광주리 앞으로 다가와서 한 사람씩 종그래기 바가지로 작은 술 동이에 푹 집어넣어 가득 담아서 쭈욱 들이키고는 투박하고 마디 굵은 손가락으로 김치부침개를 집어 입가심을 하고는,

"여기 좀 더 다지구 하믄, 아마 한 나절이믄 다 끝 날것가텨."

옆집에 사는 윤 씨가 입가를 쓰윽 닦으면서 말했다.

"그려, 이젠 거반 다 됐으니께 얼릉 서둘러서 해 놓구 볼일들 봐야지."

배 목수가 곰방대에 담배를 다져 넣으며 말했다.

누렁이 독구가 꼬리를 흔들며 광주리 주위를 어슬렁거리며 맴도는 것을 보고

"옜다 너도 먹어야지."

하고 윤 씨가 김치부침개를 두어 조각 던져주니 누렁이 독구는 잠시 냄새를 맡더니 게 눈 감추듯이 한입에 덥석 먹어 치우고는 또 달라는 눈빛으로 고개를 외로 꼬고서 윤 씨 아저씨를 그윽이 바라보며 꼬리를 살랑살랑 흔들었다.

며칠 후,

배 목수의 지휘 아래에 일꾼 두 세 명의 보조 목수들이 통나무를 눕혀놓고 도끼로 나무껍질을 벗기고 하얀 속살이 드러나게 한 다음 그 위에 먹통으로 먹줄을 반듯하게 선을 치고 자귀와 까뀌로 선을 따라 깎아내어 대들보며 기둥. 문틀 등을 만들고 이쪽저쪽에 끌로

홈을 파고 깎아서 아귀가 꼭 들어맞게 문짝에 문 살을 짜 맞추기도 하였다.
그렇게 분주한 가운데 이십여 일이 지나서 방 두 칸과 부엌 그리고 사랑채 한 칸의 뼈대가 세워져서 상량식을 하게 되었다.
구장이 오른쪽 팔 소매를 걷어 올리고는,
붓에 먹물을 흠뻑 찍어서 대들보 머리에 한문으로 龍(용)자를 크게 쓰고 아래쪽에는 거북 龜(구)자를 쓴 다음,
그 사이의 가운데에 年.月.日 立柱上樑(입주상량)을 .다음 줄에는 應天上之五光 備地上之五福 (응천상지오광. 비지상지오복) 이라고 축원문을 썼다.
배 목수와 함께 일하던 일꾼이 사다리를 타고 올라가서 하얀 광목으로 위아래로 묶인 끈을 끌어 올리고 집주인인 범성이가 흰 창호지에 떡과 북어를 묶어서 대들보에 매달고 김 노인은 십환짜리 종이돈 서너 장을 꺼내어 길게 두어 번 접어 북어와 떡 사이에 끼워 넣었다.
그리고는 미리 준비한 술과 떡 돼지머리를 올려 고사를 지내고는 모인 사람들과 함께 축연을 베풀었다.
새집을 짓는다는 것은 그 집의 대역사이기도 하지만, 의식주의 한 가지로서 앞으로 몇 대를 거쳐서 살아야 할 거주지이기 때문에 요모조모 따지면서 이제 상량식을 하게 되니 가슴이 뿌듯하여졌다.
기실, 인근 동네를 다 합쳐도 집을 새로 짓는다는 것은 십 년에 한 채도 안 되는 그런 큰일이었다.
동네 사람들의 부역과 도움에 의한 새집을 짓고는 상량식을 하기 위하여 앞 동네에서 사 온 백 근이나 나가는 돼지 한 마리를 잡고 귀한 쌀 한 가마를 풀어서 술과 떡을 만들어 동네잔치를 벌리니 모두가 즐거워하며 많은 덕담을 주고받았다.

약간은 쌉싸름하게 풋 냄새가 나는 나무 냄새와 벽에 바른 황토 냄새가 은은히 풍기는 새로 지은 집은 구들이 잘 놓여져서 따뜻하게

불이 잘 들어 아늑하고, 대청은 앞뒤로 맞바람이 쳐 들고나고 하여서 시원하였다.
햇 짚으로 이엉을 엮어 지붕을 얹고 부엌 부뚜막에는 뽀얀 황토를 곱게 발라서 무쇠솥을 걸어놓고, 안마당은 널찍하고 울타리는 나지막하게 돌과 흙으로 토담을 만들고 집 옆으로는 헛간을 지어 추녀와 맞대어서 측간을 만들었다.
그리고, 햇볕이 잘 드는 울 안에 물이 잘 빠지고 또 해가 들어 좋은 날에는 반사되어 달구어진 열로 항아리 속의 장이 잘 익도록 냇가에서 주워 온 조약돌을 넉넉히 바닥에 깔아 장독대를 만들고는, 아낙이 원체 부지런하고 알뜰하여서 식솔들 입맛 맞추어 간장 된장 넉넉히 담갔다.

사랑채 아궁이에 걸어놓은 쇠죽 끓이는 커다란 무쇠솥에서 허연 김이 무럭무럭 내뿜고 옆에 쌍으로 걸어놓은 작은 솥에서는 더운물을 쓰려고 데우는 물이 설설 끓고 있었다.
"얘야, 날씨가 추워지는 것을 보니 아마도 소한 추위를 하려나 부다."
김 노인은 가마솥에서 뜨거운 물을 한 바가지 떠 세숫대야에 옮기면서 또 말을 하였다.
"증말 날씨가 대단하구나."
"그러네유 아마 낼 모래가 소한 아니유?"
범성이 흰 김이 모락모락 피어나는 쇠죽 통을 외양간 구유에 쏟으면서 대답하였다.
외양간에는 며칠 전에 마악 코뚜레를 한 어린 소가 구유에 넣어준 쇠죽을 먹기 전에 긴 혀를 내밀어서 양쪽 콧구멍을 한 번씩 핥고 나서 냄새를 먼저 맡아보다가 이내 천천히 먹기 시작하였다.
추위를 막으려고 소 등에 가마니로 만든 덕석이 조금은 따뜻해 보이는 아침의 외양간 풍경이었다.

범성은 그 집의 삼대독자였다.
집에 함께하는 김 노인이 이대 독자이며 그 윗대에는 무슨 일을 하였는지 모르지만, 일본 순사들에게 여러번 잡혀가기도 하였으나 옥살이는 하지 않았다.
대대로 물려받은 얼마간의 땅떄기도 있었고 하여서 살림살이가 그다지 궁핍스럽지는 않았다.
오히려 끼니를 거르는 동네 사람 집에는 보리쌀 한 됫박이라도 나눠주는 품성을 지닌 사람이기에. 동네 사람들은 물론이거니와 인근 동네 사람들에게도 칭찬이 자자하며 존경받는 사람이었는데,
그러다가 어느 해 인가 잠시 만주에 다녀온다며 훌쩍 떠난 후에는 소식도 없이 오랜 세월이 지나가서 식구들은 노심초사하며 지내고 있던 와중에,
들려오는 풍문에는 만주에서 옥살이하다가 죽었다는 소문이 들려오기도 하였다.
시신이라도 거두려고 백방으로 노력하였으나 풍문에 들려왔던 소식 이후에는 더 이상 알 수가 없었다고 한다.
그래서 풍문을 들은 날을 제삿날로 정하여 해마다 그날을 기일로 삼아서 제사를 지내고는 하였다.
만주로 떠나기 전에 땅을 얼마간 팔아서 가지고 갔기에 동네 사람들은 아마도 만주에서 독립운동을 하다 잡혀 `옥살이를 하다가 죽었을 것이라 짐작은 하지만 누구도 그런 말을 입 밖에 내지는 않았다.

이대 독자인 범성이의 아버지인 김 노인은 그의 아버지가 왜놈 교육은 받지 말라며 아예 학교에는 보내지 않고 집에서 한학을 공부하였으나 원체 허약한 체구여서 매사에 제대로 적응하기에는 부적절하였기에 항상 집안에서만 지내다시피 하였다.
다행히 아들이 아버지와는 달리 외탁을 하여서 건장하고 부지런하여서 집안을 꾸려나가는 솜씨가 인근 동네에서도 제일이었다.

석 달 전까지만 하여도 들녘에 오곡 익고 대추가 붉더니만, 감나무 감 열리듯 고양이 손이라도 빌려야 할 정도의 일이 바쁜 가을걷이에 눈코 뜰 새 없이 바쁜데 새집까지 짓느라고 혼이 다 빠져나갔을 법한, 무서리 내릴 즈음에야 한 해 농사를 모두 끝낸 어느 날이었다. 부엌 옆의 나뭇간에 땔감이 얼마 남지 않은 것을 얼핏 보고서 범성은 아침 밥상을 물리고 난 후에 일찌감치 지게를 지고 땔감을 구하려 산으로 올랐으나 원체가 민둥산이었기에 이리저리 돌아다니다가 고주배기와 삭정이를 모아서 지게 한 짐을 만들었다.
맞은 편 야산에서도 나무꾼이 가시에 찔리지 않으려고 두꺼운 장갑을 끼고 조심스레 아까시나무를 낫으로 베어내고 있었다.

아침에 세수하고 방으로 들어오려 젖은 손으로 방 문고리를 잡으면 손가락이 쩍쩍 달라붙던 소한 대한 추위가 물러갔는데 차가운 하늘에서 까마귀 떼 무리 지어 날고 있는 것을 보면서 누렁이 독구가 무엇이 못마땅한지 하늘 보고 짖는데 한 무리 참새떼가 짚더미를 헤치며 떨어진 낱 곡식을 열심히 쪼아대던 그해 겨울,
설이 지나고 보름달이 유난히도 크고 밝았던 정월 대보름도 지나 소리 없이 포근히 함박눈이 내리던 날 초저녁에 그 집 며느리인 아낙이 몸을 풀었다.
이튿날 동이 트기도 전에 왼쪽으로 꼰 새끼줄에 고추를 끼워서 대문에 금줄을 치는 김 노인은 초췌한 모습은 보이지 않고 싱글벙글하면서 지나는 사람이 보이면,
“우리 손자 낳았어.”
하며 큰 소리로 손자 보았음을 자랑하였다.
(아이가 태어났을 때도 남녀에 따라 남자아이일 때는 고추, 여자아일 때는 솔잎, 숯 등을 매달기도 한다.
참고로 고추, 솔잎, 숯 등은 살균력이 있는 물질인데, 옛날에는 산후조리를 잘못해 죽는 일이 잦았기 때문에 그런 살균력이 있는 것으로 금줄을 했을 거라는 주장도 있다.
또한, 산후 금줄의 설치는 외부인에게 자녀 출산 소식을 알리고 아기의 면역력이 약

한 시기에 외부인의 출입을 제한하도록 하여 영아 사망률을 낮추는 용도도 있었다. 이와 같이 산모가 있는 장소는 물론, 누군가가 죽은 초상집 병자가 있는 집, 전염병이 도는 지역 등 당시로써는 미신적 의미지만 현대의 관점에서는 유의미한 격리의 용도로 사용된 경우가 많다.)

정 이월 지나가고 들녘에 아지랑이가 아롱거릴 때,
이제는 제 애비 어미 얼굴을 알아보는지 눈이 마주치면 생글거리며 앙증맞은 두 손을 내밀어 안아 달라는 듯이 두 팔을 앞으로 내밀면서 흔드는 아들의 재롱을 두 부부가 어르면서 아이 얼굴과 서로의 얼굴을 번갈아 보며 행복을 느끼고 있을 때,
김 노인이 헛기침하며 방문을 열고 들어왔다.
아마도, 밤새도록 손자가 보고 싶어서 잠을 못 이루었는지 안 그래도 초췌한 얼굴이 더 초췌해 보였다.
뒤따라서 시어머니도 들어와서 노부부는 자석에 끌리듯이 손자 곁에 앉으니 손자가 이번에는 발 장구까지 치면서 입을 헤 벌리고 두 팔을 저어댔다.
“이 눔이 인자서야 할미를 알아보는구먼.”
할머니가 얼굴에 웃음기를 가득 담고서 손자를 안아 올리는데 할아버지가 손자의 팔을 검지 손가락으로 툭툭치고 어르면서 손자의 얼굴에서 시선을 떼지 못하였다.
아낙이 부엌에서 아침 밥상을 차리는 동안에도 방 안에서는 밝은 목소리와 기특해서 웃으며 어르는 낮은 웃음소리가 흘러나왔다.
아낙이 둥그런 두레반을 허리 굽혀 들고 들어올 때 차가운 바깥바람이 그 틈을 비집고 들어와서 방안을 휘두르니,
할머니가,
“애 아범아 아기 춥겠다 얼릉 문 닫아라.”
“김한필이 고뿔 들겠다.”
이름을 지어 준 할아버지가 할머니의 말을 이어받았다.
다른 집에서는 생각도 못할 고부간의 밥상 차림이었다
시 부모와 며느리 내외가 같은 밥상 위에서 밥을 먹는다는 것은 품

위와 예의라는 격이 없어진 것과 같은 이치이지만,
이 집에서만은 그런 격식은 예외였다.
일찍이 만주에서 소식이 끊긴 윗대에서 정한 규칙이었는데 선각자의 판단이었는지 이대 독자를 낳아 대를 이어가게 하여준 며느리가 대견스러워서였던지 하여튼, 그때부터 아침 밥상은 여하한 일이 있어도 모두 같은 밥상에서 밥을 먹었다.
"엄니 이거 잡숴봐유."
며느리가 나물 종지 그릇을 시어머니 앞으로 옮겨 놓으며 말했다.
"뭔 나물이랴?"
"야, 나싱갱이(냉이)가 있어서 국을 끓일까 하다가 그냥 무쳐봤슈."
"그려? 맛있구나. 이거 한번 잡숴 봐유."
할머니는 나물무침을 한 젓가락 먹어보더니 할아버지에게도 먹어보기를 권하였는데, 기실은 며느리의 정성을 맛보라는 것이나 진배없었다.
"얘 어멈아 이따가 해가 들면 내가 쑥을 뜯어 올 테니 그걸로 쑥 개떡이나 해 먹자."
"아니유, 지가 가서 뜯어 올게유 엄니는 가만 지셔유."
"아녀, 너는 젖도 물려야 하니께 일 없는 내가 뜯어 올껴."

다복한 가정의 아침 시간이 지난 며칠 후,
아들인 범성이가 나무를 하러 산에 갔다가 오면서 진달래꽃을 많이 꺾어왔다.
"벌써 진달래꽃이 폈슈?"
아낙의 말에 범성은 싱긋이 웃으며
"저쪽 산 모랭이에는 아주 그냥 꽃이 지천으루 펴서 꽃밭이 됐구먼."
"잘 됐슈 이따가 이걸로 아버님 꽃 부침개나 해 드려야겠네유."
"이걸 다?"

"뭐 진달래 약술을 담아두 되구유."
낮은 토담 너머로 멀리까지 훤히 보이는 들녘에는 아지랑이가 아롱거리고 한 뼘이나 자란 푸른 보리밭 위로는 노고지리가(종달새) 얕게 날면서 노래하고 있었다.

따스하게 느껴지던 햇살이 따끈따끈하게 느껴질 무렵 동네 맨 끝 집에 살고 있는 윤실이 아버지가 밭 한쪽 구석의 아직은 푸른색이 채 가시지도 않아 덜 여물은 보리를 밭 한쪽 구석에서 베고 있었다.
"아니, 이 사람아 아직 알도 안 뱃구먼."
지나던 구장이 푸른 보리를 베고 있는 윤실이 아버지를 보고 말했다.
그러나 윤실이 아버지는 구장을 한번 흘긋 쳐다보고는 아무런 대꾸도 없이 하던 일을 계속할 뿐이었다.
아마도 속으로는,다 알면서도 속을 뒤집어 놓는다는 듯이 구장의 말이 들렸을 것이다.
구장도 눈치를 채고 더 이상 아무 말도 하지 않고 안쓰러운 표정으로 가던 길을 갔다.

기실, 윤실네는 며칠 전에 먹을 양식이 떨어졌다.
작년 가을에 소작 논에서 추수한 벼는 얼마 되지 않았는데 그마저 도지를 주고 나니 겨우 얼마 남지도 않은 곡식으론 보리가 나올 때까지는 빠듯하였다.
어제 아침부터는 아궁이에 불을 땔 일이 없어져서,
멀거니 방 천장만 바라보고 누워있는 애들을 보다 못하여 낫을 갈아 지게를 지고 보리밭으로 나온 것이다.

그날 저녁에 구장 집 사랑방으로 마실 온 사람 두어 명이 있는 자리에서 구장은 곰방대에 풍년초를 쑤셔 넣으며 자연스럽게 낮에 보았던 윤실네 이야기를 하면서 곰방대를 쭈욱 빨아당겼다.
심각하게 듣고 있던 이수 아버지 김인한이가 조심스레 낮은 소리로 입을 열었다.

"그런 일이 뭐 어제오늘 일은 아니쥬 해마다 있는 일 아뉴?"

구장이 또 한 번 곰방대를 쭈욱 빨아 당기고서 이수 아버지의 말에 동감하듯이,

"그려 자네 말이 맞긴 한디, 그래두 보기가 좀 그래서 그러능겨."

"며칠 지나문 그런 집이 여럿 될걸유."

이수 아버지가 구장의 말을 받았다.
뭐라도 조금 도와주고 싶은 마음들이지 만,
모두들 다 비슷비슷한 처지들이라서 딱히 내놓을 의견도 없이 그저 침묵만 지키고 있을 뿐이었다.

마실꾼들의 예측대로 며칠이 지나자 이집 저집에서 아직도 새파란 보리를 베어다가 솥에 찐 다음 절구에 넣어 껍질을 벗기어 끼니를 이으며 보릿고개를 넘기 시작하였다.

"아니 근데 어느 손 모가지가 알도 들지 않은 감자밭을 들 쑤셔놨는지 모르겼어."

"보나 마나 애들 짓이지 뭐. 당장 배가 고픈디 이것저것 가리겄어?"

"어디 감자뿐이겄어? 여기저기 보리때기 해 먹느라구 불을 싸질러 놓은 흔적이 많은디 뭘."

"비가 좀 와야 하는디 논에 모가 말라 가는디 지금 모가 물을 제일 많이 먹을 때 아녀?."

"그게 어디 인력으로 된댜? 하늘이 전수 알아서 허는 일인디."

마실꾼들은 서로 농사에 대하여 두런두런 이야기를 하였다.

보리가 누렇게 익어서 이제는 수확할 시기였다.

먹을 양식이 급한 집에서는 벌써 보리를 거두어서 마당에 펼쳐놓고 도리깨질을 하는 집도 있었다.
일을 하느라고 땀이 흘러 젖은 목덜미와 팔에 보리까락이 달라붙어 따겁고 쓰라리지만, 수확의 기쁨이 더 앞섰다.
보리 알곡을 모아 검불과 까락을 분리하기 위하여 키질을 하는데 먼 곳에서 하늘이 무너지는지 굵고 큰 소리가 지축을 흔들며 여러 번 들려왔다.
"이게 뭔 소리랴?"
"어디서 비가 오려구 천둥 치는 소리가 나는가벼."
보리타작을 하던 모두가 무슨 일인가 싶어서 고개를 이리저리 돌려 보았으나 별다른 일은 없어서 그냥 하던 일을 계속하였다.

혼돈의 시대

1950년 6월 25일 일요일 새벽 4시,
38˚선을 넘어서 북한군이 남쪽으로 일제히 쳐들어 왔다.
통신이 부실했던 시절이라 라디오는 아예 없었고 동네 밖의 소식은 입에서 입으로 전해지는 지경이었으니 전쟁이 났어도 까맣게 모르고 있었다.
하루 이틀 지나니 많은 사람들이 꾸역꾸역 차가 다니는 큰 행길을 따라서 밀려 내려오기 시작하였다.
모두가 핏기 없는 몰골에 기진맥진한 모습이었다.
밭 고랑 이에서 허리를 구부려 콩밭을 매고 있던 이수 어머니가 허리를 펴고 호미로 무리 지어 가는 사람들을 가리키며 말했다.
“뭔 사람들이랴?”
“난리가 났댜. 그래서 난리를 피해서 아래쪽으로 피난을 간다나 벼.”
이수 아버지 인한이가 말을 받으며 걱정스런 눈으로 터벅터벅 걸어가는 피난민들을 한동안 바라보았다.
“그라문 우리도 가야 하는 거 아뉴?”
“그러게 말여 근디, 이 콩밭은 어떻게 한댜?”
“이 판에 콩밭이 뭔 소용이래유?”
“피난 가다가 굶어 죽을껴?”
“그저께 털은 보리 두어 말 가지구 가쥬.”
“이 에펜네야, 그게 며칠이나 될지두 모르는디 그렇게 숩게 말을 하는게 아녀.”

이수 아버지 인한이의 핀잔에 이수 어머니는 행렬을 지으며 가는 피난민들을 걱정하는 안쓰런 눈빛으로 다시 바라봤다.

피난민들이 남쪽으로 무리를 지어 가는 것을 본 동네 사람들이 그날 저녁에 구장네 마당으로 어른 애 상관없이 가득 모였는데 이제는 대포를 쏘아대는 소리가 가슴을 철렁하게 하더니 희미하나마 총을 쏘는 소리도 함께 들렸다.
동네 사람들이 걱정스러운 얼굴로 불안해하고 있는데,
범성이네 뒷집의 삼식이가 먼저 입을 열었다.
"구장님. 우리두 피난 가야 하나유? 가만 보니까 이건 예삿일이 아닌 거 같어유. 어제 읍내 나가보니 여러 군데에다가 종이에 글을 써서 벽에 이렇게 딱 붙여 놨는디 젊은 사람들은 모두 나와서 해방운동에 앞장을 서라구 써 있던걸유. 그리구 평택 쪽에서는 동네 남자들을 모조리 싸움터루 끌구 갔다는디유."
"그류 심상치가 않어유. 어물쩡 거리다가는 화를 당 하겠슈."
삼식이의 말에 동조를 하는 동네 사람은 4년 전에 앞 동네에서 머슴을 살다가 이 동네 도림이 댁 춘분 이한테 데릴사위로 들어온 나이가 서른한 살의 상억이였다.
"전쟁이 난 지가 벌써 열흘인디 서울에 한강 다리도 부셔졌구유.
지금쯤은 입장까지 밀려 내려오구 있다구 피난민들이 말 하던디유."
"그렇대유. 미군들도 못 막구 뒤루 밀린대유."
한 사람의 입이 열리자 여기저기 불안한 속마음들이 터져 나왔다.
묵묵히 곰방대를 빨고 있던 구장이 댓돌에 담뱃재를 털면서 심각하게 말했다.
"다른 동네두 다 들썩거리니 우리 동네두 어떻게 하긴 해야겄는디, 농사지은 것을 냉겨두고 갈 수도 없고 나이 많은 사람들이 어디까지 가야 될는지두 모르겄구하니 다들 어쩔건지 말들을 혀

봐."

구장의 난감해하는 말에 윤실이 아버지가 나섰다.

"가긴 어딜 가겠슈. 그냥 여기에 있어야쥬. 해방시켜주려구 내려 온다자뉴."

"농사 아까워두 어떡해유? 사람이 죽고 사는 문제 아니유?"

상억이의 말에 윤실 아버지가 씨익 웃으며

"괜찮어유 말을 들으니깨 해방시키려 이북에서 내려 왔다구 하던디유 뭘."

"누가 그런댜?"

동네 사람들의 시선이 윤실이 아버지의 얼굴로 쏠리었다.

"그려? 그라문 내가 뭐라구 할 수 없으니깨, 집집마다 잘 생각해서 남을 사람은 남구 피난 갈 사람들은 하루라도 빨리 가도록 혀."

그런 상황에서 구장도 더 뭐라고 의견을 내지 못하였다.

구장 집 마당에서 회의가 끝나고 집으로 온 범성은

안방에서 식구들에게 구장 집에서의 이야기를 꺼낸 후에,

"그러니 어짜문 좋겠슈?"

하고 아버지 어머니 그리고 아낙의 얼굴을 천천히 둘러보며 덧붙여 말했다

"피난민 얘기로는 인민군이 벌써 입장까지 쳐내려 왔대유."

잠시 동안의 무거운 침묵이 흐르고,

"꼭 가야 하니? 안 가문 안뎌?"

아버지 김 노인이 걱정스레 말했다.

"야, 지두 곰곰이 따져 봤는디유. 아무래두 피난을 가야 할 꺼 같아유."

"왜?"

"땅 주인들은 잡아간다는 소문두 있구유 해서."

"아니, 우리가 있는 땅이 지금 얼마나 된다구,"

"그래서 할아버지도... 그게 좀 마음이 켕기네유."

부자간의 대화를 듣고 있던 할머니가,

"그류. 지금이야 얼마 안되지 만, 전에는 안 그랬자뉴. 트집을 잡으면 뭐 별 수 없쥬."

"정히 그라문 젊은 니 들이나 가거라. 나와 니 에미는 여기 남아서 집을 지켜야 되니깨."

김 노인이 아무것도 모르며 엎드려서 방긋 웃음 짓는 손자의 맑은 볼을 어르면서 말했다.

"그려, 니 아버지와 나는 고향을 떠날 수 없으니깨 여기 남아서 집을 지킬껴 늬네들은 무슨 화라두 당할지 모르니깨 빨랑 서둘러 피혀."

갑작스런 결정으로 다음 날 날이 밝으면 젖먹이 한필이를 데리고 범성이네 부부는 피난을 가기로 하고 주섬주섬 짐을 꾸리기 시작하였다.

작은 솥단지에 밥그릇 서너 개와 숟가락을 넣고는 이불로 감싸서 묶어놓고 두꺼운 겨울옷을 챙길 때,

범성이 아낙이 말했다.

"아니, 며칠 피했다가 오는 줄 알았더니 그렇게 오래 걸려유?"

"모르긴 혀두 아마 한참이나 걸릴걸."

범성이가 짐을 꾸리며 아낙의 말에 대답하였다.

"엄니 아부지는 어떡한대유 조석은 어떻게 해 드실라구유."

아낙의 말을 들으며 시어머니는 손등으로 주름진 볼을 타고 흐르는 눈물을 훔치며,

"여기 늙은이들은 걱정 말어 젊은 늬들이 걱정이여. 그라구, 저 어린 것을 어짜면 좋을껴."

삼대독자인 아들 범성이도 그렇지만 눈에 넣어도 아프지 않을 손자까지 떠나보내야 한다는 생각에 속이 더 아리는 시어머니였다.

그런 속을 알고 있는 김 노인이,

"여기는 걱정 말고 몸 성히 피했다가 오두룩 혀, 니 어미와 나는 이제 다 늙었으니 별 해코지나 있겄냐. 긍께 하나두 걱정 마

라.”

“자, 어멈아 이거 가지고 가거라.”

하며 시어머니가 두 돈반 짜리 금으로 된 쌍가락지를 손가락에서 빼어 아낙에게 내밀며 말했다.

“아뉴 그건 안되는구만유.”

“새끼 떠나보내는데 금반지가 뭔 대수여. 가다가 양식이라도 떨어지면 소용될껴.”

“가무는 워디까지 갈 꺼냐?”

김 노인이 침울한 목소리로 물었다.

“글쎄유 어디 딱 정해놓은 곳은 없슈. 사람들 따라가다 보면 되겄쥬.”

범성은 아낙이 가운데를 입으로 물고 두 손으로 벌려주는 자루에 보리쌀 한 말을 쏟아 담으며 김 노인의 걱정을 덜어주려고 별일 아니라는 듯이 말을 하지만, 기실 본인의 마음은 몇 조각이 되는지 몰라도 그렇게 찢어지고 있었다.

보리쌀 두 말과 쌀 몇 됫박을 꾸려서 한쪽에 밀어놓고 가물거리는 등잔불 아래 둘러앉았다.

흔들리는 불빛 아래 김 노인의 얼굴을 말없이 바라보던 범성이가 더 초췌해진 아버지의 모습을 보고는 목이 메인 소리로 말했다

“아부지 아무 걱정 마시구유. 지가 올 때까지 엄니랑 편히지슈. 뭐 오래 걸리지는 않겠쥬.”

이튿날 동녘이 밝아오자 벌써 마을 사람들이 범성이네처럼 피난 짐을 싸서 지게에 지고 아낙들은 보따리를 한 뭉치씩 머리에 이고 구장 집 앞으로 몰려들었다.

“아니, 구장님은 피난 안 가유?”

“내가 갈 수가 없지. 피난을 안 가는 사람들두 있구 더구나 남아있는 노인네들두 있구항께, 동네를 지켜야지. 동네 걱정하지들 말구 언제 끝날지 모르지만, 난리가 끝나면 무사히들 돌아와.”

구장의 목소리는 낮으막히 침울해 있었다.

"근데, 피난 가는 집이 몇이나 되는겨?"

"시방은 다섯 집이 되는구먼유."

승솔 댁 큰아들 덕수가 대답하였다.

구장이 재촉하며 말하였다.

"어디까지 갈지도 모르는 길에 다행히 노인들이 없으니 잘 됐구먼. 짐도 있고 하니 인자 그만 서둘러서 떠나들 가게."

피난을 가지 않는 사람들이 동네 어귀에까지 따라 나오며 배웅을 하는데 범성이 아버지 어머니도 나와서 눈물을 훔치고 있었다.

"몸이나 성하게 가서 있다가들 돌아와."

구장이 말하였다.

떠나는 사람이나 보내는 사람이나 모두 하나같이 침울하여서 누가 먼저 울음소리라도 내며는 모두 곡소리가 나올 지경이었다.

길이 합쳐지는 산 모랭이에는 벌써 인근 동네 젊은이들이 소가 끄는 마차에 세간살이를 싣고 이부자리 등에 지고 여인네 등에 매달린 아이는 젖 달라고 칭얼대는데, 오뉴월 아침 뙤약볕에 땀에 젖은 홑 적삼이 어깨 살갛에 달라붙어 있었다.

큰길은 위험스러워 샛길로 접어드니 긴 행렬의 많은 피난민들이 힘없이 앞서가고 있었다.

하나같이 지친 얼굴에 입성마저도 꾀죄죄하니 며칠 동안 걸었다는 것을 한눈에 알아볼 수 있었다.

"아저씨네 들은 워디서 오는 참 예유?"

그렇게 많은 사람들을 처음 본 도림 댁 춘분이 신랑 상억이가 앞서 가는 양복을 입고 가느다란 안경을 쓰고 있는 사람에게 다가가 물어보았다.

그는 상억을 아래위로 쓰윽 훑어보고는 피로에 지친 목소리로 귀찮다는 듯이,

"서울에서부터 내려왔어요."

"아니, 그라문 여기까지 쭈욱 걸어왔단 말이여유?"
"그래요. 지금 여기 시오리 밖에까지 빨갱이들이 쳐 내려왔대요."
그러고 보니 귓등으로 대포소리가 가깝게 들리는 것 같았다.
"그라문 워디까지 가는 길이래유?"
"내려갈 수 있는데 까지는 가야겠지요 조금 더 가다가 조치원에 도착하면 기차를 타야 할 터인데..."
서울 사람은 뒤를 돌아보며 줄지어 걸어오는 피난민들을 바라보며 말끝을 흐렸다.
조치원까지 앞서거니 뒤 서거니 하면서 함께 내려온 하리골 일행은 이미 많은 사람들로 북새통을 이루고 있는 역전에서 떨어진 한쪽 구석에 지게를 내리고 하루 저녁 쉬어가기로 하였다.
긴 여름 해 이지만 벌써 어스름하여지기 시작하여서 다리도 아프고 더는 갈 기운도 없어서 조치원역 앞의 한쪽 구석에서 노숙으로 하룻밤을 지내고 내일 또 떠나기로 작정하였다.
땅바닥에 주저앉으니 이제는 일어날 기운도 없었다.
범성 아낙은 한필이에게 젖을 물린 채 이불 보따리에 몸을 기대어서 기진맥진하여 눈을 감고 있었다.
어둑어둑해지는 먼 하늘에서 섬광이 번쩍거리며 총소리도 들려왔다.
"불안한디 워째 자꾸 이렇게 밀려만 난댜?"
이수 아버지가 말했다.
"그나저나 우리 아부지 엄니는 잘 있는지두 모르겠구먼."
불안해하는 이수 아버지의 말을 에둘러서 범성이가 말하였다.
"미국 군인들도 싸움에 져서 피난민들과 같이 도망하여 내려 온다는디."
승솔 댁 덕수가 끼어들며 귀동냥으로 들은 소문을 이야기하였다.
"그렇댜. 우리 동네두 벌써 인민군한테 넘어갔다는디."
상억이가 거드는 말에 범성이는 더 걱정되었다.

하리골 사람들은 그렇게 땅바닥에 주저앉아서 돌아가는 사태에 귀를 바짝 세웠다.

다음 날 아침 조치원역을 떠나는 기차에는 피난민으로 북새통을 이루었고 심지어 기차 지붕 위까지도 피난민들이 가득 올라탄 채로 움직이기 시작하는데 기차도 기가 막혀 목이 메어서 슬프게 기적소리를 울리고 천지가 아비규환으로 이 참상을 보면서 애달프지 않은 사람들이 없었다.
하리골 일행도 기차에 오르려 하였으나 위쪽에서 내려오는 기차에는 이미 피난민들로 꽉 차 있어서 올라탈 엄두도 내지 못하였다.
"여길 어떻게 탄댜? 탄 대두 깔려 죽겄어."
춘분이 신랑 상억이가 고개를 절레절레 흔들며 뒤로 한발 물러났다.
"힘들어두 그냥 걸어가유. 난 안 탈 거요."
춘분이가 신랑의 말을 받았다.
"그려, 사람이 많으니깨 대포알이 떨어지문 한 번에 다 죽을꺼여.
이수 아버지의 말에 덕수가,
"안되겠슈. 떨어지면 바퀴에 깔리겠슈."
그렇게 말하자 모두들 크고 육중한 기차 바퀴가 스르르 움직이는 것을 보고는 위압감이 생기어서 힘들더라도 걸어가기로 정하고서 돌아서려는데,
비단이 찢어지는 듯한 비명소리와 놀라서 외치는 주위의 피난민들 고함소리가 인파로 웅성대는 속에서 크게 들려왔다.
움직이는 기차에 올라타려고 매달려서 한쪽 팔로 예닐곱 살의 딸아이 손목을 잡고 끌어 올리려다가 손을 놓쳐서 바닥으로 떨어진 딸아이 몸으로 그만 그 큰 기차 바퀴가 지나가고 말았다.
뭉개어진 딸 아이의 처참한 시신을 끌어안은 어미는 때에 찌들은 흰 무명옷과 얼굴이 피투성이 범벅이 되어서 넋을 잃고 울지도 못

하고 눈동자가 풀린 채로 고개 젖혀 하늘만 멍하니 쳐다보고 있고, 아비 되는 사람도 혼이 다 나가서, 떨어져 나간 딸아이의 한쪽 발을 움켜쥐고 통곡을 하고 있었다.
살아남기 위하여 떠난 피난 길에 나섰다가 자식을 횡사시켰으니 이 참상을 바로 눈앞에서 본 많은 피난민들은 그 참혹한 안타까움에 눈물을 적시었다.

7월 중순,
내리쬐는 뙤약볕 아래의 나뭇가지에 매미가 제 몸을 숨기고 피난민들이 불쌍하다며 울어대는데, 그 사이로 이 따끔 스치고 지나가는 샛 바람에 화약 냄새가 묻어오곤 하였다.
피난길에 어쩌다 보니 하리골에서 출발한 일행들은 서로 흩어지고 승솔 댁의 덕수네 식구와 범성이네 식구만 남게 되었다.
그동안 서로 의지하며 피난길을 떠났기에 걱정스럽고 불안한 생각이 머릿속에서 자리를 잡고 있었다.
“다 들 어디루 갔는지 도통 안 보여, 뒤따라오는 줄 알았는디.”
“그러게나 말여. 뭐 가다 보면 만나 지겠지.”
옆에 나란히 가던 피난민이 아는체하며 말을 걸어왔다.
“조치원 쪽에서 미군 쌕쌕이가 국방군을 인민군으로 잘못 알고 폭격을 해서 국방군이 많이 죽었다고 하는 소문이 자자하게 퍼졌어요.”
“언제유?”
“어제 낮에 쯤 그랬다는데요.”
“누가 그래유?”
“뒤쪽에서 오는 피난민들이 앞쪽으로 수시로 소식을 보내고 있어요.”
그는 이어서 또 말을 하였다.
“그리고 진짜인지 가짜인지 몰라도 미국 군인들이 인민군들한테 포위되어서 전멸하였답니다.”

"그게 증말이유?"
"내가 직접 보지는 않았지만 뒤쪽에서 전해오는 소식이니까요. 지금 이 난리 속에서도 빨갱이 끄나풀들이 피난민 사이에 아마도 많이 퍼져 있을걸요."
"....."
"틀림없이 빨갱이들이 민심을 흩트리기 위하여 거짓 선동을 하는 것 같기도 하고요."
그는 말을 하면서 무엇이 불안한지 연신 주위를 둘러보았다.
"왜유?"
"민심을 흩쳐 놓으려고 그러지요."
"왜 그런대유?"
"헛소문을 내어 민심을 어지렵히는 것이 그게 다 빨갱이들의 수법이니까요."
"그런디 댁은 워디서부터 왔대유?"
"나 말이요?"
"야 그류."
"나는 경기도 포천에서 부터 왔는데, 서울에서는 빨갱이들이 못 내려오게 한강 다리를 끊어놔서 조그만 배를 빌려 강을 건너 여기까지 오는 중입니다."
"포천이 워딘지 모르지만, 지가 보니 농사짓는 사람은 아닌 것 같은데유?"
"예, 양조장을 했지요."
"양조장? 술 맹그는 술도가 말이유?"
"예 윗대에서 부터 조그맣게 하던 양조장입니다."
"그렇구만유 근데 워디까지 내려가야 된대유?"
"그거는 나도 잘 몰라요."
안경잡이 남자는 그렇게 말을 하면서도 사방을 천천히 둘러 보았다.
"그른데 말예유 포천이라문 서울 그 위쪽 아녀유?"

“맞아요 빨갱이들이 혁명전위대라는 것을 만들어서 사람들을 얼마나 못 살게 하는지 살 수가 있어야지요. 그래서 전쟁이 나기 전에 서울로 떠나 왔어요.”

안경잡이는 그날을 또 한 번 회상하며 어깨를 부스스 떨면서,

“그런데 댁들은 어디서부터 옵니까?”

“아, 예 우리는 충청도 하리골 이란 데서 떠났시유.”

범성이 끼어들어 안경잡이의 물음에 답하였다.

안경잡이는 가운데 손가락으로 흘러내린 안경을 밀어 올리며 잠시 머리를 갸웃하더니,

“그러면 천안 입장 쪽 하리라고 하는 곳 말입니까?”

“아니, 그걸 워째 안대유?”

“가보지는 못했지만 오래전에 저희 당고모께서 그쪽으로 출가를 하셨다는 말을 들었어요.”

“그라문 술도가 하던 동네 이름이 뭐래유?”

덕수가 안경잡이의 입을 찬찬히 보며 물어보았다.

“옛날에는 승골이라고 했는데 지금은 수미리라고 합니다.”

“승골이라구 하셨슈?”

“옛날에는 그렇게 불렀어요 그러다가 일본사람들이 수미리라고 고쳤지요.”

그 말을 들은 덕수가 뭐라고 말을 하려고 입을 씰룩이고 있는데 범성의 아낙이 등에 업은 한필이에게 젖을 물리려고 앞쪽으로 돌려 안으면서,

“그러문 거시기 할머니가 아녀유? 그래서 승골닥이라구 하잖아유?”

“그려, 덕수! 거기 할머니가 저 위쪽에서 왔다며?”

범성이가 아낙의 말을 재차 확인하였다.

덕수가 말을 더듬거리며,

“그라문유 그 당고모 되는 사람 이름이 뭐래유?”

“글쎄요 그 건 잘 모르겠는걸요.”

사실 그랬다 그 시절에야 여자들은 딱 부러지게 불리는 이름이 별로 없었고 간난이. 언년이. 입분이. 또는 태어난 계절과 달을 기준으로 춘심이 삼월이 하고 이름을 붙이는 것이 대부분이었으니 안경잡이가 당고모의 이름을 알 턱이 없는 것이 당연하였다.
범성의 아낙이 안경잡이에게 다시 말했다.
  "당 고모라문 거기 아저씨 하고는 오촌이 되는 건데 아저씨는 승씨가 뭐래유?"
  "예, 윤가입니다. 파평 윤 씨 집안이지요."
안경잡이는 허연 젖을 내어놓고 아기에게 젖을 물리고 있는 범성 아낙에게서 애써 시선을 돌리면서 대답하였다.
  "그러문 맞네유 돌아가신 지 할머니두 파평 윤씨라구 들었시유."
  "이런 우연이.....!"
안경잡이도 눈을 크게 뜨고 안경 너머로 덕수의 얼굴을 뚫어지게 쳐다보았다.

안경잡이,
그의 본명은 윤철우라고 하며 나이는 38세이고 포천의 수미리(승골)라는 데서 대대로 살아온 집안이었다.
윤철우의 아버지는 포천에서 일본인 미야모도 하야시가 운영하는 양조장에서 일을 하였는데 원체 사람이 어질고 부지런하여서 미야모도 하야시의 신임을 받아 책임자까지 되었는데 그의 아들 윤철우를 미야모도는 늘 친아들처럼 대하더니 나중에는 철우를 일본으로까지 유학을 보내고 자기의 외동딸 아야꼬와 결혼을 시키어서 가업을 이어 나가려 하였다.
사돈지간이 된 철우 아버지와 미야모도는 국적을 넘어서 서로 신뢰하고 사업에 몰두하여서 양조장은 운영이 잘 되었다.
미야모도는 일본에서 선대부터 이어 내려온 가업이기에 온 심혈을 기울여서 장인정신의 품질에 매달렸기에 인근에서는 미야모도 양조장 술을 으뜸으로 인정하였다.
여느 일본인과는 다르게 미야모도는 어려운 사람에게 도움을 주기도 하고 소학교에도 기부금을 내면서 그야말로 참된 내선일체에 최선을 다 하였다.
해방이 되면서 미야모도는 철우의 색시가 된 아야꼬와 양조장을 철우 부자에게 맡기고 다시 돌아올 것을 기약하며 일본으로 돌아갔다.
해방이 되고 나서부터 철우의 집에는 시련이 다가오기 시작하였다. 평소에 철우네를 시기심으로 바라보던 눈초리들이 가만두지 않고, 술을 만들어 인민들의 정신을 흐리게 하여 재물을 빼앗은 일본인과 가까이 지내며 도와주었다는 터무니없는 트집으로 시작하더니 결국에는 어느 날 새벽에 철우 아버지는 팔에 빨간 완장을 두르고 쇠스랑과 지게 작대기를 들고 온 무리들에게 끌려가서 며칠 후에 반신불수가 되어서 돌아왔다.
이미, 미야모도에게서 맡겨진 양조장은 다 빼앗긴 상태였고 철우마저도 매일 저녁에 인민 반상회에 불려 나가서 자아비판으로 시달리는데, 일본인 아내 아야꼬의 비판이 주를 이루었다.
전쟁이 나기 한 달 전,
철우 아버지는 철우 내외를 불러놓고,
"이곳에서는 절대 살 수가 없으니 더 화를 당하기 전에 너는 네 처를 데리고 떠나거라. 서울에 가면은 네 장인과 친분이 있는 덕망 있는 조선인들도 많으니 도와줄 것이다."
아버지의 비장한 말에 철우는 방바닥만을 내려다보고 있기만 하는데

"네 처가 걱정이구나. 서울에 가더라도 아야꼬의 신분은 감추도록 하여라."

철우도 매일 인민 반상회에 불려 나가 당하는 입장에서 그러한 아버지의 말이 뼛속에 각인되었다.

"내가 몸이 이리됐으니 더 산들 무얼 하겠니 그러니 여기 걱정

은 조금도 하지 말고 네 처를 데리고 몸을 피하여서 서울에 자리 잡고 안정이 되면 그때 나도 서울로 가마."

부러져서 뒤틀어진 오른쪽 다리가 결리는지 발을 힘들게 뻗으면서 철우 아버지는 말하면서도 가슴속을 긁으며 나오는 바튼 기침을 여러 번 하였다.

"그리고 저놈들은 일본이라고 하면은 철천지원수같이 하는데 너는 일본 유학까지 하였으니 제 놈들이 무식함을 느끼고 아직까지는 너를 어떻게 하지는 못하고 있지만 필경 큰 사단이 있을 것이다."

며칠 후,

철우는 아야꼬와 함께 새벽 여명에 수미리를 떠나 서울로 향하였다.

행인지 불행인지 철우와 아야꼬 사이에는 그때까지도 자식이 없었기에 둘이서 홀가분하게 떠날 수가 있었다.

서울에 도착하여 보름여 만에 전쟁이 나서 철우 내외는 또 남쪽으로 발길을 옮겨야만 하였다.

수미리에 있을 때 빨갱이들의 속을 알대로 다 아는 철우는 진저리를 치며 서둘렀으나 이미 한강 다리는 끊어지고 다리를 건너려고 하였던 피난민들은 아비규환으로 인산인해를 이루었다.

우여곡절 끝에 철우와 아야꼬는 나룻배를 얻어 타고 한강을 건너기는 하였으나, 너무 많은 사람들이 탔기 때문에 무거워서 강물이 뱃전을 삼킬 듯이 할 지경이었다.

만남

"이 봐 미실 엄마 이리 와 봐."
덕수는 고개를 돌려 자기 처를 가까이로 불렀다.
"그러닝께 말여 우리 할머니하구 이분 아부지하구는 사촌간이니께 우리하구는 먼 친척이 되는거여."
"그래유?"
미실 엄마는 철우와 아야꼬의 얼굴을 번갈아 보았다.
"여기는 제 안 사람입니다."
철우가 옆에 서 있는 아야꼬를 덕수 내외에게 소개하였다.
"안랜이노 하셔쓰무네까?"
아야꼬의 인사에 모두의 시선이 아야꼬에게 쏠렸다.
순간 어색한 기운이 감돌자 철우가 급히 나섰다.
"아, 제 안 사람은 일본 사람입니다."
하고 말하면서 순간 얼굴의 근육이 굳어졌다.
"일본 사람두 다 사람 나름이지유 뭐."
범성 아낙의 말에 분위기는 원래대로 돌아왔다.
"그라문 촌수가 어떻게 되는 거유?"
미실 엄마의 말에,
"어떻게 따질 수가 없지 남남이기두 하구 뭐, 굳이 따지자면, 먼 친척 사이 라구 헐 수두 있구 뭐 그렇지"
덕수가 고개를 갸웃하며 애매한 대답을 하는데 범성 아낙이 젖을 주던 저고리 앞섶을 여미면서
"사돈에, 칠촌 숙질간이구먼, 미실이네가 조카뻘이 되는 거여."
"그럼 우리 아줌니가 되는거유?"

"그려 미실이네 시할머니하고 여기 이 양반하구 당질 간이니깨 그렇게 되지."

범성 아낙의 말에 아야꼬의 아래위를 다시 찬찬히 훑어보는 미실 엄마의 시선이 부담스러운지 아야꼬는 시선을 먼 곳으로 돌리고, 철우는 민망스런 얼굴로 그런 아야꼬의 귀밑머리만 쳐다보았다.

잠시 묵직한 시간이 흐르고,

"우리 아줌니 참 곱기두 하구만유."

미실 엄마가 묵직한 침묵을 깨었다.

"뭔 일이랴 아줌니가 이 고상을 다 당하구..."

안쓰럽고 동정심이 섞인 미실 엄마의 말에 아야꼬는 몹시 피로한 안색이지만 미소를 지으며 허리를 굽혀서 미실 엄마의 말에 감사의 답을 하였다.

"다른 식구들은 없어유?"

"예 고향에 부모님과 그리고 혼인한 여동생이 하나 있는데 거기에 남아있습니다."

미실 엄마의 말에 철우가 아픈 마음으로 씁쓸히 대답하였다.

몇 년 후에 들리는 말에 의하면 철우의 여동생은 그때 여맹에 들어가서 부위원장까지 하였다는 소문도 바람을 타고 들려왔다.

"여기가 어디쯤 되는 거래유?"

미실이의 흘러내린 콧물을 닦아주며 미실 엄마의 지치고 힘없는 물음에 덕수가 돌아보며 말했다.

"사람들 얘기로는 대전 지나서 대구 사이에 있는 추풍령이라는 큰 고개 아래라더구먼."

하면서 보리 두어줌 씻어 앉힌 무쇠솥에 어디서 구해 왔는지 푸른 솔가지로 불을 피우고 있었다.

한번 붙은 불씨는 매운 연기와 함께 화다닥 소리를 요란히 내며 사람들의 초췌한 얼굴을 일렁거리며 잠간씩 훑어보는 듯하였다.

범성 아낙은 점심때 먹다 남은 보리밥 한 덩이를 물에 말아서 내외가 함께 대충 요기하고는 피곤한 몸을 짐 보따리에 기대고서 무릎 위에 뉘어있는 한필이에게 연신 부채질로 모기를 쫓으면서 꾸벅꾸벅 졸고 있었다.
솔가지가 타면서 연기가 매캐하였지만, 모깃불 역할을 하기에 그냥 참을 만하였다.
모두가 입고 있는 무명옷이 땀에 젖고 때에 찌드니 거지 군상이 따로 없어 보였다.
"오늘이 중복 날이 아니여?"
"그러게 말이여 염천지하 삼복에 이게 무슨 개고생이랴. 동네 앞 버드낭구 아래 셔언한 냇물이 생각이 나는구먼."
범성의 말에 덕수는 금 모래로 덮힌 동네 앞 냇가를 떠 올리며 말했다.

"아니, 이게 누구여?"
덕수가 갑자기 앉은자리에서 엉거주춤 일어서며 말했다.
지쳐서 반쯤 누워있던 일행들이 덕수 쪽을 쳐다보니 거기에 도림댁 사위인 춘분이 신랑인 상억이가 반가운 얼굴로 다가오고 있었다.
"여기들 지셨구먼유. 난 또 못 만나는 줄 알었슈."
"어디서 뒤 떨어진 거여?"
"모르겄슈 한창 오다 보니까 아무도 없더라 구유."
"식구들은?"
"응. 조 쪽에 있슈."
하며 상억은 턱으로 옆쪽을 가리켰다.
"뒤가 마려워 저쪽으로 가는데 귀에 익은 목소리가 들려서 와 봤쥬."
어둠 속에서도 상억의 반가워하는 얼굴빛이 역력히 보였다.
잠시 뒤, 상억은 춘분이와 자식인 하정이 필운이 남매를 데리고 와서 일행에 합류하였다.

모두들 반가워하였지만 특히 아이들끼리는 제 동무를 만나서 좋은지 어둠 속에서 재잘거리고 있었다.
상억이 말하였다.
"근디 말이유. 대전 쪽에서 큰 싸움이 있었는디 미국 군인들이 져서 지금 뒤루 밀려난대유."
그 말에 모두들 아무 말 없이 모깃불이 어른거리는 속에서 입을 벌리고 서로의 얼굴만 쳐다보았다.
상억이 다시 말했다.
"미국 군인 총대장이 인민군에게 붙잡혀서 죽었는지 살았는지도 모르구유. 부하들은 전부 흩어져서 이쪽으로 도망오고 있다는구먼유."
"맞아요 미군이 참전하여 인민군과 마주친 첫 전투에서 지고 말았지요. 천 명도 넘게 미군이 죽었다고 합니다."
하고 잠자코 듣고만 있던 철우가 나지막히 말하였다.
(그 소문은 사실이었다. 북한은 대전 해방전투라는 이름으로 미군과의 첫 전투는 아니었으며 미군이 전멸하였다는 것은 사실이었다. 미 제24보병사단 사단장이었던, 딘 소장도 이 와중에 포로가 되었다. (나무위키에서 인용함))

"빨갱이 끄나풀들이 그런 그짓말을 퍼트린다는 대유?"
하고 범성이가 말하니까 모두의 시선이 이번에는 철우의 얼굴로 모아졌다.
순간, 당황한 철우는,
"들려오는 소문이지요 뭘, 그렇다고 내가 퍼트리는 것은 아닙니다."
철우의 말이 끝나자마자 미실이 엄마가 여러 사람의 얼굴을 둘러보며 얼른 말을 받았다.
"빨갱이들 하구 일본 하구는 웬수지간 이라는디 우리 아저씨는 일본으로 유학까지 댕겨온 사람인디 암만해도 빨갱이 편을 들어서 헛소문을 내겄시유?"
미실 엄마의 똑 부러지는 말에 순간 당황스런 것은 범성이었다.

"아니여, 나는 그런 맴으루 말한 게 아니여."

"아닙니다. 내 말이 그렇게 들렸다면 미안합니다. 민심이 흉흉하니까 오해가 생기는군요."

철우가 쓴 미소를 지으며 범성의 말을 다독거렸다.

"아녀유 피난민 여러 사람들한테 들었는디 모두 그런 말들을 하니까 헛소문은 아닌 것 같아유. 그런디 이 아저씨는 누구유?"

상억이 철우의 말을 두둔하며 그를 쳐다보았다.

"아, 알고 지내여 우리 돌아가신 할머니의 친정 당질 뻘이여."

"그려유? 참말로 고상이 많으시내유."

"그라구 저 짝에는 아줌니 되시구."

덕수의 소개에 아야꼬는 상억에게 고개를 까딱하여 인사를 하였다.

"그리구 여기는 우리 동네에 사는 이상억이라는 사람이구 저 아줌니가 애들 엄마구 그리구 애들 남매 이지유."

상억의 식구를 덕수는 철우에게 소개시켜 주었다.

"근디 말이유 오면서 보니까 촌 동네에서는 피난 가는 사람이 벨루 없든디 우리만 미리 겁먹고 떠나온 거 아니유?"

상억의 말에 철우가 답하였다.

"그렇지가 않아요 동네 논이고 밭이고 나이드신 분들만 있고 청년들이 안 보이잖아요. 인민군들이 다 뽑아갔거나 미리 피난을 떠난 때문이지요."

"그건 그려유 그래서 우리도 하리골을 떠난거구유."

상억이 긍정적으로 대답을 하며 어두운 고향 쪽 밤하늘을 올려다보았다. 별이 총총한 밤하늘엔 북두칠성이 선명하고 또렷이 보이는 북극성이 난리와는 상관없이 밝은 빛을 내며 평화롭기만 하였다.
밤이 깊어지자 밤이슬이 내리니 어린것들은 몸을 옴추리고 제 어미 품속으로 파고들면서 세상모르게 잠을 자고 있었다.
아마도 어미의 품속에서 고향 동네의 꿈을 꾸고 있는 모양이었다.

하리골을 떠난 지 한 달 여,

일행은 추풍령을 넘고 계속하여 남으로 남으로 걸었다
피난민들이 많이 내려가는 길을 피하여 조금 뜸한 사잇길로 접어들었지만 매냥 마찬가지였다.
몸도 마음도 지칠 대로 지친 발걸음은 좀체로 앞으로 나아가지 못하고 더디기만 하였다.
원체가 목적지도 기일도 정하지 않고 급한 마음에 무작정 떠나온 피난길이기에 발길이 더딘 것은 당연하였다.
처음 하리골을 떠날 때 보았던 피난민들은 남쪽으로 갈수록 더 많아졌다.
사람들이 많아지니 자연히 먹을 양식을 훔치는 도둑도 점차 많아지고 크고 작은 다툼도 생기기 시작하였다.
밤에 잘 때면 길거리 나무 아래나 농가의 추녀 밑에서 밤이슬을 피하여 지내야 하니 그 고생이야말로 다 할 수가 없지만,
일부 피난민들이 농가에서 양식을 훔치거나 밭에 심어놓은 콩과 고구마 등을 캐어 가는 탓에 동네 사람들이 피난민들을 그리 마뜩하게 달가워하지 않았다.
하리골 일행은 길가 나무 아래에 자리를 잡고 하룻밤을 지내기로 하였다.
아이들과 짐보따리 그리고 아낙들을 가운데로 하고 남자들이
그 주위를 감싸고 자리를 잡았다.
얼마 멀지도 않은 곳에서 밤에도 싸우는지 총소리 대포소리가 지축을 흔들고 섬광이 번쩍거리는 와중에도 고단하고 지친 몸은 빨랫줄에 걸어놓은 빨래처럼 축 늘어져 신체의 감각을 무디게 만들었다.

다음 날,
아침 일찍부터 길 떠날 준비를 하는데 얼마나 더울련지 길옆의 나뭇 가지에서 매미가 이러한 참상을 아는 것처럼 목놓아 울고 있고 하늘은 구름 한 점 없이 파란 물감을 쏟아놓은 듯 색칠되어 있었다.

피난민 무리 속에서 절규하며 우는 소리가 들리는 것으로 보아 밤사이 누가 또 여독으로 죽은 모양이었다.
그날, 해가 중천에 떠 있을 때쯤 하리골 일행은 다른 피난민 무리들과 섞이어 경상도 함안이란 곳까지 내려가게 되었다.
거기서 날이 너무 뜨거워 해가 조금 수그러들면 다시 떠나기로 하고 시골 동네 앞으로 흐르는 냇가 버드나무 그늘 아래 짐을 내려놓고 우선 시원한 냇물에 흐르는 땀을 씻고 발을 담그며 일행의 인원수를 세어보기도 하였다.
미실 엄마가 각자의 집에서 추렴한 보리쌀 바가지를 들고 개울물에서 씻고 남자들은 땔감을 구해오고 철우는 양식을 구하러 앞에 보이는 동네로 갔다.
"아주머니 피난민인데 양식이 떨어져서 사려고 왔습니다 있으면 조금만이라도 파세요."
철우가 동네에 들어설 때부터 경계하는 눈빛으로 거동을 살피던 50대 촌부는 철우의 아래위 행색을 살펴보더니 다소 안심하였는지,
"마, 이 난리 통에 묵을 것이 어디 있능교."
"그러시겠지요. 이때쯤에는 시골에도 먹을 것이 귀하지요."
"서울에서 내려오능교?"
"저는 포천에서부터 내려옵니다."
"포천? 포천이 어디잉교?"
"아, 예 서울에서 조금 위쪽입니다."
"카문 서울 북쪽이라예.?"
"네. 서울에서 한 백 리쯤 위쪽입니다."
"거기엔 빨갱이 천지락카던데 정말 그렁교?"
촌부는 항간의 주워들은 소문을 확인이라도 하려는 듯이 철우의 아래위를 다시 살피며 말했다.
'뭐 다 그렇지는 않아요. 저 같은 사람도 빨갱이가 싫어서 이렇게 피난을 오지 않습니까?"
하고 말하면서 철우는 문득 포천에 남아있는 부모님과 여맹에 가입

을 한 여동생을 떠 올렸다.
부모님에게 행여 언짢은 일이라도 생기면 여맹에 있는 여동생이 힘을 써 줄 것이라는 막연한 바램도 있었다.
"쪼매 만 기다리소."
촌부는 집 안으로 들어가더니 조그만 바가지에 수수 한 됫박쯤을 가지고 나왔다.
"이런 것뿐이 없소 피난민들이 익지도 않은 곡석을 자꾸 비 가서 퍼뜩 거뒀더니 아직 알이 제대로 여물지가 않았소."
"고맙습니다. 여기도 먹을게 부족하실 텐데, 얼마를 드리면 될까요?"
"고마 알아서 주이소."
철우가 내미는 돈을 받아 쥔 촌부는 자기 생각보다 많이 받아서인지 빙그레 웃으며,
"이거 가짜 돈 아니고 진짜 돈 맞능교?"
"그러문요. 이렇게 도와주시는데 어떻게 위조지폐를 드리겠습니까? 천벌을 받아요."
"쪼깨만 더 기다리시소."
(1946년 해방이 되고 난 뒤에 공산 좌익세력들이 남한의 경제상황을 유린하고 또한 공작금을 확보하기 위하여 조선 정판사라는 출판회사를 만들어서 다량의 위조지폐를 조직적으로 인쇄하여 시중에 유통시켰다.)

촌부는 또 집안으로 들어가더니 이번에는 보리쌀과 통밀을 한 됫박씩 갖고 나왔다.
"받으소."
"아이구, 고맙습니다. 얼마를 더 드려야 할런지요?"
"됐소 마, 이 돈 갖고 충분합니더."
"그래도..."
"돈은 됐고예 몸들이나 성하게 내려가이소."
철우가 고마운 마음에 허리 굽혀 인사하고 돌아서는데,
푸른 하늘을 가르며 비행기 한 대가 햇빛을 반사하면서 피난민들의

위를 굉음을 내며 낮게 날고 있었다.
미국 공군의 마크가 한 아름 크기로 똑똑하고 선명하게 보일 정도였다.
구해온 양식을 아야꼬에게 건네주고 다시 길 떠날 준비를 하는데, 조금 전에 보았던 미군 비행기가 굉음을 내며 또 낮게 날아오더니 난데없이 피난민들을 향하여 총을 쏘기 시작하였다.
갑작스런 상황에 혼비백산한 피난민들은 우왕좌왕 흩어지면서도 피난민임을 알리려 흰 저고리를 벗어서 흔들었지만, 저 멀리로 날아갔던 비행기가 다시 돌아오면서 또 총을 쏘아대며 지나갔다.
순식간에 피난길은 피투성이가 되었고 많은 사람들이 길 위에 널부러져 있었으며, 방금 철우에게 곡식을 내어준 동네 집도 폭격으로 인하여 불에 타고 있었다.
하리골 일행들도 몸을 피하려 이리저리 흩어져서 논두렁 밭두렁에 몸을 숨기고 웅크리고 있었다.
잠시 후,
한바탕 총을 쏘던 비행기가 지나가고 화약 냄새가 진동을 하며 바람 없는 뙤약볕과 함께 적막 속에 머무는데 범성 아낙의 숨이 넘어갈 듯한 목소리가 들렸다.
"아이구, 아이구 이리들 와 봐유."
하며 반쯤 혼이 나간 채 어찌할 줄을 모르고 부들부들 떨고 있었다.
하리골 일행들이 가까스로 정신을 차리고 범성 아낙이 있는 쪽으로 가보고는 입을 벌리고 그만 그 자리에 털썩 주저앉았다.
거기에는 덕수가 알아볼 수가 없을 정도의 참혹한 형상으로 피투성이가 되어 죽어 있었고 미실 엄마는 미실이를 가슴에 꼭 껴안고서 무릎을 꿇은 채로 허리를 구부리고 덕수와 마찬가지로 총에 맞아 참혹하게 피를 흘리며 죽어가고 있었다.
범성 아낙이 가까스로 정신을 차리고 미실 엄마의 어깨를 들어 올리니 미실 엄마는 초점을 잃은 눈으로 범성 아낙을 지그시 보더니 스르르 눈을 감았다. 그리곤 무릎을 꿇은 채로 앞으로 쓰러지면서 숨을 거두었다.

"아이구 어쩐디야 어쩐댜."

범성 아낙도 혼이 나간 듯 어쩔 줄을 모르며 벌떡 일어나 발을 동동 구르며 이리저리 왔다 갔다 하면서 범성의 팔을 잡아 흔들었다.

철우와 상억이가 달라붙어 미실 엄마의 시신을 덕수의 옆으로 옮기어서 가지런히 뉘어 놓았다.

그러는 동안 아야꼬는 어리둥절하여있는 미실이를 품에 꼭 끌어 안아주고 있었다.

철우를 비롯하여서 범성과 상억은 피난 도중에 당한 일이라서 어찌할 도리없이 다른 피난민들이 그리했듯이 옆의 산자락에 덕수 내외를 합장하여 묻고서 후일 덕수의 본가에 알려주기로 하고 간단하게 매장을 한 장소를 표시하여 놓았다.

제 아비 어미의 죽음을 그제서야 인지한 미실이가 눈물 콧물을 쏟아내며 울부짖었다.

"엄니, 엄니 아부지...."

모두들 졸지에 부모를 잃고 외톨이가 된 네 살짜리 미실이를 보면서 애처러움에 가슴이 찢어지는 듯하는데,

동병상련이랄까 미실이의 처지가 자기와 같아서인지 아야꼬가 미실이를 품에 안으며 등을 토닥거려 주었다.

인민군들이 곧 들이닥친다는 소문에 일행들은 더 지체를 할 수가 없어서 바로 떠나기로 하고 다른 피난민들의 행열에 합류하였다.

들리는 말에 의하면 총을 쏘았던 미군 비행기 조종사가 피난민들을 인민군으로 착각하고 오인 사격을 하였다는 소문이 돌았고, 피난민 중에도 빨갱이들이 많아서 인민군들이라는 잘못된 정보에 의하여 그런 일이 벌어졌다는 어처구니없는 소문이 들렸다.

부산 피난살이

하리골 일행은 함안에서 부산 쪽으로 가는 피난민들이 너무 많아서 진주 쪽으로 방향을 잡았다가 그쪽에서는 인민군들이 이미 들어왔다는 소문을 듣고는 다시 부산 쪽으로 피난길을 바꿨다.
전쟁으로 인하여 수많은 군인들이 나라를 지키려다 한 송이 꽃이되어 스러져가고 전쟁의 참화를 피하여 남쪽으로 피난을 가던 선량하고 순박한 피난민들의 무고한 생명이 참혹히 도 희생되는 것을 보면서,
평생에 부지런히 죄 없이 살았건만 이 무슨 시련인가 혹독하기 그지없다 살면서 지은 죄라면 도대체 무엇을 잘못하였는지,
철우는 등에 업힌 미실이를 추켜 올리며 곰곰이 생각하여 보았으나 도저히 알 수가 없었다.
아야꼬는 무거운 짐을 양손에 들고서도 철우의 등에 업힌 미실이가 걱정스러워 한 시도 눈을 떼지 못하며 나란히 걸어가고 있었다.
철우와 아야꼬는 서로 간에 말은 없었지만,
미실이를 자기들이 거두어야 되겠다는 생각이었다.
둘 사이에는 자식이 없기도 하였지만, 멀리 보며는 당고모의 증손녀 이기도 하였고 또 현재 외톨이가 된 아야꼬의 처지에 남의 일 같지가 않아서 안 쓰런 마음이 겹치어 그런 무언의 약속이라도 한 듯하다.
범성이네와 상억이네도 그런 생각이었던지 철우와 아야꼬가 미실이를 곰살궂게 챙기는 것을 이해하는 눈치였다. 아니, 그럴 수밖에 없는 상황이었다.

일행은 며칠 후 김해를 지나서 남쪽에서 제일 길다는 구포다리에 도착하였다.
구포다리 위에도 피난민들이 줄지어서 피난 보따리 짐을 이고 지고 건너고 있었다.
범성이 다리 아래를 굽어보니 낙동강 푸른 물이 넘실대며 아무 일도 없다는 듯이 무심히 흘러가고 있었다.
구포다리를 건너서 왼편에 있는 구포시장에 들어서니 가뜩이나 허기진 상태에서 구수하고 짭조롬한 멸칫국물 냄새가 모두의 코끝에 풍겨왔다.
국숫집이 시장 골목 양쪽으로 즐비하게 많이 있었고 피난민들로 가득했는데 그중에서 손님이 덜 붐비는 국숫집으로 골랐다.
(구포국수라고 하면은 지금도 유명하지만, 당시에는 영남지방에서는 제일로 알아주는 유명한 음식이었다. 오죽하면은 구포국수를 모르면 영남사람이 아니라는 우스갯말이 있을 정도였다.)

"우리 시장하니 여기서 요기나 하고 갑시다."
철우가 일행을 뒤돌아보며 말했다.
"여기가 부산이라는데유?"
상억의 물음에
"부산으로 들어가는 초입으로 구포라고 하는 곳입니다."
라고 철우가 대답을 하였다.
일행은 미닫이 유리문을 옆으로 밀어 열고서 국숫집 가게로 들어서니 가게 안에는 먼저 온 피난민인 듯한 사람들이 여럿 앉아있었다.
적당한 자리 2개의 탁자를 붙이고 하리골 사람들도 둘러앉았다.
철우는 주문을 받으러 다가오는 점원에게 인원수 맞추어 값을 치러 국수를 시키고는 탁자에 둘러앉은 일행을 둘러보니 너나 할 것 없이 모두 꾀죄죄한 몰골에 피곤함이 역력하였지 만 피난을 오면서 별별 일을 다 겪어 본 하리골의 순박한 사람들의 눈동자만큼은 예리하게 반짝이면서 주위의 사람들을 훑어보고 있었다.
아마도 그간의 흉흉한 민심 속에서 피해의식이 생겼기 때문이리라.

곧바로 국수가 나왔는데,
멸치로 우려낸 다시 국물에 데친 정구지(부추) 나물과 파 마늘에 참기름 두어 방울로 만든 양념장 한 숟가락을 고명으로 올린 보잘것없는 국수 한 그릇이지만 얼마 만에 제대로 된 음식을 대하는지 모두들 국수가 담긴 그릇을 내려다보고 있었다.
"이렇게 얻어먹어서 어쩐대유?"
상억이 처 춘분이가 대나무 젓가락을 들면서 인사치레를 하였다.
"다 들, 고생들 많았어요. 이제 곧 부산에 도착하니 전쟁이 끝나서 집으로 돌아가실 때까지 각자가 알아서 열심히 살아가야 할 겁니다.
그리고, 이 애 미실이는 제 처와 의논을 하였는데 우선은 제가 맡아서 있다가 전쟁이 끝나고 하면 하리골에 있는 미실이 할아버지와 의논하여 우리 내외가 키우려고 하니 여러분들이 많이 도와주십시오."
철우의 말에 모두가 숙연하여졌다.
같이 하리골에서 태어나서 함께 의좋게 살아오던 덕수가 그리 된 마당에 홀로 남겨진 미실이를 어떻게 거둘지가 막막한 입장이었던 일행들이었다.
아야꼬는 미실이를 무릎에 앉히고 대나무 젓가락으로 국수를 집어 올려 미실이에게 먹이고 있었다.
그러면서 아야꼬는 옛날 자기 어머니가 지금과 똑같이 하여주었던 생각을 얼핏 떠올렸다.
아이가 없는 아야꼬에게 모성애가 싹트기 시작한 것이었다.
국수를 먹으며 일행들은 그러한 행동의 아야꼬를 흘끔 쳐다보고서는 긍정적으로 생각하며 덕수와 미실 엄마의 참혹했던 모습을 머릿속에 떠올렸다.

구포 나루의 여느 집 처마 밑에서 밤을 보내고 이튿날 일찍이 부산으로 길을 떠났다.

일행이 괘법이라는 동네를 지나서 포프라마치 라는 동네에 도착하였을 때쯤에는 작렬하는 햇빛에 눈을 제대로 뜰 수 없이 눈이 부셨다.
(포프라마치 (ポプラ街) 는 일본 사람들이 지은 지명이며 해방이 되어서야 사상 이라는 지명으로 바뀌긴 하였지만 한동안은 포프라마치 라고 불렸다)

행길 옆으로 미루나무가 나란히 가로수로 심어진 그늘아래 띄엄띄엄 피난민들이 쉬고 있어서 하리골 일행들도 잠시 쉬어가기로 하였다.
길옆의 푸르른 논에는 뾰족이 벼 이삭이 얼굴을 내밀고 있었고 농수로 끝의 물레방아는 할 일이 없이 제 혼자서 삐걱 소리를 내며 돌아가고 있었다.

그날 오후에 하리골 일행은 부산에 들어섰다.
예상은 하였지만, 수많은 피난민들의 숫자에 하리골 일행들은 입을 다물 수가 없었다. 이 많은 사람들 속에서 어떻게 먹고 살아갈 수가 있을지 우선 걱정이 앞섰다.
피난민들이 많이 몰리는 부산역 앞의 영주동 산꼭대기에 얼기설기 비바람을 겨우 피할 정도의 달랑 방 한 칸짜리 여러 개를 지어놓고 피난민을 상대로 세를 받는 부산사람이 주인인 판자 동네에 하리골 일행들은 우선 짐을 내려놓았다.
"고마, 헐케 주는 기라요. 쪼매 더 있으마 이거도 없는기라요."
라고 말하는 집주인의 흥정에 일행은 아무 말도 하지 못하였다.
부산으로 몰려드는 피난민들의 숫자를 감안하면 며칠 안 되어 이마저도 못 구할 처지인 것이다.
상억이가 쭈뼛거리며 뒤로 빠졌다.
얼마 되지 않는 월세지만 그 돈을 주고 나면 상억의 처지로서는 당장에 생활을 할 여유가 없었기 때문이다.
그것을 눈치챈 범성이 말하였다.
"우선에 애들도 있구 허니께 밤바람은 피해야 하지 않겠나. 일단 짐부터 풀고 뒤 걱정은 다음에 햐."
범성의 말에 한참을 망설이던 상억이 범성의 아랫집에 짐을 풀었고 철우는 범성과 지붕이 같이 붙어있는 옆집으로 자리를 잡았다.
그날 저녁,
보리밥 한술을 찬물에 말아서 반찬도 없이 먹고 난 다음 범성은 아낙과 무릎을 맞대고 마주 앉았다.
"춘분이네 말이유 눈치를 보니 집세를 주고 나니 당장 먹을 양식이 없는가 봐유."
하고 범성 아낙이 걱정스런 얼굴빛으로 말하였다.
"그려, 우리라도 여유가 있으면 나눠 주겠구만."
"그래서 말이유 피난 올 때 엄니가 준 금반지를 바꾸면 어쩔까유?"
"금반지를...?"
"야, 그류. 우리도 양식이 얼마 안 남았슈."
"그래도 그건..."
"우선 사람이 살고 봐야 하잖어유. 이 넓고 많은 사람들 중에 아는 사람은 춘분네 뿐이 없잖어유. 미실이네도 그리된 마당에...
나중에 같이 집으로 돌아가야 허잖어유."
"그런데 그걸 어디서 팔고 사는지 알 수가 있남."
"내일 포천댁에 물어볼께유. 거기는 패물을 가지고 있는 모양인데 파는 곳도 알겠지유."
범성 아낙은 아야꼬에게 부탁하려고 생각하였던 모양이었다.
아낙의 얼굴을 잠시 쳐다보다가,
"당신 생각이 그렇다면 내일 알아서 햐."

이튿날 아침을 먹고 범성은 무슨 돈벌이가 있을까 하고 찾아볼 겸 하여 상억이와 함께 판자촌 비탈길을 내려가 길거리로 나간 다음에 범성 아낙은 앞의 춘분이 집 형편이 어떠한지 한필이를 안고서 살펴보러 갔다.
춘분이의 딸 하정이와 연년생 동생인 필운이가 어른들의 근심 걱정과는 아무 상관없이 아직 치우지 않은 빈 밥그릇을 서로 가지려고 주거니 뺏거니 하고 있었고, 생각대로 춘분이는 걱정이 태산으로 얼굴에 수심이 가득하여 앉아 있었다.

"어쨔 아침은 먹은거여?"

"야, 애들 아범 먹고 나간 다음에 한술 먹었슈."

하고 범성 아낙의 말에 춘분이는 한숨을 푹 내쉬며 힘없는 소리로 말했다.
춘분이네 남매와 한필이 셋은 어울려서 뭐가 그리 좋은지 알아듣지도 못하는 말을 저희들끼리 재잘대고 있었다.

"앞으로 어떻게 할지 생각해 봤어?"

범성 아낙의 말에 춘분은 잠시 뜸을 들이더니,

"그냥 아무 생각도 안 나유 시방 같으면 왜 왔능가 하는 생각이 들어유."

"엎질러진 물이니 인자는 어떻게든 버텨 봐야지."

"당장 내일이 걱정인디 어떻게 버텨유."

"얼마 안 있으문 다시 돌아가겠지 그런데 먹을 양식은 얼마나 남아 있능겨?"

"그게 내일부터 당장 걱정이유."

"어제 여기 오면서 보니까 저 아래 무슨 예배당 같은 데에서 배급을 주는 것 같은디 거기라도 알아보지그랴."

"그려유? 근디 어떻게 동냥 배기처럼 얻어먹으러 간대유?"

"아녀, 우선은 사람이 살고 봐야 하는겨 누가 알아보는 사람도 없구. 이따가 나하고 한번 안 가볼텨?"

"성님 하구유?"

"그려."

범성 아낙과 춘분이는 네 살 차이였다.

매곡리 김 진사 집의 2남 1녀 중 둘째 딸 향순이가 하리골 범성이에게 시집을 온 것이다.
언제부터인지 향순의 집을 김 진사 댁으로 불렸는지는 모르지만 아마도 윗대에서 진사를 하였는지 다 들 그 집을 진사댁으로 불렀다.
상억이가 그 집에서 어릴 때부터 머슴으로 있었는데,
향순이 보다 4살 아래여서 오누이처럼 지내며 향순은 일가 부침도 없는 상억이가 안쓰러워서 늘 상억이를 돌봐 주었는데,
상억이도 향순이를 누나라고 부르며 잘 따르며 지냈다.
그러다가 향순이와 하리골 범성이의 혼담이 오 가던 어느 날,
향순의 아버지는 상억을 데리고 하리골 범성의 집을 찾았다.
범성의 집안은 크게 내놓을 것은 없지만,
인근 동네에서는 명망이 널리 알려진 가풍이 있는 집안으로서 딸 가진 사람의 입장에서는 어질은 사돈 감과 사위가 있으니 탐이 나서 상억을 앞세우고서 청혼을 하러 왔던 것이다.
그때 손님 접대를 하기 위하여 부엌일을 거들어주러 왔던 춘분이를 상억이가 보고서는 그만 한눈에 반하였던 것이다.

그 후,
향순이가 하리골로 시집을 와서 범성의 아낙이 되었고 하리골과 매곡리 사이에는 사흘이 멀다 하고 상억이가 여러 핑계를 대며 오 가고 하면서 친정집 소식을 들려주곤 하였는데 속셈은 춘분이를 만나기 위함이었다.
그렇게 일 년쯤 지난 어느 날 향순은 하리골에 온 상억이를 조용히 불렀다.

"얘, 상억아 지금 내가 하는 말을 잘 생각허구 들어라. 너는 아니라구 말하겠지만 말여, 내가 보기에도 그렇구, 또, 남들이 봐두 다 그렇게 보니께, 있는 그대로 대답 혀."

상억은 범성 아낙이 무슨 말을 하려는지 이미 짐작을 하였는지 시

선을 다른 곳으로 돌리며
"야, 누님."
하고 짧게 대답하였다.
향순은 숨을 한번 크게 들이쉬며 침을 꼴각 삼키고는,
"매곡리 일두 바쁜디 허구헌 날, 니가 여기를 풀방구리 쥐 드나들 듯이 오 가니 필경 춘분이 때문인 것으루 나는 다 알구 있다. 그라니 니가 진짜루 말을 혀 봐."
하고 콕 집어서 말을 하니,
잠시 머뭇거리던 상억이가 숨긴 것을 들킨 것처럼 기어들어 가는 목소리로 대답을 하였다.
"그게 아니구유. 춘분이가 혹시 다른데루 시집을 가나 해서유."
"그게 그거지 뭘, 춘분이는 이 동네에서 다른 동네루 시집은 안 가."
"어째서유."
다른 곳으로 시집은 안 간다는 말에 상억은 눈빛을 반짝이며 물었다.
"춘분네 식구는 엄니랑 춘분이랑 단 두 식구인 것은 알고 있지?"
"야, 춘분이가 그랬슈. 그란디 그게 왜유?"
"그러니깨 춘분이가 시집으로 못 가구 신랑이 춘분네 집으로 와서 살아야 한다는 게야."
"샤시 집에서 말이유?"
"그려 춘분이 엄니와 같이 살아야 하니 데릴사위가 돼야지."
"데릴 사위유?"
"그려 너 그럼 데릴사위가 되면서도 춘분이와 혼인할껴?"
향순의 말에 상억은 잠시 곰곰이 생각하더니
"야 그래두 돼유. 어차피 나 혼자잖유."
그런 일이 있고 나서 그해 섣달 눈이 많이 내리던 날,
상억은 하리골 춘분이와 혼인을 하였고 향순은 상억의 처 춘분이를

손아래 올케처럼 대하게 되었다.

그날 낮 점심 무렵에 범성 아낙은 한필이를 등에 업고 춘분이도 필운이는 등에 업고 하정이 손을 잡고서 비탈길을 내려가 예배당에 갔다.
예배당 마당에는 벌써부터 많은 피난민들이 저마다 손에 큼지막한 그릇을 들고 길게 줄을 서 나눠주는 옥수수죽을 받아가고 있었다.
범성 아낙과 춘분이도 그 사이에서 옥수수죽을 얻어서 다시 집으로 가는 오르막길을 걸어 올라갔다.
미국 선교사 회에서 피난민에게 나눠주는 긴급 구호급식이라는 것을 그 후에 알게 되었다.

저녁 때 쯤 범성 아낙은 아야꼬와 마주 앉았다.
아야꼬는 무릎 안에 머리를 곱게 빗질을 하고 빨간색 리본으로 된 머리핀을 꽂은 미실이를 안고 있었다
"아야꼬 상, 내가 먹을 양식두 사구 해야 하니깨, 그래서 이것을 팔려구 하는데 어디 아는데가 있을까유?"
아야꼬는 범성 아낙이 허리춤에서 꺼내놓는 쌍가락지를 찬찬히 보더니,
"なぜ これを売るのですか?" (왜 이것을 팝니까?)
아야꼬는 눈을 동그랗게 뜨고 아직까지도 서투른 한국말에 앞서서 일본말이 먼저 튀어 나왔다.
자기가 일본 사람인 것을 알리지 않으려고 남들과의 대화를 극히 꺼리는 아야꼬이지만, 범성 아낙과는 거리를 두지 않았다.
범성 아낙도 소학교 다닐 때부터 일본 교육을 받았기에 아야꼬와의 대화는 능히 알아들을 수 있었다.
"먹을 양식이 모자라서 그류. 어디서 파는지 알구 있으면 말 해줘유."
"자리노 모르게스무니다. 其れでも(그렇지만) 지그무느 아니 되

무니다."
"왜?"
"파느 사라무니노 마니 이쓰무네다 だから(그래서) 지그무느 도니노 아니되무니다."
아야꼬의 말을 듣고 나서 범성 아낙은 아야꼬의 탁월한 경제 지식을 이해하게 되었다.
"그럼 어짜면 좋을까?"
범성 아낙은 난감하여져서 혼자 중얼거렸다.
그런 중얼거림을 듣고 있던 아야꼬가,
"そうしたら(그러면) 우서이노 도느 少し貸してあげる。(조금 빌려 주겠습니다.) "
"綾子さん、ありがとうございました (아야꼬 상, 고맙습니다.)"
범성 아낙은 그렇게 신경을 써 주는 아야꼬의 심성에 일본말로 고마운 마음을 전달하였다.
범성 아낙의 생각지 못한 일본말로 치하를 받은 아야꼬는 오랜만에 들어보는 일본 말에 기분이 좋아서 밝은 미소를 얼굴 가득히 나타내며,
"ママのもの (엄마의 물건) 자리노, 자리노.."
시어머니 에게서 물려받은 쌍가락지를 잘 보관하라는 듯이 말을 하면서 범성 아낙의 옆구리를 가리켰다.
서투른 한국말로 띄엄띄엄 일러주는 아야꼬에게 범성 아낙은 새삼 정이 많이 갔다.
아야꼬에게 얼마간의 돈을 융통한 범성 아낙은 춘분이와 함께 싸전(쌀가게)으로 가서 쌀 한 말 보리 한 말을 사서 머리에 이고 집으로 와서 춘분네와 반반씩 나누었다.

며칠 후,
범성과 상억은 피난 올 때 지고 왔던 지게를 짊어지고 비탈길을 내려갔다.

그동안 길거리를 돌아보았으나 마땅히 돈벌이가 될 만한 일은 없었고 짐을 옮겨주는 일이 눈에 띄어서 그 일을 하려고 부산역으로 나갔으나 거기에도 이미 지게꾼은 많이 있었다.
역전에서 빈 지게로 서성이고 있는데 중년쯤 되어 보이는 남자가,
"보소, 아재요 이거 좀 지고 가입시더."
첫 손님이었다. 반갑기도 하고 쑥스럽기도 하여 얼굴이 화끈 달아올랐다.
지게에 짐을 싣고 있는데 중년 남자가
"고관까지 갈 낀대 얼마면 되능기요."
범성으로서는 아직 고관이라는 곳이 어딘지도 모르고 또 짐 값을 얼마를 받아야 할지 모르기에 우물거리며,
"기냥 알아서 줘유."
하였더니
"피난민잉교? 카몬 잘 모르니까 내 따라 오소."
지게를 지고 따라가면서 뒤돌아보니 상억이도 지게에 짐을 싣고 있었다.
범성이 짐을 지고 고관 입구의 언덕길을 오를 때 앞쪽에서 사람을 가득 태운 전차가 천천히 내려오고 있었다.
"아재는 어디서 왔능교?"
짐을 부리는 중에 중년 남자가 물었다.
"아, 예 충청도에서 왔어유."
"전쟁이 나가꼬 윗쪽에도 난리라카지만 여기도 피난민들 때무로 난리 아닝교. 고마 이런 짐은 전차에 실었능기라요 이젠 마 사람이 억수로 많아뿌러 안 실어 주능기라."
라고 하면서 십 오원을 내어주었다.
범성은 짐 값이 얼마인지도 모르기에 두 손으로 받고 공손히 인사를 하고는 다시 부산역으로 갔다.
상억은 짐을 지고 가서 아직 안 돌아왔는지 보이지가 않았다.
그 후로는 지게를 찾는 사람이 없어 서성이다가 옆에서 파는 우거

지 죽을 한참이나 쳐다보았다.
한 그릇에 5원씩을 받는데 범성은 저것을 어찌 먹나 하는 생각이 들 정도의 멀건 국물에 시래기와 수제비 몇 개가 들어간, 말뿐인 죽이었다.
짐을 두어 번 지고 나니 해가 서쪽으로 기울기 시작하는데,
그때까지도 상억은 나타나지 않아 걱정하는 중에 상억이 빈 지게를 지고 나타났다.

"성, 여태껏 안 갔슈?"

상억은 자기를 기다려 준 범성이가 고마워서 연신 싱글벙글하였다.

"어디까지 갔던 겨?"

"어딘지는 잘 모르겠슈. 근디 거기서 증말루 희한한 것을 봤슈."

"뭐를 봤는 디?"

"아 글씨 차가 다니는 무지하게 큰 다리가 번쩍 들리대유."

"다리가?"

"야, 그류 싸이렝 소리가 막 나면서 한쪽이 찬찬히 올라가더니 하늘에 벌떡 하구 일어섯슈."

"뭐?, 즘신은 먹은 겨?"

범성은 상억이가 지게질에 점심도 못 먹어 허기가 져서 헛소리를 한다는 생각이 들었다.
그러거나 말거나 상억은 신기한 구경을 한 것에 싱글벙글하였다.
뉘엿뉘엿 해가 지는 것을 등 뒤로 하고 범성과 상억은 부산역을 떠나 영주동 판잣집으로 향하였다.

"할 만 혀?"

"뭐 지게질은 몸에 인이 백힌거니깨 아무렇지 않은디 도대체 말을 알아먹을 수가 없슈. 집에 가서 아야꼬 아줌니한테 물어 봐야겠슈."

"뭔 말을?"

"와 이카노. 하라카는데. 해뿌라. 또 뭐라 하는디, 무슨 말인지

모르겠슈. 아마 일본말 같어유."
"일본 사람인 것을 감추려 하는데 아야꼬에게 물어보지 말고 미실이 아부지한테 물어봐."
"우리끼리 있을 때야 뭐 어때유?"
"그러다가 지도 모르게 불쑥 말이 나올 때가 있능겨."
"근디, 포천 성이 인자는 미실이 아부지가 되능거유?"
"증식으루 된 것은 아니지만, 그렇게 불러줘야 되잖컸어?"
"그것두 그러네유."
범성과 상억은 비탈진 좁은 판자 동네 골목을 천천히 올라갔다.
피난민의 대부분이 부산으로 밀려들었기에,
많은 인구 유입으로 부산은 급작스런 인구 팽창으로 인하여 주거할 곳이 부족하여 산꼭대기는 물론이려니와 변두리까지 판잣집이 생겨났다.
다닥다닥 밀집한 판자 동네에 화재가 발생할 요소가 아주 많지만, 그래도 그 위험을 감수하면서도 피난민 들은 그곳을 떠날 수가 없었고, 더 많은 피난민들이 팔도에서 모여들었다.

며칠 후,
범성과 상억은 여느 때와 마찬가지로 지게를 지고 집을 나섰다.
이번에는 늘 가던 부산역이 아니고 조금 더 가서 자갈치 시장 쪽으로 가보기로 하였다.
부산역 쪽에는 그동안에 호구지책으로 너도나도 많은 지게꾼이 생겨나 경쟁이 심하여져서 고관 입구까지 가는 짐 값이 15원 정도였는데 짐 값이 5원으로 떨어졌다.
"5원에는 못 가유."
"그 카몬 치아뿌소 짐꾼은 천지삐깔인기라."
상황이 이쯤 되니까 짐 값은 국화 풀빵 2개 값으로 뚝 떨어져서 하루종일 지게를 지고 다녀도 10원을 벌기도 어려워지고 심지어는 그나마 짐을 한 번도 얻지 못하는 날도 있었다.

그래서 상억의 제의로 자갈치 시장 쪽으로 가면은 조금은 더
나을 것 같다는 말에 두 사람은 거리가 조금 더 멀지만, 그쪽으로 가기로 하였다.
자갈치 시장 쪽으로 가는 길에 일본사람이 운영하던 미나카이 백화점이 있었는데 해방이 되어 일본사람들이 본국으로 돌아간 후에도 계속하여 미나카이 백화점으로 불리다가 전쟁이 나면서 부상병들을 수용하고 있는 제5 육군병원 앞을 지나서 자갈치 시장 쪽으로 가는데 뒤에서 부르는 소리가 들렸다.

"보소, 아재요 짐 실을랑교?"

뒤 돌아보니 가마니로 둘러싸 놓은 커다란 짐 앞에 주인인듯한 중년 여자가 손짓을 하며 말했다.
범성과 상억이 그 앞에 다가가자,

"이거 캉 저 쪽에 한나 더 있심더 자갈치 까지 갈라 카는데 얼마면 되능교?"

"알아서 줘유 우리두 자갈치루 가는디유 뭘."

"아, 그렁교? 마침 잘 됐심더 10원씩 주면 안 되겠능교?"

"야 그렇게 해유."

자갈치 시장까진 거리가 얼마 안 되어서 10원 이라며는 헐값은 아니었다.
범성과 상억은 각자의 지게에 짐을 실으며 오늘은 아침 마수걸이가 좋아서 잘 될 것 같은 생각이 들었다.
짐의 부피는 컷지만 대충 쌀 한 가마니의 무게가 된다는 것을 농사를 지으며 쌀가마를 많이 지어본 경험으로 알 수 있었다.
전차 정류소 두 구역 정도의 거리를 지나서 자갈치 시장 입구에 중년 여자가 가르쳐 주는 창고 앞에 짐을 내려놓으니,

"아재들 힘 쎄네예. 다른 사람들은 한번 쉬는데, 힘 안들등교?"

하면서 앞 치마 속의 전대에서 범성과 상억에게 각각 10원씩을 꺼내 주었다.

"고마워유."

"아재들 어디 사능교?"
"야 지들은 영주동 이라는디 살구 있어유."
상억이 대답하였다.
"카몬, 거기서부터 걸어오는 기라예?"
"그려유."
중년 여자는 안쓰러운 눈 빛으로 두 사람의 아래위를 훑어보더니,
"아재들요 내 캉 아재들 캉 독구이 할랑교?"
" ? "
중년 여자의 말이 무슨 뜻인지 몰라서 두 사람은 눈을 동그랗게 뜨고 서로 쳐다보았다.
말투로 보아 분명 나쁜 뜻은 아닌 것 같으나 그 뜻을 알 수가 없었다.
"독구이 하자 아입니꺼?"
" ? "
"말을 잘 알아듣지 몬하나 비내예, 단골로 하자 말 입니더."
그제서야 두 사람은 어렴풋이 그 말뜻을 알 수가 있었다.
"그래유, 그라문 지 들두 좋지유."
상억이 고개를 끄덕이며 범성의 생각은 묻지도 않고 대답하였다.
"그 카몬, 공일 날은 빼 뿌고 매일 아침 아까 그 시간에 거기루 올 수 있능교?"
"매일 아침 같은 시간에유?"
"하모요 비가 와 싸도 와야 합니더."
두 사람은 또 그 말뜻을 알아듣지 못하였다.
중년 여자가 다시 설명하자 그제서야 그 말뜻을 알아들은 범성이,
"그려유 알았시유."
라고 대답을 하고 옆의 상억은 웃는 얼굴로 고개를 끄덕거렸다.
중년 여자가 다시 말을 이어 나갔다.
"그 칸데 말임더, 독구이라 카모는 짐 값은 5원으로 하입시더."
"야 ?.. 5원으루유 ?"

"하모요. 오늘은 내사 마 바빠가꼬 그 캣지만, 독구이 되마 마, 그케 해야 안 되겠능교?"

중년 여자는 두 사람이 자기의 말뜻을 잘 알아듣지 못함을 알고서 큰 손짓과 동작을 섞으면서 말하였다.

범성과 상억 두 사람은,

어차피 자갈치 시장 쪽으로 오려면 거쳐야 하는 곳이기에 고정된 일이 생기는 일이므로

"그렇게 하쥬 뭐."

하고 쾌히 승낙하였다.

"마, 충청도 사람카고는 앗쌀하네예."

" ? "

중년 여자는 창고의 쇠로 된 문을 열고서 구석에 있는 종이상자 안에서 얇은 종이에 싸인 빵 두 개를 꺼내어 하나씩 주었다.

"함 묵어 보이소."

생전 처음 본 주먹만 한 크기의 갈색빛의 빵이었는데 손에 닿는 감촉이 엄청 부드러웠다.

그 빵 이름이 카스테라 라고 하는 미국 빵이란 것을 며칠이 지나서야 알게 되었고, 미나카이 백화점 뒤쪽에 유엔에서 보내는 원조물자를 내리는 부두가 있는 곳에서 긴급히 투입된 유엔의 구호 식량과 우유 헌 옷 등이 들어와서 힘 있는 사람들의 비호 속에 옆으로 빼 돌려지는 물건이란 것을 알게 되었다.

이를테면 피난민들에게 고루 나누어 줄 물건을 훔쳐내는 행위였다.

즉, 부산에서는 이런 행위를 띵가 묵는다 라고 말한다.

범성은 얼핏 한필이가 생각이 나서 빵이 부서질세라 조심스레 주머니에 넣었다.

그것을 보고 상억이도 범성을 따라서 빵을 주머니에 넣었다.

매일 아침 정하여진 시간에 미나카이 백화점 앞에서 기다리기로 약속하고 두 사람은 그곳을 떠났다.

자갈치 시장에는 물건을 사고팔고 하는 사람들이 많았기에 짐 손님

도 많았지만, 또 한 지게꾼들도 많았다.
짭쪼롬한 바다 냄새와 생선 비린내가 바닷바람에 섞이는 시장 바닥에는 사람들로 붐비고 그 사이로 드럼통에 물을 가득 실은 리어카가 사람들 사이를 헤집고 지나가기도 하였다.
상억이 먼저 짐을 얻어서 떠난 다음에 범성도 짐을 얻어 지게에 지고 짐 주인의 뒤를 따라갔다.
시장 동쪽 끝에 있는 계단을 올라서면 거기부터가 바로 영도다리인데 많은 사람들이 삼삼오오 모여서 서로의 소식을 알아보려고 웅성거리고 있었다.
뒤따라 오는지 자주 뒤를 돌아보는 짐 주인 뒤를 따라 가까스로 인파를 헤집고 도착한 곳이 다리 건너 봉래동이었다.
짐 주인이 건네주는 짐 값을 받아들고 돌아서려는데 길옆의 라디오가게 앞에 사람들이 많이 모여 있어서 어깨너머로 보니 기쁜소리사라고 써 놓은 간판 아래의 확성기에서 흘러나오는 소리는,
어제 9월 15일 밤사이에 유엔군이 인천에 상륙하여 서울로 진격중 이라는 소식이었다.
귀를 쫑긋 세우고 듣고 있던 사람들이 모두 두 손을 번쩍들고 만세삼창을 하며 환호하였다.
"기레니까니 내레 이제 집으로 날래 갈 일만 남았시요."
"아바이는 어디서 왔음 둥?"
"내레 피양이야요."
모두가 고향으로 돌아갈 수가 있다는 희망에 희열을 감추지 못하였다.
범성도 고향으로 돌아갈 날을 꼽아보며 자갈치 시장 쪽으로 가려고 영도다리 앞으로 갔는데 싸이렌 소리와 호루라기 소리가 요란히 나며 순경들이 통행을 막고 있었다.
잠시 후, 상억이 말 한대로 육중한 굉음이 들리며 영도다리가 서서히 움직이더니 다리 한쪽이 위로 올라가서 이윽고 하늘을 향하여 우뚝 섰다.

그 광경을 본 피난민들은 그만 입을 벌리고 들려진 다리 위를 바라보면서 벌려진 입을 다물 줄을 몰랐다.

그로부터 열흘쯤 지났을 9월 28일에는 수도 서울을 수복하여서 중앙청 꼭대기에 태극기를 걸었다는 꿈 같은 소식이 라디오 가게 앞의 확성기를 통하여 널리 알려지는데,
피난민들은 당장이라도 고향으로 달려갈 태세였고 거리에는
환호성으로 가득하며 신문사에서 띄운 비행기에서는 삐라를 뿌리는데 햇빛에 반사되어서 뿌려진 삐라가 반짝거리며 바람에 날리어 떨어지는 것을 사람들이 서로 주워 보려고 혼란 중에 신문사 자동차에서도 직원들이 석유 냄새가 풀풀 나는 방금 찍어 낸 호외를 뿌리고 있었다.
사람들은 싱글벙글하며 옆의 아무나 붙잡고서,
  "언제 고향 갑니까?"
  "내일이라도 바로 가야지요."
  "어디로 가십니까?"
  "영등포가 내 살던 곳이요."
  "그쪽 분은 어디서 오셨습니까?"
  "내 말잉교? 내사 마 여그 본토바기 아잉교."
  "아, 그렇습니까. 하여간에 축하합니다."
서로가 모르는 사이지만 오래전부터 아는 사람처럼 서로가 축하하여 주기도 하였다.
범성도 하리골로 돌아간다는 희망에 들떠서 일찍 집으로 들어가기로 작정을 하고 영주동으로 향하였다.
전차가 찻길까지 몰려나온 사람들에게 길을 비켜달라는 신호를
울리며 가다 서기를 반복하며 경적소리를 계속하여 내고 있었다.

저녁에 철우가 범성과 상억을 집으로 불렀다.
방 안에는 술상이 차려져 있었고 아이꼬가 미실이를 품에 안고 있

었다.

"성, 뭔 일 있슈?"

범성이 말에 철우가,

"일은 뭐 무슨 일, 그냥 이렇게 술 한잔하면서 얼굴이나 보려고 그러는 거지."

기실, 한 곳에 같이 살면서도 모여 앉아 담소를 나눠 보기는 처음이었다.

술이 몇 순배 도는 중에 범성은 함안에서의 덕수 내외가 생각나면서 몸을 부스스 떨었다.

- 여기 함께 있었으면, 미실이도 여기 이렇게 있는데..... -

셋의 대화는 서울이 수복되었다는 이야기와 그리고 귀향에 대하여, 이야기하였는데,

"그래. 자네들은 어찌하려나?"

"글쎄유. 서울을 되찾았어두 전쟁이니까 더 두구봐야 하잖어유?"

"그렇지 서두를 것은 없어 고향에 계시는 부모님 안부를 몰라서 걱정이지 만, 사태를 조금 더 지켜봐야지. 그런데 요즘 벌이는 어떤가?"

"시원치 않어유. 이틀을 벌어야 보리 한 됫박이유."

상억이 철우의 물음에 한숨을 쉬면서 답하였다.

"이제 곧 찬 바람이 불 텐데 부산은 바닷바람이 많아서 추울거야. 더구나 이런 판잣집에서는 더 추울 텐데."

"그류, 안 그래두 밤에는 조금 춥더라구유."

"구들 방도 아니고 이런 다다미 방이라면 겨울나기가 무척이나 힘들 거야."

"지들두 그게 걱정이유. 먹는 것도 걱정이지만 추워지기 전에 빨리 집으루 갔으문 좋겠슈. 근디, 이 막걸리 맛이 좋으네유."

하며 상억이 술 대접을 내려놓으며 말하였다.

"아, 다른 술맛과는 조금 다를 거야. 뒷맛이 깔끔하지?"

"그류 목 구녁에 넘어갈 때두 순 한디유. 일하다가 배 채우려고 마시든 술 하구는 달러유."

"내가 오늘 여기저기 돌아다니다가 괴정이라는 동네에 갔었지. 우리가 지금 있는 동네 뒷산을 넘으면 거기 쯤 되는데 그곳 물이 참 좋더구먼. 몇 백 년 된 회화나무가 여러 개 있고 거기에서 샘물이 솟아나는데 먹어보니 내가 먹어본 물 중에서 으뜸이더군. 그래서 그 물로 담근 술이라서 맛이 틀리는거야."

"그려유? 어쩐지 맛이 틀린다 생각했슈."

범성의 맞장구에 철우는 다시 말을 이어 나갔다.

"포천 양조장의 물과 괴정의 물맛이 어딘가 틀리면서도 같은 물맛이더라구."

그런 말을 들어서인지 막걸리가 더 맛이 있게 느껴졌다.

어린이 시간인지 아야꼬가 미실이 들으라고 틀어놓은 목침(통나무로 만든 베개)크기의 라디오에서 오빠생각 이라는 노래가 흘러 나왔다.

여자아이의 슬픈 노래가 단칸방 안을 휘젓는데 모두가 떠나온 고향과 부모님 생각에 숙연해지며 특히 미실이 와 아야꼬의 처지가 겹쳐져서 눈시울이 붉어졌다.

국군과 유엔군이 파죽지세로 진격하여 드디어 평양까지 점령하였다는 뉴스가 기쁜소리사 앞에 매달린 확성기에서 길거리 사람들에게 알려 주는데,

"무웅치이면 사알고 흐터지이면 주욱습네다."

(뭉치면 살고 흩어지면 죽습니다.)

이승만 대통령이 평양에서 한 연설이 떨리듯 쉰 목소리가 감격에 겨워 더듬더듬함이 확성기를 통하여 곳곳에 퍼져 나갔다.

피난민들은 이제는 정말로 고향으로 돌아갈 수가 있겠구나 하는 확실한 소식에 가슴이 부풀었다. 실제로 부산역에는 고향으로 돌아가

려는 귀향민들이 북새통을 이루었다.

저녁밥을 먹고서 범성은 아낙과 마주 앉았다.

"고향으로 돌아가는 사람들이 많은디 당신 생각은 어뗘?"

범성이 아낙의 얼굴을 살피며 입을 열었다.

"그래유 이 동네에서두 가는 사람들이 있어유."

"가게 되며는 날 춥기전에 가야 하는 디."

"춘분네는 어쩐대유?"

"아직꺼정 안 물어봤어."

"미실이네는유."

"거기두 그려."

"만나서 얘기들이나 해 봐유."

"얘기 해 보나 마나 다 들 가야지."

"그래두 언제쯤 갈 건지 알아야지유."

"그랴, 내가 한번 알아볼께 당신도 미실이네 하정이네한테 말을 해 봐."

"그래유 내일 한 번 알아볼게유."

한 편,

윤철우가 아야꼬와 함께 떠난 포천에서는 빨갱이들의 횡포가 더욱 심하여지더니,

철우의 여동생 윤미정이가 가입한 여맹에서도 미정이의 얼굴을 보아서인지 이용을 하려 했음인지 그동안 묻어두었던 친정 식구들의 사상을 들추기 시작하였다.

이유인 즉,

일본인을 도와서 양조장 경영을 함께 하였다는 점과 철우가 일본으로 유학을 하고 일본인과 결혼을 하였고 수령님 품을 버리고 월남을 하였다는 등등 말도 안 되는 이유를 여러 가지로 붙여서 트집을 잡기 시작하였다.

어느 날,
당 조직부장이 미정이를 불렀다.
"윤미정 동무, 동무의 열정적인 당에 대한 충성은 내 이미 들어서 잘 알고 있소. 그런데 말이오. 윤미정 동무래 가시 아바이와 가시 오라비의 사상이 의심이 든다 이 말이오."
미정은 친정 이야기가 나오자 내심 가슴이 뜨끔하여서 조직부장의 시선을 옆으로 피하였다.
"동무 내게 말을 해 보시라요."
"친정아버지는 위원회에서 사상 조사를 받고 풀려나서 반성을 하며 지금 집에 있습니다."
조직부장은 미정의 말에 잠시 침묵하더니
"그러면, 당 교육에도 참석지 않는다는 보고가 있는데 어째서 그러하오?"
"몸이 불편하여 밖에 다닐 수가 없습니다."
"어찌 그러오?"
"위원회에서 조사받을 때 다리가 부러져서 못 쓰게 되었습니다."
"그럼 그기 당의 탓이란 말임메? 그럼 안깐(처)이라도 나와야 앙이 되겠소?"
"친정어머니도 나이가 많고 또 아버지 수발을 들어야 하여서 그렇습니다."
"무스기 소리임메, 모든 인민은 공평 해야하오 그것이 수령님의 지시 아님 둥?"
조직부장의 무지막지한 트집에 미정은 그만 할 말이 없어져 버렸다.
"가시 오라비는 어째스리 남반부로 갔수까?"
"아직까지 어디로 갔는가를 잘 모르겠습니다."
"그기 그거 아님 둥?"

"남반부로 가지는 않은 것 같습니다."

"당에서 더 조사를 해 보갔수다. 글케 알구 있으시라요."

"알겠습니다."

"아, 글구, 윤미정 동무의 당에 대한 충성은 높이 평가하오. 하지만, 가시아바이와 가시오라비의 일은 그냥 넘어갈 수가 없지 앙이 하겠오? 자아 비판서 하나 써 내시라요."

"자아 비판서를요?"

"어찌 앙이 쓰겠다는 말임메?"

"예, 조직부장 동무. 알겠습니다."

미정은 서슬퍼런 조직부장의 말에 고개를 숙이고 돌아섰다.

그날 해가 질 무렵에 미정은 착잡한 심경으로 얼마 멀지 않은 친정집으로 향하였다.

해방 직후에 여맹에 가입을 할 때에는 사상과 이념에는 아무 상관도 없이, 또 한 그것에 대하여는 아무런 선입관도 없이 다만 친정집을 옹호하기 위하여 가입하였으나 별로 도움도 되지 못하고, 친정 아버지가 군 위원회에 불려가 몸을 못 쓰게 되면서 공산당에 대하여 회의를 느끼게 되었지만 더 이상 화를 면하기 위하여 조직 활동을 하다 보니 거짓인 줄 알면서도 주위 사람들을 선동 포섭하기도 하며 고발하던 일들이 뇌리를 스치고 지나갔다.

반쯤 열려진 친정집 대문 안으로 들어서니 친정아버지가 부러진 오른쪽 다리를 지탱하려고 지게 작대기로 중심을 잡으며 마악 툇마루에 걸쳐 앉으려 하고 섬돌 아래에는 몇 년 전까지 양조장에서 일하던 한 씨가 팔에 붉은 완장을 하고서 같이 온 일행으로 보이는 젊은 사람 둘과 함께 있었다.

한 씨는 미정이를 보자 잠시 주춤거리다가 모르는체하고 얼굴을 돌리었다.

"윤씨 동무, 아들이 어디로 갔는지 말을 안 하겠오?"

"이 보오 한 씨, 내가 지금 몸이 이런데 그 애가 어디를 갔는지

내가 보기를 했오? 내가 듣기를 했오? 난 아무것도 모르오.”
친정아버지는 짜증을 내며 말하였다.
그러자 한 씨가,
“위원회에서 내린 결론이니 얼른 알려주시오. 안 그러면 또 윤씨동무를 위원회에 고발하겠소.”
상황을 파악한 미정이 한 씨 앞으로 다가서서,
“한 씨 아저씨! 서로가 모르는 사이도 아닌데 어째 이럽니까?”
“나 라고 이러고 싶어서 이럽니까? 여기 아들이 반동분자이니까 찾으려는 것이 아니오.”
“반동분자라니요? 누가 그럽니까?”
“동무가 여맹 위원이라는 것이 부끄럽지도 않소?”
“뭐라구요?”
“인민의 고혈로 일본으로 유학하여 호의호식하고 일본년으로 마누라까지 얻었으니 그게 다 반동이란 말이오.”
“아니, 말이라고 그렇게 함부로 합니까? 당에서는 그런 논의가 없었는데 어째 아저씨는 반동분자라고 합니까?”
“미정이 동무도 여맹 위원이라고 너무 나대지 말고 조심하시오.”
“뭐요?”
“오늘은 그만 가는데 반드시 반동들을 찾아서 인민의 심판을 받게 하겠오.”
더 으름장을 놓아 보아야 여맹 위원인 미정이에게는 버거운지 한 씨는 슬그머니 뒤로 빼며 따라온 젊은이 두 사람과 함께 돌아갔다.
“세상이 바뀌니 원, 개 같은 놈을 다 봤다. 제 깐 놈이 어디 와서 위세를 부려.”
친정아버지는 심한 모욕감에 얼굴이 붉으락푸르락하여 입술을 떨면서 분함을 못 이기어 짚고 있던 지게 작대기로 섬돌을 쿡쿡 내리찍으며 말했다.
미정은 그런 아버지의 모습에 눈물이 핑 돌았다.

"개만도 못 한 놈의 자식. 아무리 세상이 바뀌어도 변 할게 따로있지 저놈이 옛날에 술 빼돌리다가 나한테 여러 번 들켜서 쫓겨난 것을 앙갚음 하려는 게야. 이 다리가 이렇게 된 그것도 저놈 짓이지. 죽일 놈 같으니..."

"그만, 안으로 들어가세요."

미정은 친정아버지를 부축하여 방으로 들어갔다.

한필용, 그는 이웃 동네에 사는 사람으로서 해방이 되기 전 미야모도가 운영하는 양조장에 철우 아버지의 소개로 배달꾼으로 일하게 되었다.

농번기 때면 먼 동네까지 막걸리 서너 통을 자전거 뒤에 싣고서 배달을 하였기에 인근에서는 모두 한필용을 잘 알고 있었다.

그는 눈치가 빠르고 셈법도 밝아서 미야모도의 신임을 많이 받았으나, 행실이 별로 좋지 않아서 몇 번이나 술을 빼돌리다가 발각이 되어 종내는 미야모도에게 쫓겨나게까지 되었다.

그런 일을 철우 아버지가 미야모도에게 고자질을 하였다는 지레짐작으로 늘 앙심을 품고 있었는데,

기실 철우 아버지는 그의 행동을 알고도 같은 조선 사람이기에 조용히 타이르고 덮어주려고 하였지만 듣지 않고 귓등으로 흘려듣다가 끝내는 미야모도에게 현장을 들키게 되었다.

철우 아버지가 중간에 끼어서 무마시켰지만, 미야모도의 의심을 받던 중 또 그런 일이 발생 하였다.

비록 그의 행동은 나빴지만, 그때에도 지난번처럼 또 미야모도에게 선처를 부탁하였으나,

미야모도는

"윤상이노 마음이노 자리 아라스므니다.

しかし、彼は反省しません (그런데 그는 반성을 안 합니다.)"

결국에는 허리에 긴 칼을 찬 순사가 나와서 포승줄로 묶여 지서로 끌려간 후로는 소식이 없었다.

해방되고 며칠 지나지 않은 어느 날,
한필용을 포천 읍내에서 보았다는 소식이 들려왔다.
철우 아버지는 한필용의 소식이 궁금하던 터에 반가운 마음이 들었다.
그 한필용이가 며칠 후 양조장으로 찾아왔다.
반갑게 맞아주는 철우 아버지와는 반대로 그는 싸늘한 말투로,
"윤씨 동무. 해방되고 이제 우리 인민 위원회에서 일본놈들의 적산가옥을 접수하겠으니 적극적으로 협조하기 바라오."
하며 양조장 경영권을 넘기라는 말을 하였다.
철우 아버지가 동의하지 않으니까 그때부터 철우 부자를 못살게 굴더니 끝내는 인민 위원회로 끌려간 철우 아버지 다리를 못 쓰게 만들어 버렸고 또 한, 철우가 월남을 결심하게 된 동기가 되었다.
"얘 야, 너도 보았지? 빨갱이들이 어떤지를...."
친정아버지는 딸을 흘겨보면서 그간 말하지 않던 속내를 드러내었다.
"너도 정신 좀 차려라. 공산당은 애비 에미도 없고 피눈물도 없는 무리다."
잠자코 듣고 있던 미정이가 남이 들을세라 낮은 목소리로 또박또박 말하였다.
"아버지 저도 알고 있어요. 그러나 우선은 살고 봐야 하니까 협조하는 척이라도 해야지요. 지금 국방군이 올라오고 있대요."
" ? "
평소의 미정이와는 다른 속내의 말을 듣고 친정아버지는 어리둥절하여서 딸의 얼굴을 한참이나 멍하니 쳐다보았다.
"그러니 국방군이 올 때까지 버텨내야 합니다."
" ? "
친정아버지는 딸 미정이의 속뜻을 어렴풋이 짐작하였는지 눈을 지그시 감고 고개를 끄덕이었다.

열흘쯤 지난 후,
유엔군이 인천 상륙작전에 성공하고 낙동강 전투에서 인민군이 연전연패하면서 전황은 역전되어 패주하는 인민군의 뒤를 바짝 쫓으며 국군은 파죽지세로 북상하여 서울을 탈환하였고 미정이 있는 포천에도 상황이 급박하여진 인민 위원회도 철수하게 되었는데 미정도 이용가치가 있어서인지 본인의 의사와는 관계없이 납치되다시피하여 북쪽으로 끌려가게 되었고 그때 함께 끌려간 학교 선생님들과 인근 여러 동네 사람들이 부지기수였다.
그리고 미처 못 끌고 간 사람들은 산골짜기에 모아놓고 총을 쏘아서 죽이었다.
그 와중에 한필용이는 아래 사람을 시키어서 철우의 부모를 살해하고 인민 위원회를 따라서 북쪽으로 올라갔다.

1951. 1. 4 후퇴.

국군과 유엔군이 패주하는 인민군을 뒤쫒아서, 1950년 10월 말쯤에는 압록강 변 초산까지 진격하였고, 한 달 뒤에는 혜산과 청진까지 밀고 올라갔다.
그러나, 10월 중순에 미리 압록강을 건너서 깊은 산 속에 매복하였던 중공군 30만 명은 일주일 후 10월 25일부터 야간에 유엔군을 기습 공격하며 인해전술 공세로 나오기 시작하였다.
결국에는 장전 호에서 중공군의 기세에 밀려나 후퇴하기에 이르렀는데, 이때 흥남 부두에서 많은 피난민들을 후퇴하는 수송 군함에 실어서 남쪽으로 내려왔다.
유엔군은 급격한 후퇴로 부대 재편성이 부진하여 1951년 새해 벽두인 1월 4일 수복한 지 3개월 만에 중공군에게 서울을 빼앗겼다.
중공군은 여세를 몰아 거기서 그치지 않고 수원을 지나 김량진까지 내려오는 상황이 되었다.

(註. 一九五O年十月二十二日 彭德懷 分析 敵情后 再次 給 毛澤東發去電報 (팽덕회가 적정을 분석 한 후 재차 모택동에게 전보를 보냄)
一九五O年十月二十五日上午九時, 金日成. 彭德懷在, “充滿中朝兩黨和兩國人民親密友好的氣氛中開始了
歷史性的首輪會談.”

번역:김일성 팽덕회가모여서 “충만 중조 양당 과 양국 인민의 친밀한 우호적인 기운으로 역사적 수뢰 회담을 하였다.)
支援军一進入朝鮮境內
번역:지원군 일부가 조선경내로 진입)

<이상 중국 인민문학 출판사 조선전쟁 중에서 발췌 >
< 筆者 첨부: 중국 대륙의 평야에 하늘을 뒤덮다시피 날아다니는 메뚜기 떼처럼 인해전술로 몰려 내려 온 중공군은 압록강을 건너기 훨씬 전에 미리 선발대를 남쪽으로 침투시키어 정탐을 하였던 듯 싶다.
그 이유 인 즉,
필자가 한중 수교직후 어떠한 일로 중국에 머무를 때, 흑룡강성 동녕 삼차구 라는 지방에서 나이든 촌로를 만났는데 오가는 이야기 중 자기가 그때 선발대에 차출되어서 경상도 김해까지 내려 갔었다고 말하였다. 이 이야기는 다음 기회에 자세히 기술 하기로 하면서... >

치열한 전투가 한반도 중부에서 치러질 때,
부산에서는 1.4 후퇴로 밀려든 피난민들이 대거 유입되어서 부산의 외곽 지역까지 군용 천막으로 임시 수용소가 들어서기 시작하였는데 특히 평안도와 함경도 사람들이 많이 있었다.
고향인 하리골로 돌아가려고 준비를 하던 범성과 상억이도 주춤거리고 조금 더 사태를 지켜보기로 하는 동안에 철우가 문현동에 있는 양조회사에 취직하게 되었다.

어느 날, 철우가 고향 소식과 전쟁의 정황을 알아볼까 하여 광복동에 있는 유명인들이 번질나게 드나드는 르네상스라는 다방에 들어갔다가 우연히 아는 사람을 만났다.
그는 김의한이라는 사람으로 해방이 되기 전 포천의 미야모도를 만나러 온 사람으로 철우보다는 두 살 연상이었다.
그는 부산에서 양조회사를 하는 가네무라 신쬬 라는 일본인의 부하직원으로서 사장의 심부름으로 멀리 포천까지 찾아왔던 것이다.
가네무라 신쬬와 미야모도 하야시는 오래전부터 가까운 사이로 양조사업에 대하여 서로가 깊은 관심이 많았던 것을 장인인 미야모도에게 들어서 알고 있었다.
해방이 되어 가네무라도 운영하던 양조회사를 김의한에게 맡기고 일본으로 돌아가면서 포천의 미야모도 하야시 기술을 접목시키라는 부탁을 하고는 관부 연락선을 타고 떠났다.

가네무라의 뜻이기도 하였지만, 김의한도 부산 제일의 술을 만드려 노력하여서 어느 정도의 기반을 잡고 있었으나 뭔가 조금은 부족하다는 인식이 있던 중에 철우를 만난 것이다.
그런 김의한을 우연히 만나서 윤철우는 그의 회사에 바로 상무직급으로 자리를 얻게 되었다.
그리고 회사와 조금 가까운 좌천동에 적산가옥을 구하여 철우네 가족의 거처를 장만해 주어서 철우는 아야꼬와 미실이를 데리고 거처를 옮기게 되었다.
이사를 하기 전 날,
범성 아낙은 조촐하게 저녁 밥상을 차리어서 철우 내외와 상억 내외를 불러서 밥이라도 함께 하였는데 방이 원체 좁아 어른 여섯이서 간신히 앉고 아이들 네 명은 같은 지붕 아래인 철우 집에 따로 밥상을 차려 주었다.

다음 날, 마침 일요일이라서 미나카이 백화점 앞에서 자갈치 시장으로 가는 짐 배달이 없는 날이어서 범성과 상억은 아침 일찍 철우네 이삿짐을 지게에 지고 좌천동 철우의 이사 집으로 가는데 범성 아낙과 춘분이도 아이들을 데리고 나와서 헤어짐이 아쉬워서 아야꼬의 손을 잡고 인사를 나누는데 갑자기 미실이가 큰 소리로 펑펑 우는 것이었다.
아마도 미실이는 아는 사람들과 또 같이 자란 동무들과의 헤어짐이 죽은 아버지 어머니와의 헤어짐처럼 느껴져서 서러웠던 모양이었다.
아야꼬는 그런 미실이가 안쓰러워서 들썩이는 두 어깨를 끌어안으면서 연신 등을 토닥거려 주었다.
그것을 보고 있던 미실이의 동무 하정이. 필운이 한필이. 덩달아 울기 시작하는데, 범성 아낙과 춘분이도 코끝이 찡하며 눈물이 핑 돌았다.
"아야꼬상 잘 가요."

범성 아낙의 말에 아야꼬도 빨간색 손수건을 꺼내어 두 볼에
흐르는 눈물을 닦으며,
"ありがとうございました. またお会いしましょう"
(고맙습니다. 또, 뵙겠습니다.)
하며 연신 허리를 굽혀 헤어짐의 아쉬움을 표하였다.

삼십여 분쯤 걸어서 도착한 철우의 이사 집은 고관 입구를 조금 지나서 전차가 다니는 길 뒤편에 있었는데 파란 양철지붕의 이 층으로 된 일본식 집이었다.
대문을 들어서니 자그마하게 가꾸어진 정원과 작은 연못가에 아직은 허허 벗은 작은 매화나무 한 그루가 새 집주인을 맞이하고 있었다.
이 층에는 사방으로 밖을 내다볼 수 있도록 유리 창문이 있었고 다다미 6개로 된 방이 두 개나 되었고 아래층에는 다다미방 3개와 넓은 마루가 있는데 안쪽 구석으로 이 층으로 연결된 계단이 있는 집이었다.
한동안 비어있던 집이었지만, 김의한이 사람을 보내어서 보편적으로 잘 정리가 되어 있었고 스무 살쯤 되어 보이는 상냥해 보이는 처녀도 한 명 딸려 있는데, 아마도 가정부인 듯싶어서,
"처자는 이름이 어찌 되는가?"
철우의 물음에 그녀는 밝은 미소로
"화자라꼬 캅니더. 박화자."
"밀양 박씨인가?"
"아입니더, 반남 박씨라예"
"그래? 고향은 어딘가?"
"내사 마, 태어난 곳은 함안 입니더. 부산으로 온 것은 10살 때였심더."
"함안?"
순간 철우의 머릿속에는 함안에서의 덕수와 미실 엄마의 얼굴이 스

쳐 갔다.

"맞심더, 함안이라예."

"그래? 부산에는 어찌 왔는데?"

"거기에선 배울 게 없다고 아버지가 부산으로 델꼬 안 왔심니꺼."

"그럼, 학교는 어디까지 다녔나?"

"동래여고까지 나왔심더."

"동래여고? 거기 명문 학교인데?"

"맞심더. 다 들 그 카데예."

"그런데 여기를 왜?"

"회사 사장님이 우선 한동안 여기에서 상무님 도와드리라꼬 안 합니꺼."

(동래여고 시초는 1895년에 개신교 선교단체인 호주장로교 선교회가 초량동에서 설립한 부산 최초의 사립학교이자 미션스쿨인 일신여학교이며 한강 이남 최초의 사립 여성 중등 교육기관이다.)

그날부터 박화자는 철우의 집에서 함께 기거하며 아야꼬와 함께 집안일을 하며 미실이한테도 한글을 가르치며 철우가 출근할 때면 함께 출근하여서 철우의 업무를 도와주는 비서 역할을 하였다.
형제가 없이 홀로 자란 아야꼬는 그런 박화자를 동생처럼 여기면서 지냈고 가끔은 꽃꽂이며 다도를 가르쳐주기도 하였는데,
두뇌가 명석한 박화자는 아야꼬가 알려 주는 대로 빠른 진전을 보였다.
웬만하여서 마음을 열지 않는 미실이도 다행히 박화자를 선생님이라 부르며 잘 따랐다.

"하나꼬상, 私の子供を教えてくれてありがとう。"

(화자씨 우리 아이를 가르쳐 주어서 고맙습니다.)

"はい、子供の脳は明確です。"

(네, 아이의 두뇌가 명석합니다.)

아야꼬는 박화자를 하나꼬 라고 불렀으며 자기의 서투른 한국말 대

신에 일본말로 대화를 하게 되어서 좋았으며 또한 그에게서 한국말을 배우고 발음을 교정하여주는 것이 무척이나 고마워하였다.
어느 날,
아야꼬는 박화자와 다도를 즐기다가 넌지시 말하였다.
"花子さん 日本と手紙で連絡を取ることは可能ですか?"
(하나꼬상 일본과 편지연락이 가능할까요?)

아야꼬는 친정아버지의 소식이 무척이나 궁금하여서 뭐 아는 것이 있나 하고 박화자에게 운을 띄웠다.
그녀는 잠시 생각하더니
"네, 있심더. 회사의 재료가 일부 일본에서 수입되는데 그편에 연락할 수도 있을끼라예.
그카고 회사 사장님캉 가네무라 회장님캉 연락이 되는 모양이라예. 그 줄을 이용하면 안 되겠능교?
더구나 가네무라 회장님캉 미야모도님 캉은 도모다찌(친구)라 카던데예."
박화자의 말을 듣고 아야꼬는 금세라도 아버지를 만날 수 있는 듯 마음이 들떴다.
그런 대화가 있은 지 달 포가 지나서 연못가에 매화나무 가지에 물이 오르며 새움을 틔우던 어느 날,
아야꼬는 일본에 있는 친정아버지 편지를 받았고 아야꼬도 즉시 회답 편지를 써서 박화자에게 건네주었다.
편지 내용에는 그동안의 일어났던 일과, 특히 미실이를 양딸로 맞이한 사연, 그리고 남편인 철우와 미실이 할머니와의 인척 관계를 자세하게 적었다.

한 편,
영주동에서는 철우가 살던 곳에 새로 사람이 들어왔는데 자식들이 셋이나 되는 다섯 식구가 들어왔다.

피난살이 살림이 고만고만하니까 다행히 식구가 많아도 다리를 뻗고 간신히 누울 정도는 되었다.
1.4 후퇴 때 흥남 부두에서 미군 수송함인 LST를 타고 부산에 왔다는 남자는 40이 좀 넘어 보이는 사람으로 열 대여섯 살로 보이는 큰아들과 그 아래 두 남동생이 있었는데,
이웃 사람들은 그를 이름도 모르고 하여 그냥, 함경도 아바이라고 불렀다.
그도 피난을 내려올 때 여느 사람들과 마찬가지로 빈 몸 맨손으로 내려왔기 때문에 곧바로 일거리를 찾아서 돌아다니다가 어느 날 국화빵을 굽는 틀을 구하여 부산역 한 귀퉁이에서 장사를 시작하였고, 안 사람은 아침 일찍이 자갈치 시장으로 나가 생선을 사서 양동이에 담아 머리에 이고 골목을 돌아다니며 팔곤 하였는데, 주로 많이 잡혀서 값이 싸고 흔한 고등어와 청어였기에 골목 한 바퀴를 돌며는 거의 바닥이 드러날 정도로 잘 팔렸다.
"고등어가 싱싱하지 않아 파이네예."
"아즈마이, 무스거 말임메? 이거이 이맨대기를 봅소. 와자자스리 얼레부끼 아니 함메."
함경도 댁은 생선의 머리를 손가락으로 꾹꾹 눌러 보이면서 거짓말이 아님을 강조하였다.
" ? "
생선을 사려던 부산 아지매는 생선장사의 말을 못 알아듣고 멍하니 함경도 댁의 얼굴을 쳐다보더니,
"아지매, 내 면대기가 어떻능교 내가 언제 아지매한테 얼라락카고 할매락카고 그 캤다 말잉교?"
부산 아지매의 화가 난 듯한 말에 함경도 댁이 이번에는 멍해졌으나 이내 손짓을 섞어서 사투리를 설명하고서야 말뜻을 알았는지 미안한 마음에 생선을 팔아주었다.
그날도, 일찌감치 생선을 다 팔고 저녁 반찬거리로 고등어 몇 마리를 남겨가지고 집으로 돌아왔다.

함경도 댁은 남겨 온 고등어 한 마리를 들고서 범성 아낙에게 갔다. 범성 아낙은 부엌에서 저녁준비를 하려고 하던 중이었는데,

"아즈마이, 이거 나조해미(저녁 반찬)합소."

하며 함경도 댁이 고등어 한 마리를 내밀었다.

"아이구, 뭘 이런 것 까정... 맛있게 생겼구먼유. 잘 먹을게유."

"나까매(냄비)에 부치(부추). 하고 가루지(고추장) 넣고 설라무네 한 번 해 먹어 보우다."

"마침 건건이가 마땅찮았는디 고마워유"

"밥 가매 이팝 가무치 꼴똑 끓여서리 인차 먹어 보우다."

" ? "

"맛이 좋수다."

"그게 무슨 말이유?"

범성 아낙은 함경도 댁의 말이 무슨 뜻인지 처음 들어보는 말이기에 되물어 보았다.

함경도 댁은 한 번 씨익 웃고는, 차근하게 손짓을 하면서 설명하였다.

그 뜻인즉, 밥솥에 누룽지를 푹 끓여서 고등어 조림과 먹으면 맛있으니 한번 해 먹어보라는 말이었다. 그러고서 두 아낙은 서로의 사투리 대화에 크게 웃었다.

그러다가 범성 아낙이 말했다.

"큰아들은 맨 날 일찍이 어디 일하러 가는 거유?"

"맞수다. 딴다버리(땅 거지) 가 앙이 되려면 거두메(뒷 일) 질이라도 잘해야 앙이 되겠음 둥?"

"그건 그려유, 근디 나이도 훨씬 어린디 뭔 일을 한 대유?"

"큰 가매에 소캐와기.우티(솜옷. 옷) 넣고스리 물들이지 앙이 하겠소."

"하루에 얼마나 받구유?"

"돈은 없수다. 인차 점심밥만 먹으오."

"그럼 기냥 일해 줘유?"

"거기 아바이레 도투바이(욕심쟁이)임메. 아새끼 손에 썩살(굳은 살)이 생겨야지비 기술을 배워준다 앙이하오?"

"그래두 공짜로 일을 시키나유?"

"바쁘더래도(힘들더라도) 날래(빨리) 기술을 기티(배워 남김)야디요."

범성 아낙은 새삼 그들의 끈질기고 억척스러운 생활 방식에 혀를 내두르며 감복하였다.

특히 함경도의 척박한 곳에서 맨손으로 피난 내려온 사람들이라면 어떻게든 살아야 한다는 일념으로 몸을 사리지 않고 무엇이든지 멀리 내다보며 억척스레 생활하기에 남에게 구차하게 손을 벌리지 않는 자립정신으로 삶을 개척하여 대부분이 성공한 사람들이 많았다.

범성 옆집의 함경도 사람들도 그런 사람들이었다.

범성 아낙은 아야꼬의 경제 지식에 이어서 옆집 함경도 댁으로부터도 그네들의 긴 안목에 깊은 감명을 받았다.

저녁때 철우의 만나자는 전갈을 가지고 비서인 박화자가 범성이를 찾아왔다.

전갈인즉슨, 이번 일요일에 만나자는 것이었다. 상억이도 함께 왔으면 좋겠다고도 하였다.

범성은 일요일에 가마하고 회답을 주고는 상억의 집을 찾았다.

"이 사람 집에 있능겨?"

"야, 성님 왔슈?"

"저녁밥은 먹었구?"

"야 시방 먹었슈. 그런디 뭔 일이래유?"

"왜 오면 못 쓰나?"

"아뉴, 그게 아니구유."

"딴 게 아니라 포천 성이 이번 공일날 만나자구 연락이 왔는디?"

"그류? 뭔 일 있대유?"

“나두 몰라. 만나 봐야 알겄지.”

“그나저나 성, 인자는 고향으루 가 봐야 않되겠슈?”

“그러게 말여. 혹 그것 때매 만나자는 거 아닐까 싶기도 하고…….”

“성은 언제쯤 갈꺼유?”

“가게 되문 하루라두 얼능 가야 안 되겄어?”

“야, 그류.”

방 한쪽 호롱불 앞에서 어디서 구했는지 전구를 구멍 난 양말 뒤꿈치에 넣고서 꿰매고 있던 춘분이가

“성님두 얼릉 갔으면 하구 말하던디유. 오빠는 어뗘유?”

“엄니 아부지가 걱정되구 또 농사철두 돌아오구 하니께 맘이 뒤숭숭 혀.”

“그류, 우리두 그려유.”

춘분이도 같은 생각이라며 귀밑머리에 바늘을 문대면서 말했다.

일요일 날,

범성과 상억은 아침밥을 먹고서 좌천동 철우의 집으로 갔다.

찬 바닷바람이 부는 날씨여서 길을 가는 사람들은 목을 움츠리고 종종걸음으로 걷고 있었다.

“어서들 오게나.”

철우가 마루의 유리문을 열면서 두 사람을 반갑게 맞아주고 그 옆에는 쪼르르 따라 나온 미실이가

철우의 바짓가랑이를 잡고 뒤로 숨어 범성과 상억을 바라보면서 배시시 웃고 있었다.

곧이어 철우의 안내로 응접실로 들어가서 의자에 앉아 있는데 아야꼬가 차를 내 왔다.

“안랭이노 하스무네까? ”

아야꼬의 반가워하는 인사에,

“야, 잘 있었슈?”

상억이 얼른 대답하였다.

“뭔 일루 불렀대유?”

범성이 철우에게 물었다.

“어떻게들 지내는지 궁금하여서 한 번 얼굴이라도 보려고 불렀네.”

“赤ちゃんとお母さん?”(아기와 엄마는?“)

아야꼬는 어째 아이들과 아이어머니는 함께 오지 않았냐는 듯이 말했다.

아야꼬의 그런 말에 범성은 머쓱하여져서 철우의 얼굴을 보며,

“거기 지셔봐서 알잖어유, 집 비면 훔쳐 가유.”

사실 판자 동네에서는 모든 것이 부족하기에 좀도둑이 심하였다.

방금, 빨아서 널어놓은 빨래도 지키지 않으면 걷어가는 실정이었으니 집을 비우기가 쉽지만은 않았다.

“그래, 언제쯤 고향으로 돌아들 갈텐가?”

“안 그랴두 시방 생각 중 이구먼 유. 안에서는 자꾸 빨랑 가자 하구유.”

범성의 대답에 철우는 잠시 침묵하더니,

아야꼬에게 미실이를 데리고 나가라는 눈짓을 하고서,

“내가 오늘 자네들을 부른 것은 의견을 들어보려고 하네.”

범성과 상억은 철우의 나지막한 말에 서로의 얼굴을 마주 쳐다보았다.

“돌아오는 일요일 날 함안에 가서 미실이 부모를 화장하려고 하네. 그래서 자네들을 불렀다네.”

“덕수 내외 말이유?”

“그렇다네 그냥 놔 둘 수도 없잖은가?”

“글세유 그게....”

생각지도 못한 철우의 말에 범성이 의아해하였다.

“물론, 나도 여러모로 생각하였지. 아직은 시신이 그대로 일 테고, 하여서 근처 절에 옮기어서 명복을 기원하는 제를 올리고

거기에서 화장하려 하네."
철우는 이미 계획을 다 하여 놓은 모양이었다.
"그리고 누가 먼저 하리골로 가든지 유골을 고향으로 보내야 하지 않겠나?"
"뻬를 가지구 간다구유? 그걸 어떻게?"
상억이 눈을 동그랗게 뜨고 반문하였다.
"화장하고 뼈를 잘 수습하여 곱게 빻으면 각각 한 되 정도 될 터인데 깨끗한 항아리에 넣어서 밀봉을 하면은 될 것일세."
철우의 말을 듣고 있던 범성이,
"그려유, 우리두 고향으루 가야 하니깨 덕수네를 데리구 가야지유. 그럼 공일날 거기루 우리두 가야지유. 그런디 그게 하룻만에 안 되잖아유."
"내가 열흘 전에 박양과 박양 아버지를 데리고 함안에 다녀왔네. 마침 함안이 고향이라서 잘 알더군.
그래서 박양 아버지를 그곳에서 미리 준비를 시키고 왔으니 그래두 한 이틀은 안 걸리겠나? 그러니 여기에서는 새벽녘에 출발하여야 될 거야. 일이 많으니까."
"거기까지 가는데 시간이 많이 들텐디유."
상억의 말에
"회사 차로 갈 테니까 두어 시간이면 갈 거야."
"그럼 그렇게 해유. 상억이 자네는?"
"가야쥬."
마주 앉은 셋은 그렇게 결정을 하고 아야꼬가 내어 온 차를 마시었다.
이어서 철우가 일어나서 옆의 방으로 들어가더니 노란색 병을
하나 들고나와서 탁자 위에 놓았다.
"자네들 이것 한번 맛을 보게나."
"이게 뭐래유?"
"이번에 우리 회사에서 견본으로 만든 술인데 맛을 보게나"

"뭔 술이 이렇게 색깔이 고와유?"

"매실로 만들은 매실주일세. 아직은 시장에 내놓지는 않고 있는 거야."

"그럼 이 귀한 것을 주는거유?"

"여러 사람이 먹어봐야 맛을 가늠할 수가 있지."

매실주는 철우가 회사에서 개발한 첫 기획 상품이었다.

은은한 색감에 향긋한 매실 냄새가 코에 먼저 와 닿더니 달짝하고 부드러운 맛이 목을 넘어갈 때는 상쾌함이 입안 가득히 괴어 있었다.

"좋구먼유. 근디 술 같지가 않네유."

"알콜 도수를 많이 낮추어서 술 못 먹는 사람들, 특히 여자들도 한 두잔 가볍게 마실 수 있게 하였지."

"그래두 술은 취기가 있어야 먹는 거 아뉴?"

"이것두 여러잔 마시면 취기가 올라와."

"그려유?"

"이따가 갈 때, 한 병 줄 테니 두 분 제수씨들도 맛을 보시라고 해."

다음 일요일 아침 일찍 철우의 집에서 만나 함안으로 가기로

하고 범성과 상억이 철우의 집을 나서는데, 아야꼬가 아이들 갖다 주라면서 미군 부대에서 흘러나온 통조림과 과자 과일 등을 보자기에 싸는데 철우는 매실주 한 병을 들고 나왔다.

"아니, 뭘 이런 걸 다.."

"나노 머그스므니다."

아야꼬는 나누어 먹으라고 보자기의 매듭을 정성스레 매는데 하얀 양말을 신고서 미실이가 뒷짐을 지고서 보따리 앞으로 다가서더니 뒤에 가지고 온 쵸컬릿트 세 개를 보따리 안으로 밀어 넣었다.

아마도 제 동무들 생각이 나서 그런가 보다고 하니 범성과 상억은 콧등이 시큰하였다.

영주동 판잣집으로 돌아온 범성과 상억은 범성의 집에 안 식구들과 함께 모여 앉아 낮에 철우의 집에서 의논하였던 덕수 내외의 화장 처리를 설명하고 고향으로 돌아갈 날을 의논하였다.
범성 아낙이 먼저 입을 떼었다.

"그러문, 유골을 가져오는 대루 바루 집으루 가면 되겠내유."

"그류 여기 더 있어 봐야 뭐한 대유?"

춘분이가 맞장구를 쳤다.

"글쎄, 암만 그래두 짐 싸구 정리두 해야잖여?"

범성의 말에 범성 아낙이,

"그냥 차비나 준비하구 먹을 밥이나 맹글어서 기차루 가유. 집에 가면 숟가락두 있구 솥 단지두 다 있는데 이까짓 거 짐만 되지 뭐하러 가져가요?"

"그려유 성님 말이 맞어유. 낭중에 보문 정내미가 떨어질 거요."

춘분이도 범성 아낙의 말을 거들었다.
그렇게 의논 끝에 덕수 내외의 유골을 가져오는 대로 곧바로 고향으로 돌아가기로 하고,
미나카이 백화점 앞에서 배달하는 짐도 그만하기로 알려주기로 하였다.
사실 얼마 전부터 그 일을 그만두려고 하던 참이었다.
어느 날 자갈치 시장의 장사꾼인 듯한 사람이 범성에게 넌즛이 말을 건네는데, 미나카이 쪽에서 오는 짐을 맡지 말라는 것이었다.
왜 그러는지 의아해하는 범성에게 그는 이렇게 말하였다.

"미나카이 모티서 가오는 물건 안 있능교 그기 다 꼬불치고 띵가 묵는 물건 아닝교. 들키면 우짤라고 그 캅니꺼."

그의 말은, 매일 아침에 미나카이 백화점 모퉁이에서 가져오는 물건이 감추었다가 몰래 빼 오는 구호 물품이기에 들키면 큰일 난다는 말이었다.

다음 날부터 하리골 사람들은 평시와 똑같은 일상생활이었지만 마음은 더 바빠졌다.
우선, 자갈치 시장으로 가서 매일 아침 짐을 옮겨주던 단골집에 내일부터 짐을 옮길 수 없게 되었다고 이야기를 하였다.
"와 그라능기요? 뭐 썹한 일이라두 있능기요?"
"아뉴, 인자 고향으루 갈랴구 해서유."
"그 카지 말고 내 쪼매 더 생각해 줄 테니 그냥 하이소."
"그동안에 고마웠어유. 편히 지셔유."
"우야노, 그단새 철석으로 믿었는데 각 중에 와 이래 쌋는지... 우짜노."
중년 부인은 그동안에 자기가 미나카이 쪽으로 직접 가지 않고도 범성이 알아서 물건을 가져오곤 하였기에 계속 일을 해 주기를 바랐으나, 범성은 고향으로 돌아가기 때문에 어쩔 수가 없다고 말하였다.

그날 저녁에 함경도 댁이 이번에는 청어 몇 마리를 가지고 왔다
"아주마이 이기 비웃 해미합소."
"자꾸 이케 주면 뭘 판대유?"
"아주마이 보문 니북에 있는 스누이(시누이)생각이 나설라무네..."
함경도 댁을 따라서 온 막내아들이 치맛자락을 잡자 그 손을 뿌리치며,
"아 새끼래, 덩디까디(부엌까지) 거 민하게스리 따라오누만, 날래 나가 놀라우."
범성 아낙이 막내아들의 머리를 쓰다듬어 주는데,
"아주마이 인차 고향으로 감 둥?"
그 사이 어디서 들었던지 고향으로 돌아간다는 말을 들은 모양이다.
"야, 이제 가야쥬."
"좋겠수다. 고생 많이 했시오."

"거기 아줌니도 고향 갈 날이 있겄지유."

"우리는 돌아가기 바쁘디요(어렵지요) 돌아가도 얼레부끼(거짓말) 하는 빨갱이 세상이지비. 거기가면 딴다버리 비럭질 이디요. 아주마이 고향가문 이 집을 내가 맡을까 하오."

"이 집을유?"

"그러하오. 아새끼들이 서이나 되니 와자자(정신없다)하여스리 이 집을 맡을까 하오."

"잘 됐네유. 집주인 한테 얘기해 놓을께유."

"아, 그리구 비지깨 있음 하나 빌려 주우다."

"비지깨? 그게 뭔데유?"

함경도 댁은 웃으면서,

"함갱도 사투리 임메. 비지깨 가 그러니까니 불 키는 성냥 말이우다."

그 말에 범성 아낙도 따라 웃었다.

"사 온다 하구서리 그만 까 먹었지비."

함경도 댁은 열려진 방안을 보면서,

"허양(가까운 곳)도 아니구서리 짐을 도루 가져가려면 바쁘겠수다.(힘들겠다)."

"다 놔두구 갈 거유. 그냥 몸만 빠져 나갈거유."

범성 아낙의 말에 함경도 댁은 눈을 크게 뜨고 쳐다보았다.

그러더니,

"소캐(솜)이불도 앙이 가져감메?"

"야 짐만 되지유."

"밥 가매(밥솥) 나까매(냄비)도 안 가져감메?"

"그려유. 전부 놔두구 갈 생각이여유."

"이 보오 아즈마이, 기 카몬 내가 다 맡겠수다. 셈은 꼴똑(많이) 쳐 주겠수다."

"소용 있으면 그렇게 해유."

범성 아낙이 쾌히 승낙하니까,

"아슴채이우다.(고맙습니다.)"
함경도 댁은 얼굴에 환한 웃음을 지으며 자기에게 넘겨준다는 범성 아낙의 말에 고맙다고 말하였다.

고향으로

고향을 떠난 지 아홉 달,.
범성과 상억의 가족은 이제 앞에 있는 산 모랭이만 돌아서면 옹기종기 지붕을 맞대고 있을 하리골 의 고향집이 보이는 곳에 다다랐는데, 떠날 때 와는 달리, 산 모랭이는 불에 타고 군데군데 움푹 패여서 아마도 큰 전쟁터가 되었던 듯하였다.
마음이 바쁜 발걸음은 더디기만 한데 문득, 덕수의 유골함이 무거워짐을 느끼며 부산진역에서. 떠나 올 때의 생각이 떠올랐다.
어제저녁 9시 30분 서울행 기차를 타려고 2시간 앞서서 부산진역에 도착하여 기다리는데 고향으로 돌아가려는 피난 객들로 역 대합실은 인산인해를 이루었다.
하리골을 떠나 올 때와는 달리 범성 아낙과 춘분의 말대로 짐이란 짐은 모두 버리고 빈손으로 달랑 덕수 내외의 유골함 두 개만을 들고 나섰다.
박화자가 먼저 보고서 다가왔는데, 옆에 아야꼬가 미실이의 손목을 꼭 잡고 서 있었다.
"상무님께선 마산으로 출장을 가셔서 몬 나왔심더. 그카고 여기 어른 표 네나캉 반표 세나입니더. 그라고예, 이것은 미실이 할배한테 전해 주라카데예."
박화자는 종이봉투를 범성에게 건네주며
"쓰리꾼 들이 많심더. 단디 넣어 두시이소."
아야꼬와 미실이가 앞으로 나섰다.
"안랭이노 가수시오."

아야꼬는 목이 메어 더듬거리는 말을 눈시울을 적시며 말하였다.
범성 아낙이 그런 아야꼬의 팔을 잡고 토닥거리며,
"綾子さん　また会いましょう　それまでの間、ありがとうございました."
(아야꼬상 또 만나요.그동안 고마웠어요)
라고 하며 나지막히 말하며 미실이의 머리를 쓰다듬어 주니 아야꼬는 일본말로 이별 인사를 하여주는 범성 아낙이 무척이나 고마웠다.
춘분의 딸 하정이가 미실이의 팔 소매를 잡아끌었다.
어린 마음에도 제 동무와의 헤어짐을 아쉬워하는 듯하였다.
아야꼬는 들고 온 삶은 달걀과 사과 과자가 담긴 보따리를 범성 아낙에게 건네어 주며 빨간 손수건을 꺼내어 눈물을 훔치면서 연신 허리로 석별의 정을 나누었다.
침울한 짧은 시간을 박화자가 깨면서,
"빠른 날자에 상무님이 미실이 할배한테 함 가 본다 카데예."
라고 말하였다.
기실, 따지고 보면 철우와 미실이 할아버지와는 한 번도 만나보지 못했던 외 재종 사이었다.
표를 검사하는지 개찰구에서 사람들이 술렁거리기 시작하였다.
하리골 일행도 개찰구 쪽으로 가려 하는데, 갑자기 미실이가 큰 소리로 울기 시작하였다.
깜짝 놀란 아야꼬가 미실이가 왜 우는지를 알아채고 쪼그려 앉아서 미실이를 꼬옥 끌어안고 등을 토닥거리었지만,
울음은 그쳐지지가 않았다.
그러다 보니, 하정이 한필이 필운이도 덩달아 울기 시작하였다.
아야꼬의 품에 안긴 미실이는 울다가 고개를 돌려 제 동무들을 쳐다보다가 다시 아야꼬의 품에 얼굴을 묻고 울기를 계속하였었다.

동네 어귀에 들어서니, 동네 몇몇 초가지붕은 군데군데 불타고 또

무너져서 전쟁의 흔적이 그대로 남아 있었다.
옹기종기 조개껍데기 같이 이마를 맞댄 초가집이 아담하였던 일년 전의 하리골이 아니어서 범성은 부모님들은 무사히 계신지, 가슴이 철렁 내려앉으며 두근거렸다.
고향에 왔음을 아이들이 먼저 알고 상억이 남매가 앞서서 뛰어가는데,
동네 첫 집에 사는 하정이 동무 윤실이가 범성 일행을 보고는 황급히 방 안으로 들어가며 문을 닫았다.
그것을 보고 범성은 쑥스러워서 그러려니 하고 빙그레 웃으며 아낙을 돌아보았다.
안 사람들을 먼저 집으로 보내고 범성과 상억은 덕수와 미실 엄마의 유골함을 들고서 덕수네 집에를 먼저 들렀다.
반쯤 열린 대문을 들어서니 덕수의 동생 현수가 안마당에서 보고는 깜짝 놀라더니 활짝 웃으면서 다가오며 대문 밖을 살피었다.
아마도 떠날 때 함께 떠났으니 제 형도 함께 온 줄 알고 있는 모양이었다.

"아부지 엄니 지시냐?"

범성이 반가워하는 현수에게 물었다.

"야, 방에 지슈. 그런데 우리 성은 같이 안 왔슈?"

함께 오지 않았음을 알고 서운해하는 현수의 등을 도닥거리며,

"응 안에 들어가서 얘기하자."

하고 범성은 가라앉은 목소리로 말했다.

"엄니, 아부지. 새 집 성하구 도림닥 성하구 왔슈."

현수가 안방을 향하여 크게 소리치자 방문이 열리고 덕수 아버지가 긴 수염으로 내다보며,

"뭐? 누가 왔다구 힛냐."

"지들 왔슈."

"응, 범생이 하구 상엑이가 왔구나. 우리 애는?"

덕수 아버지는 반가워하면서 범성의 뒤와 대문 쪽을 두리번

거리며 살피다가, 아들이 없음을 알고 안색에 불길한 생각이 스쳤다.

"들어가서 얘기 할께유."

"응. 그려, 얼릉 들어 와."

그렇게 건성으로 말하면서도 시선은 대문 밖을 향하였다.

범성과 상억은 방으로 들어가서 덕수 아버지와 어머니께 우선 큰 절을 하고는 가지고 온 유골함을 앞으로 내밀었다.

"이게 뭐여?"

생전 처음 보는 유골함을 보며 무엇인지 몰라서 눈이 동그래진 덕수 아버지에게 범성은 기어들 듯한 침울한 목소리로 설명을 하였다.

"아부지 엄니...."

"응 그랴."

"피난 가다가 덕수하구 미실이 엄마 하구 죽어서 이렇게 유골이 되어서 집에 왔슈."

"뭐라구 하는 말여? 당최 뭔 말인지...."

"새 집 성, 그럼 이게 우리 성이란 말이유?"

현수가 뒤로 물러 앉으며 하는 반문에 범성은 고개를 숙인 채 말없이 고개만 끄덕이었다.

"에구, 에구 이게 뭔 일이랴."

그때서야 상황을 알아차린 덕수 어머니가 옆으로 쓰러지면서 그만 혼절을 하였다.

"엄니, 엄니! "

현수가 얼른 다가가 어머니를 부축하였고 아버지는 믿기지 않는다는 듯이 움직이지도 않고 혼이 나간 듯, 주름진 두 눈을 멀뚱멀뚱 뜨고 유골함만 내려다보고 있었다.

한동안 무겁고 침울한 시간이 지나고 난 다음에 범성은 그간의 일을 자세히 이야기하는데 그때까지도 덕수 아버지는 두 손을 떨고 있었다.

범성은 철우가 건네준 봉투에 담긴 돈을 꺼내어 앞으로 내밀고는,

"윤철우라고 하는 사람이 고향에서 장사치를 돈으로 보태라구 하대유."

덕수 아버지는 돈이 들은 봉투를 물끄러미 내려 보다가,

"누구라구?"

"야, 포천 승골에 사는 윤철우 라구유. 미실이 할아버지하구는 외 재종간이라구 하대유."

"외 재종 사이라구?"

"야 그랬시유 덕수 할머니하구 자기 아부지가 사춘 사이라구 하대유."

덕수 아버지는 잠시 생각하더니

"그려, 우리 오갓집이 포천 승골이라구 했어. 그런데 미실이는 살아 있다문서 어째 안 데려온겨?"

"야, 그 윤철우라는 사람이 델구 있는데 낭중에 데리구 온다 하데유."

"그려?"

"야."

"성님들 인자 그만 집에들 가 봐야쥬."

현수가 나서서 말하였다.

"그러문 지들 이만 갈께유."

"그려, 애들 많이 썼어. 얼릉들 가 봐,"

범성과 상억이 방을 나오자 또 덕수 어머니의 울음소리가 들리고 현수와 아버지도 따라서 우는 소리가 들렸다.

먼저 집으로 들어간 아낙들의 소식을 듣고 범성의 어머니와 상억의 장모가 덕수네 대문 밖에서 기다리다가 안에서 흘러나오는 울음소리를 듣고 의아해하며 서로 얼굴을 마주 쳐다보았다.

"뭔 일이 있는가벼유."

"우리 메누리가 그러는디 미실이 엄니 아부지가 안 왔다더니 일

이 있긴 있는가벼유."

"난리 통에 죽은 거 아뉴?"

"그렇기야 하겄슈?"

"그럼, 왜 저렇게 운댜."

범성과 상억이 대문 밖으로 나오자 두 어머니들은 자식과 사위의 손을 잡고 어루만지며 눈물을 글썽이었다.

피난 갔다가 돌아왔다는 소식에 동네 사람들이 모였다.

그중에 피난길에 헤어져서 생사를 모르던 이수 아버지 김인한이 반갑게 웃으며 앞으로 나섰다.

"왜, 인자서야 오능겨?"

"아니 성님은 언제 왔댜?"

범성이 반가워서 이수 아버지의 손을 움켜잡았다.

"조치원에서 내려 가다 보니 아 글씨, 이수 에미가 병이 났잖어. 그래서 병이 나을 때꺼정 있다가 안 될 성싶어서 그냥 돌아왔지."

"잘 했슈."

"그럼 얼능 집에 가 봐. 아부지가 기다릴테니깨."

"그류, 이따가 구장님 집에서 봐유."

"그려."

이수 아버지는 어서 집으로 가 보라고 손짓을 하였다.

범성이 집에 도착하니 아버지 김 노인이 마루에서 서성거리다가 범성을 보고는 활짝 웃으며

"애비야 고상 많았지?"

"아부지 어디 불편한 데는 없었슈?"

"그려, 아무 일 없었다. 살이 많이 빠졌구나."

"난리 중이니깨유. 얼릉 방으루 들어가유."

방으로 들어가서 김 노인 부부는 아랫목에 좌정하고 범성과 아낙은 큰절을 올리어 집으로 돌아왔음을 고하였다

그리곤 오랜만에 다섯 식구는 둘러앉아서 그동안 지내왔던 이야기를 나누었다.

그날 저녁,
동네 마실꾼들이 구장 집 사랑방으로 모였다.
그동안에 이야기하는데, 덕수 내외의 일에 모두들 깜짝 놀랐다.
"아니, 거기꺼정 내려가서 변을 당했댜."
이수 아버지의 말에,
"그러게 말이유. 증말루 안 믿기네유."
뒷집 삼식이가 믿기지 않는다는 듯이 말하였다.
"덕수 그 사람 운멩이 게 까지였든가 벼."
구장이 고개를 주억거리며 말했다.
"현수도 죽을 뻔 했잖여."
삼식의 말에
"맞어, 현수도 인민군에게 끌려갔었잖여."
"승골닥 현수가? 아니 걔가 멧살이나 됐다구 끌구 가?"
"인민군들이 나이가 뭔 상관이랴."
"현수 말로는 잽혀 가다가 밤중에 똥을 눈다고 하고서는 그냥 냅다 튀었다는 구먼."
"하하하하, 똥이 살려 줬구먼."
"그런 셈이지.
"나두 똥 누러 가다가 피난길에서 엇갈렸던 새집 성을 만났구먼유."
상억이가 피식 웃으며 말했다.
"맞어! 한참 피난을 내려가다 보니깨 아, 글씨 이수네 성님하구 상엑이가 안 보이잖여. 걱정두 되구 또 엥간히 나쁜 생각도 들잖여. 근디, 이 사람 상엑이가 똥 싸려구 오다가 우릴 만났지."
범성이 그때의 일을 회상하면서 하는 말에 삼식이 아버지가,
"그려, 그래서 똥이 좋다는겨. 아! 그 뭐야 꿈에 똥 밟으문 운수

대통 이라구 하잖여 개똥두 약에 좋다더구만."
마실 꾼들은 그 말에 모두들 크게 웃고 난 다음,
구장이 차분한 목소리로 말하였다.
"그런디, 덕수한테 지지배가 하나 있었잖어?"
"야, 미실이라구 하나 있쥬."
상억이가 대답하였다.
"그 지지배는 어찌 된겨?"
구장의 말에 이번에는 범성이가 대답을 하였다.
"함께 피난 가던 사람 중에 포천에 사는 사람이 있었는데유 그 사람이 우선 미실이를 맡았어유."
"맡았다니 그게 뭔 말이여."
"구장님! 들어봐유. 그러니깨 그 사람하구 덕수 아버지하구는 오가집으루 육춘 사이 더라구유.
그 사람 아부지하구 덕수 할머니하구 사춘 간 이구유. 그래서 승골닥이라구 하잖어유."
"그려? 그럼 덕수가 죽기 전에 그것을 알았다는 거여?"
"암만유. 덕수하구 다 따져봤슈."
"그려? 근데 어째 안 데려왔어."
"그게 말여유 그쪽에는 아직꺼정 애가 없슈. 그래서 양딸로 삼아서 키우려나 봐유."
"애가 없어두 낳게 될 거 아녀?"
"나이가 사십이나 돼 가는데 늦었쥬. 또 미실이 지지배두 그쪽을 잘 따르더라구유."
"그려, 그 사람은 뭐 허는 사람 여?"
"부산에서 술 맹그는 회사에 일자리를 잡구있슈."
"자기 살기두 어려울틴디 애를 어째 키울라구? 더구나 지지배를."
구장의 걱정스런 말에 이번에는 상억이 대답하였다.
"아녀유 잘 살아유 술·맹그는 회사에 상무질을 한다대유. 집 두 이층집이구유. 뭐 비서라구 하든가, 심부름하는 여자두 있든대유."
상억의 말에 구장은 담뱃대 꼬바리에 엄지손가락으로 담배를 쑤셔 넣으며,
"그라문 그 지지배 한 테는 잘된 일이구먼. 승골닥에는 뭐 한 말이지만 서두 이리루 와 봐야 뭐 애비 에미도 없는 지지배니깨 구박데기 뿐이 더 되겼어? "
구장의 말에 삼식이가,
"그래두 그 집 자손 아뉴?"
라고 하니까 이수 아버지가,
"승골닥 둘째 아들 현수가 있으니깨 장가가서 자손을 이어가문 되지 뭘."
"그려, 현수가 장가가문 되지. 어쨌든 승골닥은 현수가 똥 싸는 바람에 손은 안 끊어지게 됬어."
삼식의 말에 구장을 비롯하여 모두가 웃었다.
잠시 후 범성이가 이수 아버지에게 물었다.
"이수네 성님은 조치원서 집으루 다시 돌아올 쩍에 인민군들헌티 안 잡혔슈?"
"붙들리지는 않았어. 마주치기는 했는데 아픈 에펜네가 있으니 그냥 보내준 거 같어."
"지들두 사람인깨 그런가부쥬."
"그런디 집으루 와서 더 어려웠지."
"왜유?"
"솔매산 굴멍에서 한 달씩이나 숨어 있었어."
" ? "
동네 끝 집 윤실이 아버지 이정운이가 눈깔이 빨개져서 날 잡으려 설쳐 댔거든. 부역자루 끌구 가려구 말여."
"부역?"
그려, 인민군들 짐두 날라주구 밥두 해주구 하는 거 말여. 그래

서 아무두 모르게 솔매산 굴멍에 숨어 있었지."

"이정운 얘기는 하지두 말어 원 그런 사람이 다 있어."

구장이 말하였다.

"왜 어쨌는디유."

상억의 되 물음에 구장은,

"아니, 한 동네서 같이 살면서 그렇게 동네 사람을 못살게 굴면 어떡허냐 말이여. 아주 빨갱이보다 더 햐."

별말이 없던 삼식이가,

"너무 설쳐댔어. 물 만난 고기처럼 말여. 어디 우리 동네 뿐이겄어? 인근 동네까지 다 소문이 났더구먼. 국방군이 들어오고 하니깨 어디 여기서 있을 수가 없지 인민군들 틈에 섞여서 도망 갔지."

"오다가 보니 윤실네 집은 있든데?"

"지 혼자 살겠다구 처자식 버리구 도망갔어."

"나두 어릴 때부터 함께 자란 이정문이 때문에 솔매산 굴멍에서 고생은 했지만, 그 집 식구들이야 뭔 죄가 있겄어."

이수 아버지의 말에 구장은 담배 연기를 길게 내 뿜으면서,

"그러게 사람은 맴을 바루 써야 하는겨."

그리고는 재떨이에 담뱃대를 두드리어 재를 털어내었다.

"윤실이네는 아부지두 없는데 그럼 어떻게 산대유."

상억이 말했다.

"말루는 다 못하지. 윤실 어미가 낭구를 해다가 불 때구 해서 겨울은 넘겼지만, 원체 곡석이 늘상 모자랐잖여 그래두 윤실 애비 있을 적에야 어떻게 그냥저냥 때 끼니는 이어 갔지만서두 지금은 그 마져두 인심을 잃어서 어려울 거야. 철이 철인 만큼 안죽까지는 농사철이 아녀서 품팔이도 없을태구 해서 얼마 전에 어떻게 살구있나 해서, 먹을 곡석을 조금 가지고 가 보니 윤실 에미가 막 울드라구. 엥간히 안쓰럽더라구. 나두 눈물이 날 지경이었으니깨."."

윤실 아버지의 행패는 미웠지만, 여러 사정을 두루 살펴야 할 동네 구장의 처지로서도 무척이나 난감한 처지의 윤실네 집이었다.

"그리구 말여, 아랫마을에선 윤실 애비가 인민군들하구 와서 자기 집 돼지를 끌구 갔다구 하며 윤실 에미에게 물어내라고 온갖 때만 것 욕을 하고 갔다는디 윤실 에미야 돼지를 보기나 했겄어? 아무 말도 못하구 울기만 했다는디 그 속이야 뭉글어졌겄지. 애들도 주눅이 들어서 이젠 사람을 보며는 눈치를 보면서 피하드라구."

구장은 또 담배 대꼬바리에 담뱃가루를 우겨 넣으며 쓴 입맛을 다시며 말하였다.

범성은 동네에 들어설 때, 왜 윤실이가 도망가듯이 방안으로 숨어들었는지의 모습을 떠올리며 그 행동이 이해가 되었다.

구장이 다시 말하였다.

"범생이 자네 말여. 자네 집 송아지가 없어졌다구 증만이 식구들한테 뭐라 하지 말게나. 빨갱이들하구 증만이가 한 일이니깐 식구들과는 무관 하니깨."

"우리 집 소 말이유"

"자네 집 소 뿐이겄나 몇 집 될거여. 달귀새끼며 돼지며 싹 잡아갔는디."

"지 아부지는 키우기가 심들어서 팔았다구 하던디유."

"그려, 그렇게 생각하문 맴이 편 하지."

범성의 아버지는 범성이 피난을 가기 전에 키우던 송아지가 중소가 될 무렵에 코를 뚫어 코뚜레를 하여서, 앞 냇가의 모래밭으로 끌고 나가 멍에를 얹고 쟁기보다 가벼운 극징이 (쟁기는 논을 갈 때 사용. 극징이는 밭을 갈 때 사용.)를 걸고서 농사일 연습을 시키던 어린 소를 윤실이 아버지를 앞세운 인민군들에게 빼앗긴 것을 범성에게는 에둘러 먹이기가 힘들어서 팔았다고 하였던 것이다.

범성은 사실대로 말을 하지 않은 아버지의 깊은 속뜻을 알 듯하였다.
"그래서 그렇게 된거구먼유."
범성은 애지중지 아끼고 보살폈던 빼앗긴 어린 소가 빨갱이들의 먹을거리가 되었다는 것이 분하고 아까웠지만 자기 집만이 그리된 것도 아니고 인근 동네 모두 그런 일이 있었으니 그만 체념하기로 작정하였다.
구장이 다시 말하였다.
"승골닥 덕수 말인디 장사는 지내야 하지 않겄어?"
"그류, 근디 언제 할랑가는 모르쥬."
삼식이의 말에 구장은,
"내가 내일 승골닥에 물어볼 테니 그리 알구들 있게나."

이튿날 아침 밥상을 물리고 난 후에 범성네 식구는 모여 앉아서 어제저녁 구장 집에서 오가던 이야기를 주고받았다.
"아범아 장사날이 나오문 한필이 에미 데리구 처가에 다녀오거라. 사둔 어른들도 그동안 늬들 때문에 궁금하였을 것이고 최 영감에게 덕수 묫자리도 부탁하구 그렇게 다녀오너라."
"야 아부지 그렇게 하지유."
"지금 윤실네는 어떻게 지내나유?"
범성 아낙이 시어머니를 쳐다보며 물어보았다.
"말두 아니겄지. 애들이 둘씩이나 있는데 뭐 농사 거리두 벨루 없구. 메칠 전 내가 한번 가 봤는데 윤실 에미는 없구 애들만 둘이서 불도 넣지 않은 방에 이불속에서 웅크리구 있더라. 엄마 어디 갔느냐 물었더니 모른다 하기에 가지고 갔던 곡석을 방안에 밀어 넣고 엄마 오 문 우리 집에 오라고 말했는데 안 죽 안 왔단다."
"그랬어요?"
범성 아낙은 시어머니가 하는 말을 들으면서 미실이를 품에 안고 죽은 미실 엄마의 모습이 눈에 선하였다.

"엄니, 이따가 지가 한번 가 봐야겠슈."
범성 아낙이 윤실네 집으로 가 본다는 말에 시어머니는,
"가 볼라문 윤실 에미 어디 가기 전에 일찍 가 봐야지."
"그럼 지금 설거지하구 바루 가 보쥬."
"내가 할테니께 얼릉 다녀오거라. 먹을 곡석도 좀 갖다 주거라."
"야, 알았슈. 그럼 금방 다녀올게유"
범성 아낙은 보리 두 되와 쌀 반 되를 가지고 윤실네 집으로 부지런히 갔다.
"윤실 엄마 있슈?"
툇마루에 가지고 온 곡식을 내려놓으며 부르니 윤실 엄마가 방문을 빼꼼히 열고는 부스스한 얼굴을 반쯤 내밀고 범성 아낙의 아래위를 훑어보며 왜 왔냐는 듯이 쳐다보았다.
"마침 집에 지셨구먼유. 얘기가 있어서 왔슈."
범성 아낙의 말에 윤실 엄마는 짜증 섞인 말로
"난 아무 할 말이 없슈. 그러닝께 돌아가유."
"딴 얘기 없구유. 여기 곡석 조금 가져왔슈."
범성 아낙의 말에 윤실 엄마는 툇마루에 놓인 보릿자루를 보고는 문을 열고 힘없이 방문을 두 손으로 짚으며 툇마루로 나와 앉았다. 얼핏 보니 아마도 하루쯤은 먹지 못하고 굶었던 듯싶은 느낌이 든 범성 아낙은,
"애들은유?"
하고 물었다.
그러자 윤실 엄마는 천천히 고개를 돌려 방안을 턱으로 가리켰다.
범성 아낙이 고개를 내밀어 방안을 들여다보니 두 남매가 아직도 일어나지 않고 이불속에 누워 있는 것이 눈에 띄었다.
순간 불길한 생각이 언뜻 들어서 범성 아낙은 얼른 방 안으로 들어가 아이들이 덮고 있던 이불을 걷어 보는데 윤실이가 축 늘어져서 졸린듯한 힘없는 눈을 뜨고 쳐다보았다.

범성 아낙은 지체없이 앞가슴을 풀어헤치고 젖을 꺼내어 윤실이의 입에 젖을 짜 넣었더니 몇 모금 목구멍으로 넘기고는 범성 아낙의 눈을 마주 쳐다보았다.
이번에는 윤실이 동생을 무릎에 앉히고서 또 젖꼭지를 입에다 물리었더니 아무런 반응이 없다가 천천히 빨기 시작하였다.
임기응변으로 애들에게 젖을 먹인 다음 범성 아낙은 부엌으로 들어가서 가지고 온 쌀 한 줌을 솥에 넣고서 죽을 끓이려고 하였으나 아궁이에 불을 지필 나무가 없었다.
황망히 땔감을 찾으려 뒤꼍으로 가 보았으나 땔감은 없었고 눈에 띄는 부서진 지게가 있어서 등받이로 불쏘시개 하여 부서진 지게로 아궁이에 불을 피웠다.

윤실네 집으로 간 며느리가 돌아올 시간이 한참이나 지나도
오지 않기에 궁금한 시어머니는 손자를 등에 업고서 윤실네 집으로 왔다.
댓돌 위에 며느리의 고무신이 있는 것을 보고,
“에미 안에 있냐?”
시어머니가 범성 아낙을 찾았다.
“야, 여기 있슈. 들어오셔유.”
범성 아낙이 방문을 열자 시어머니는 툇마루에 올라서서 잠시 멈칫하다가 이내 방안으로 들어왔다.
방 안에는 방금 먹은 듯한 미음 죽 그릇이 상위에 놓여져 있고 윤실이 남매는 나른한 몸으로 이불 속에 누워 있었다.
“아줌니 오셨슈?”
윤실 엄마가 고개를 숙이고 가느다란 목소리로 인사를 하였다.
상황을 대충 눈치챈 시어머니가 등에 업은 손자를 내려놓으며,
“원, 사람두, 이리되면 우리 집에 올 것이지. 저번에 혹시나 싶어 와 봤더니 없더구먼, 애들이 말 안혀?”
하며 혀끝을 차면서 말하였다.

"지가 무슨 염치루 거기에 가 유."
윤실 엄마의 고개가 더 수그러졌다.
"이 사람아, 왜 이렇게 숙맥인가. 앞이야 어쨌건 애들허구 살 궁리를 해야지 원, 쯧쯧..."
"그래두 사람들이 보는 눈이 있는데 지가 어떻게 낯을 들고 다녀유."
이번에는 범성 아낙이 나섰다.
"그건 그 거구 이건 이거 아니유. 윤실 엄마가 잘못한 것이 아니잖유. 윤실 엄마 혼자 생각하는 자격지심 아니겠슈?"
범성 아낙의 말에 윤실 엄마는 아무 말 없이 고개를 수그린 채 눈물을 흘렸다.
그러는 동안 할머니 등에서 내려놓은 손자 한필이는 이불 속에 있는 윤실이에게 다가가 고사리손으로 윤실이의 헝클어진 머리를 두 손으로 만지는데 윤실이가 실눈을 뜨고 잠시 보다가 한필이의 손목을 잡아끌어 이불 속으로 들이더니 두 팔로 한필이를 품에 꼬옥 끌어안고 등을 토닥거려 주고 있었다.
그것을 보고 있는 범성 아낙의 눈에도 눈물이 글썽거렸다.

집으로 돌아온 시어머니와 범성 아낙은 안방에 모여 앉아 윤실네 집을 다녀온 이야기를 하였다.
"그러니께 아범아, 낭구 한 짐 져다 주거라."
시어머니가 범성에게 윤실네 집에 땔 나무를 보내주라고 말하였다.
"그려유."
"늬 할아부지가 늘상, 하는 짓이 미워두 사람을 미워하문 나쁜 거라구 말 혔어 "
"야, 알았슈. 시방 갔다 올게유."
"그리구 가는 김에, 얘 어멈아 광에 가서 보리라두 한 말 담아서 함께 보내주거라."
"보리루유? 엄니?"

"그려, 쌀은 얼마 없으니깨. 그리구 참, 뒤꼍 구뎅이에 묻은 무두 몇 개 있을거다. 짐치하구 해서 보내주거라."

"야 엄니 그럴께유."

"아범아 가무는 아무 소리 하지 말고 내려주구 오너라."

"야, 엄니.

잠자코 앉아있던 범성 아버지 김 노인이 일어서더니 횃대에 걸어놓은 마고자를 내려서 입었다.

"왜, 어디 갈라구유?"

"응 구장을 한번 만나 봐야 헐 것 같어."

김 노인은 마고자의 호박단추를 끼우며 말하였다.

"영감이 구장하구 뭔 상의할 얘기가 있슈?"

"그게 그렇지가 않은거여. 다 동네에서 일어나는 일이니깨, 안그래두 사람들이 꺼림칙하게 생각하는디, 그것이 증문이 탓이지 그 안 식구 탓인 겨? 그라문 동네 사람들두 다 같은 사람이 되는거여."

김 노인의 단호한 말에

"영감, 잘 생각했슈. 다 같은 사람이 되는거쥬."

그날 저녁 무렵에 상억이 범성을 찾아왔다.

"뭔 일이여?"

"아니, 성 내가 못 올 데라두 왔슈?"

"그게 아니구. 얼굴을 보니깨 무슨 할 말이 있는겨?"

"야, 그게 말이유. 열흘 후 덕수 성 장사지낼 날두 있구, 그러면 바루 농사일이 바빠질틴디.

내가 한번 포천 철우 성 집에 다녀올까 해서 그라는디 성 생각은 어떠유?"

"그려? 나두 그렇게 생각은 했지만 가기까지는 생각을 못 했구먼. 그래 언제 갈껴?"

"성이 포천 주소를 받았잖어유. 나한테 알려주구유. 그리고…"

"그리구 또 뭐?"
"지 형편에 노잣돈이 쪼금 모자라내유. 그래서 좀 꿔주문 해서유."
"그렇지, 노잣돈이 있어야 될 거여. 내가 보태 줄 테니 다녀와."
"되는 대루 갚아 줄께유."
"뭔 소리여? 꿔 주다니. 내가 다 대도 시원찮구만."
"고마워유 성."
"고맙긴, 내가 고맙지. 그래 언제 갈 껴?"
"장사 치르기 전에 얼릉 갔다 와야지유. 한 이삼일 걸릴 거 같아유."

상억이 돌아간 다음, 구장을 만나러 갔던 김 노인이 돌아왔다.
"영감, 갔던 일은 어떻게 됐슈?"
시어머니가 김 노인에게 물었다.
김 노인은 마고자를 벗어 횃대에 걸으면서,
"우선은 구장이 동네 사람들에게, 증만이 그 사람의 일은 증만이에게서 끝내구, 안 식구와는 아무 상관이 없으니께 그렇게 말하기루 했구. 이제 바루 농삿일이 바뻐질 거니께 일손이 필요한 사람은 증만이 댁에 품을 팔게 하면은 우선은 살아가는디 큰 탈은 없을 거라구 하더라구."
"잘 됐슈. 죄가 있다문 서방 죄지, 마누라랑 새끼들이 뭔 죄가 있대유?"
김 노인의 말에 시어머니는 맞장구를 치며 다시 말을 이었다.
"그 못된 짓을 해 가면서두 집 안에는 곡석 한 톨두 안 주구 빨갱이들하구 붙어서 지랄을 하구 돌아댕기더니 눈깔이 뒤집힌 거지. 에구 안 식구만 불쌍하지. 증말루 불쌍허지."
"근디 아범은 언제 지 처갓집에 간댜?"
"글쎄유. 에미 눈치를 보니께 모레쯤 갈 거 같은 눈치던디유."
"그날이 길일인가? 어디 날짜 좀 봐야지."

김 노인은 앉은걸음으로 일 년 치가 다 나와 있는 한 장짜리의 벽에 붙여놓은 달력 앞으로 다가갔다.

“아니, 영감 친정에 다니러 가는데 길일은 뭔 길일이래유?”

“그래두 그러는 벱이 아녀. 우리 손주가 처음으루 지 오갓집에 가는데 동티라두 나문 어뜨케 햐.”

김 노인의 그 말에 시어머니는 손자에게 무슨 일이라도 있을까 봐 더럭 겁이 나서 아무 말도 더하지 않았다.

처갓집 친정집.

십 여리 떨어진 친정집이 얼마나 멀고 멀었기에 시집을 오고 난 다음, 새집을 짓고 나서 한번 친정에 다녀오고서 한필이를 낳고서는 이번에 친정집으로 가는 것이 처음이었다.
밤새워, 물에 불려놓은 찹쌀 한 되를 솥에 쪄내어 절구에 찧어서 시어머니와 함께 마주 앉아서 볶은 콩가루를 묻혀서 만든 인절미를 버들가지 껍질을 벗겨 말려서 만든 하얀 채반에 받치어서 고운 색 보자기에 매듭도 정성스레 묶고, 시어머니가 다락에서 내어주는 난리가 나기 전에 장만하여 두었던 정종 한 병을 들고서 덕성 아낙은 한필이를 안고 있는 범성을 앞세우고 매곡리 친정집 동네로 들어섰다.
　“얼레! 행순이 아녀?”
친정집 이웃에 사는 할머니가 범성 아낙을 보고는 반가워하며 다가왔다.
　“그류 나, 향순이유. 할무니 편히 지셨슈?”
　“그려 그려, 신랑하구 친정에 왔구먼.”
그러면서 범성 아낙의 등을 쓰다듬었다.
　“이번 난리에 벨 일 없으셨슈?”
　“뭐 우리 동네에는 벨 일이야 없었지만, 딴 동네는 화를 많이 당했다는구먼.”
하면서 범성이 안고 있는 한필이의 두 볼을 손 마디가 굵은 두 손으로 쓰다듬으며
　“아들을 낳았구먼. 오할아부지가 보문 무지하게 좋아 할껴, 얼릉 가봐.”

라고 말하며, 앞장을 서서 친정집으로 걸어갔다.
그리곤 열려진 대문을 먼저 들어서더니 큰 소리로,
"행순이가 신랑하구 애기 데리구 왔슈."
하고 소리치자 부엌 쪽에서 올케가 내다 보더니 쫓아 나왔다.
"아이구, 엄니 아가씨 왔슈."
하며 안채 쪽을 향하여 크게 말하였다.
방문이 활짝 열어 젖혀지면서,
"응! 누가 왔다구?"
하며 친정어머니가 버선발로 뛰쳐나왔다.
"아이구 얘야 어째 기별도 없이 이렇게 왔냐?"
하며 딸의 어깨를 쓰다듬은 후,
"김 서방두 그 간 고상이 많아서 살이 쭉 빠졌구만."
그러면서 범성이 안고 있는 한필이를 빼앗다시피 넘겨받고는,
"어이구! 어이구, 이 녀석아 할미 처음보지?"
하고 둥게둥게 하면서 대청마루로 올라섰다.
친정 올케가 덕성 아낙이 들고 온 채반 보따리와 정종을 받아들고 부엌 쪽으로 가려는 것을 본 옆집 할머니가, 친정 올케에게,
"아녀 아녀, 시집에서 보내온 음석이니깨 먼저 으른에게 보여줘야 하는겨."
라고 말하였다.
덕성 내외가 방으로 들어서니 장인어른이 방 아래 쪽 구들막에 좌정을 하고 있었다.
"아버님 그간 평안 하셨어유?"
범성의 말에,
"오냐, 춘부장께서는 다 무고하시구? 늬들이 없어서 고생들 많이 하셨을게다. 내 늬들 소식은 들었다만 난리 통에 고생들 많었지?"
범성 아낙이 방으로 들어와 범성과 나란히 서서 옷매무새를 만지고는

"두 분 절 받으셔유."
하니,
"오냐 오냐."
하고 말하니 장인 옆에 장모도 한필이를 안고서 다가앉는데 옆집 할머니도 엉거주춤 앉은걸음으로 옆에 끼려고 다가앉았다.
"아니, 아줌니는 왜 남의 사위 절을 받으려구 다가 앉어유?"
"아녀, 내가 왜 행순이 신랑 절을 받을라구 햐? 그냥 절 잘허나 볼라구 그러지."
그러면서 옆으로 조금 물러나 앉는 것을 보며 친정어머니는 웃었다.
원래 옆집 할머니는 사람이 좋아서인지 약방에 감초처럼 남의 일에 안 끼는 일이 없고 또 오지랖이 너무 넓어서 동네 사람들은 그 할머니를 안 보는 데에서는 분수딩이 라고도 불렀지만, 모두 다 허물없이 지내고 하는 사이였다.
범성 내외가 큰절을 올리고 가지고 온 채반을 앞으로 내밀었다.
"이 난리 통에 뭘 이런 걸 다 보내셨을까."
친정어머니는 말하면서 보자기 매듭을 풀었다.
"그냥 늬들 보내 준 것두 고마운데, 참 자상두 하시지.."
그리고는 도루 보자기를 싸면서,
"얘 어멈아 이거 내가서 차려 오거라."
하고 올케를 불러서 술상을 차려 오라고 하며 정종병도 함께 내주었다.
잠시 후 올케가 시가에서 보내온 인절미와 함께 술상을 차려서 들여왔다.
범성은 장인어른에게 술을 따르고 장모에게도 술을 따르니 그때까지도 앉아있던 옆집 할머니가
"나는 안 주는 거야?"
하며 빈 잔을 내밀었다.
친정어머니가 웃으면서,

“아니, 아줌니는 왜 남의 사위 잔을 받을라구 해요.”
“그래서 오래 사시는 거여.”
친정아버지도 웃으면서 말하였다.
옆집 할머니도 따라 웃으면서
“인절미를 곱게두 맹글었구먼. 인절미 먹고 시어머니 입이 쩍 달라붙어서 메누리 헌티 잔소리 하지 말라구, 친정에서 시가루 해 보내는건디 꺼꾸루 됐구먼.”
하며 인절미를 하나 집어 들었다.
“오라버니는 안즉 안 오신거유?”
범성 아낙은 올케를 보면서 말했다.
“그러문유 안즉 올라문 저녁나절이나 돼야 와유.”
범성 아낙의 친정 오라비는 읍내에 있는 국민학교의 선생이었다.
그 오라비도 인민군들이 들어 왔을 때는 대청 마루 밑에 구덩이를 파내고 거기에 두 달간이나 숨어지내서 의용군으로 끌려가는 화를 면하였다.
“오라버니두 고상했지만 올케 언니두 고생이 많었슈.”
“나야 뭔 고상이유. 어른들이 마음 고상 많이 하셨쥬.”
잠자코 인절미를 오물거리며 먹고 있던 옆집 할머니가,
“나는 말래(마루)밑에 있는 거 다 알구 있었어 그래두, 아무한테두 그런 말을 안 혔어.”
“잘 했어유. 그 덕분에 우리 큰애가 살았지유.”
친정어머니가 옆집 할머니의 말에 칭찬을 하였다.
칭찬을 받자 기분이 좋은지 활짝 웃더니 치마폭에 인절미 서너 개를 싸가지고,
“우리 징손자 갖다 줄겨.”
하며 자리에서 일어섰다.
“몇 개 더 가져가유.”
친정어머니가 더 가져가라고 몇 개 더 집어주니,
“됬어, 많이 먹으면 탈 나.”

하며 받지 않고 방을 나섰다.

"기훈이는 소식이 있어유?"

범성 아낙은 남동생의 소식이 궁금하여 친정아버지에게 물어보았다.

"저번에는 대구 팔공산에 있었는데 그 후에 강원도 쪽으로 부대가 옮겨갔다구 하는데 그러고는 아무런 소식도 없구나. 무사해야 할틴디."

라고 말하는 친정아버지의 얼굴에 근심이 가득하였다.

얼마 전,

기훈이가 다니던 서울 학교에서 없어져 집안이 발칵 뒤집혀지었다. 난리 통에 무슨 변이나 당했나 하고 노심초사 하던 차에 집으로 웬 낯선 사람이 허름한 옷차림으로 조심스레 찾아왔었다.

그는 방안에서 집주인과 단둘이 앉아서 낮으막한 목소리로

대화를 나누고는 차려 내놓은 밥상을 받아 몹시 허기진 듯이 먹고는 떠났다.

그가 가고 난 다음,

"뭔 사람여유?"

하고 노 마님이 물었다.

"음, 그게 그러니까 기훈이 소식을 가지고 왔구먼."

"기훈이유?"

"그려 나 우선 차거운 물 한 대접 먼저 줘."

"얘야 여기 찬물 한 그릇 가져오너라."

하고 노 마님이 밖의 며느리에게 말했다.

며느리는 시어머니의 말에 대답하고는 마당 한쪽에 있는 우물가로 가서 두레박을 내렸다.

우물이 깊었던 터라 두레박이 물에 부딪히는 소리가 유난히도 크게 들렸다.

속이 답답하였던지 노마님이 건네주는 냉수 한 그릇을 벌컥벌컥 들

이마시고는 낮은 소리로 차분하게 말하였다.

“난리가 난 다음 날, 몇몇 학교 동무들과 군대에 들어갔던 모양이여 거기서 인민군에게 밀려서 계속 내려오다가 팔공산까지 내려갔다더군.”

“팔공산? 거기가 어디유?”

“응, 경상도 땅에 있는 높은 산이라더군.”

“그럼 이 앞으루 지나갔겠구먼유.”

“그러문 집에 들렀겠지.”

“에구, 몸이나 성한지.”

노마님은 고개를 돌려 맺힌 눈물을 손등으로 훔쳤다.

“그러다가 국방군이 다시 밀고 올라가던 중 춘천에서 사람을 보내면서 강원도 쪽으로 갈 것 같다더군”

“강원도 까지유”

“인 편에 그렇게 소식을 전해 왔구먼.”

“에구, 에구 조선팔도를 다 다니는구먼유. 신욕이 고단할 틴디.”

노마님은 막내아들이 걱정이 되어 흐르는 눈물을 또 손등으로 닦았다.

이때의 전쟁 상황은 이러하였다.

< 二月 二十日 李奇撤签署了第八集團軍作戰命令

(중공군 제8집단군 작전 명령)

美第九軍和第十軍自二月二十一日十時起,以寧越.平昌　　为軸线,沿着原州, 横城发起进攻,

(미 제 9군단과 제 10군단은 이날 2월21일 10시를 기하여 영월 평창 축선으로하여 안착하여 원주 횡성으로 공격하여서)

消灭汉江東部和“並利桑那”线(芳林里,大美洞,玄川里,新村,丰水院,五二七高地,杨平一线)以南的 敌人,韓第三軍团掩护 美第十軍東側翼>

(한강 동부와 뽕나무밭으로 이어진 방림리,대미동,현천리,신촌,풍수원 527고지, 양평까지 한국군 제3군단과 미 제10군이 동쪽으로 날개를 펴서 전멸하였다.)

(중국 인민문학 출판사 『조선전쟁』중에서 발췌)

범성은 처갓집 대문을 나서서 하리골 집을 지을 때 터를 잡아주었던 최 노인 집으로 향하였다.
최 노인은 마침 집에 있어서 도수 높은 안경 너머로 범성을 보더니 반색을 하며 맞아주었다.
"아니, 이게 누구여? 처갓집에 다니러 왔구먼."
"야, 그간 무탈하셨슈?"
"그려 그려, 춘부장께서두 벨일 없으시구?"
"야, 벨일 없으셔유."
"근디 자네는 난리 통에 안 피혔어?"
"지두 피혔다가 돌아온 지 며칠 안 됐어유."
"그렸어? 근디 우리 집은 어떻게?"
"상의 드릴깨 있어서 왔구먼유."
"그려? 뭔디?"
안경 너머 눈주름으로 반쯤 가려진 눈을 크게 뜨면서 최 노인이 말했다.
"장사 지낼 터를 하나 잡아 줬으문 하구유."
"뭐라구? 하리 골에 누가 또 죽었어?"
"야, 승골닥이라구 있잖어유. 그 집이유."
"그 집 영감이?"
"아니유. 그 집 큰 아들이유."
"아니, 젊은 사람이 왜 갑재기 죽어. 무슨 벵이 있었나?"
"그게 아니구유 지들과 같이 피난을 가다가 죽었슈."
범성의 말에 최 노인은 고개를 갸웃하더니,
"그러문 거기꺼정 가서 묫자리를 보라는 겐가?"
"아니쥬. 화장해서 뼷가루를 가져왔어유."

"화장을 했다구?""
"그려유. 안 그라문 그걸 어떻게 여기꺼정 갖구 올 수 있겄슈."
"음, 그렇게 됐구먼. 그럼 언제 장사 지낼껴?"
"그게 말여유 뼷가루가 두 개나 돼유."
"두 개?"
최 노인은 유골함이 두 개나 된다는 말에 의아해서 안경 속의 두 눈을 껌벅거리며 범성의 얼굴을 쳐다보았다.
"야 두 개유. 마누라하구유."
"뭐라구?"
최 노인은 짧게 깍인 흰 수염 밑의 입을 쩌억 벌리며 놀랐다.
"같은 날 함께 죽었어유."
범성의 대답에 최 노인은 멍하게 있다가 한참 후 정신을 가다듬고 차분한 목소리로,
"그래 장사 날짜는 잡었는가?"
"그래서 왔어유. 묫자리를 먼저 잡어야 되잖겠시유."
"그려, 그럼 내가 내일 일쯔거니 하리골루 가면 되겠나?"
"야. 그랬으문 해유. 지 집으루 오시문 돼유."
범성은 최 영감과 이야기를 끝내고 돌아왔다.

한편 포천 철우의 집으로 떠난 상억은 그동안의 부산 피난살이에서 얻은 여러 경험으로 사회생활에 많이 익숙하여져서 몇 번의 검문을 받았지만, 그때마다 적당한 임기응변으로 아무 탈 없이 수미리에 도착하였다.
근처 사람에게 양조장이 있는 곳을 물었더니 그는 상억의 아래위를 유심히 살펴보고는,
"거긴 왜 찾습니까?"
하고 의심스런 말투로 상억에게 물었다.
뭔가 석연찮은 물음에 조금은 불안함이 생기기도 하였으나.
"야. 지는 충청두 하리골 이라는디서 왔는디유 그 양주장에 있

던 윤철우라는 사람의 심부름으루 왔어유."
"윤철우요?"
"야 지금은 부산에 있는디유 한번 가 보라 해서 와 봤슈."
철우의 말은 없었는데도 상억은 거짓말로 둘러대었다.
"그래요?"
그는 다시 상억을 훑어보더니 지나가던 다른 동네 사람을 향하여 손짓하며,
"어이, 이리 와 보게."
하고 불렀다.
불려 온 사람은 머리에 수건을 질끈 동여매고 괭이를 어깨에 걸치고 있었다.
"여기 이 사람이 양조장을 찾아 왔구먼. 철우가 보낸 모양이야."
수건을 동여맨 사람이 다가와서 괭이를 내려놓으며 상억을 잠시 쳐다보더니,
"여긴 검문이 심하여서 좀체 오기가 힘든데 어찌 뚫고 왔오."
"야 츠음에 조사를 받을 때 이것저것 꼼꼼히 물어보더니 통행증을 써 주대유. 그리구 오면서 몇 번 조사소를 지나왔는디 통행증을 보여 주니깨 벨말이 없이 몸을 더듬어 보더니 보내 주대유."
"윤철우와는 어떤 사이요?"
처음 만난 사람이 물었다.
"그게 그러닝께 피난을 내려가문서 만난 윤철우의 친척이 옛날에 우리 동네루 시집을 왔슈. 그래서 한번 가서 보구 소식을 달라구 해서 왔슈."
아무래도 두 사람이 자기를 의심하는 것 같아서 상억은 기분이 조금 언짢았다.
괭이를 들은 사람이 또 물었다.
"윤철우 처를 봤습니까?"

"알어유. 일본 사람인디 이름이 아야꼬 라구해유."

"애들 이름은요?"

"자식은 없슈. 피난 내려가문서 네 살배기 지지배를 하나 양딸루 삼었슈."

상억의 말에 두 사람은 서로 얼굴을 마주 보며 수상한 사람은 아니란 듯이 고개를 끄덕거렸다.

"그리구유. 아부지가 빨갱이들한테 맞아서 다리가 뿌러졌다구 하대유."

상억이 말하자,

"수상한 사람은 아니구만, 이거 미안하게 됐수다. 여기가 아직까지 어수선하여 공비(共匪)들이 많이 나타나서 그러니 이해하여 주시오."

"괜찮어유. 아직꺼정 난리가 안 끝나서 그러는 거 아니겄슈?"

상억의 그 말에 그 들도 그제서야 의심의 눈초리를 풀고서 괭이를 들은 사람이 처음 남자에게

"한필용이는 아주 북쪽으로 튀였나 본데."

"그 자식, 개 만도 못한 놈이지. 여기 남았으면 벌써 맞아 죽었어."

"그려유. 그 사람 얘기두 하던대유."

"그나저나 양조장에 가 봐야 다 무너지고 아무것도 없소. 철우 그 사람 부모도 돌아가시고 해서.."

"죽었다구유? 엄니 아부지 다?"

"그래요. 한필용이가 도망치면서 죽였다는 소문두 있고...동네 사람들이 시신은 거두어서 장사를 치렀습니다."

" ? "

"날 따라서 오시오. 묫자리를 알려 줄 테니까."

상억이 괭이를 든 사람의 뒤를 따라가니 허물어진 양조장 뒤쪽 비탈진 언덕에 묘가 하나 있었다.

"여깁니다. 여기에 두 분을 합장하였습니다."

"동네 사람들이 고상 하셨네유."

"그 양반이 그래두 인근에서 평판이 좋으셨지요. 그래서 동네 사람들이 자기 일처럼 안타깝게 생각하고 모두 팔을 걷어붙였답니다."

"지가 대신으루 고마워유."

"그런데 윤철우 이 사람은 부산에서 뭘 하길래 안 오는 겁니까?"

"이 지경인 줄 모르구 있쥬. 부산에 있는 큰 술 맹그는 회사에 상무 자리를 보구 있어유. 소식을 보내면 바루 오겠지유 ."

"이 양반한테 철우 밑으로 시집간 딸이 하나 있었지요."

"그런 말은 못 들었는디유."

"그래요? 알리고 싶지 않았겠지요. 그 여동생이 빨갱이였지만 그렇게까지 빨갱이 짓은 안 했어요. 동네 사람들 많이 감싸줬지요. 그러다가 반강제로 북쪽으로 끌려가다시피 했어요."

"그려유? 첨 듣는 말인디유."

상억은 말하면서 어떻게 이 비극을 알려줄까 하고 걱정이 되면서 철우의 비통 해하는 얼굴이 떠올랐다.

하리골로 돌아온 상억은 그간의 일을 자세하게 범성에게 이야기를 하였다.

"그러니깨 성, 이 소식을 차마 어떻게 전 할 수 있겄슈?"

범성도 침울하여져서

"그렇다구 안 전할 수두 없지. 세세하게 편지를 보내야 헐껴."

"나는 글을 잘 모르니깨 그 일은 성이 해유."

"그랴, 오늘 써서 내일 읍내에 나갈 때 우체국에 가서 붙칠께."

"내일 읍내 나가유?"

"그려. 내일이 마침 장날이라서 덕수 아부지가 심부름을 부탁하는구먼, 장사 지낼라문 뭐라두 있어야지. 그래서 갔다 와야 혀."

"현수두 있자뉴."

"안즉은 어려서 그런걸 잘 몰러 그래서 가르쳐 줄 겸해서 함께 가는 거여."
"그려유? 묫자리는 잡었슈?"
"그려, 사 날 전에 매곡리 최 영감이 와서 골라줬어."
"영감님 요새 많이 바쁠텐디."
"왜?"
"난리가 나서 죽은 사람들이 많었잖어유."
"그래두 최 영감님 땜에 좋은 자리 골라서 묻혔잖여."
"그건 그래유."

상억이가 돌아가자 덕성은 방으로 들어가서 밥상을 펴 놓고 그 위에 세로로 빨간 줄이 쳐진 편지지를 꺼내 놓고 철우에게 편지를 쓰려니 상억이에게 들은 포천의 참혹한 소식을 어떻게 써야 할지 막막하기만 하였다.
막상 상억이에게는 자세하게 소식을 전한다고 말은 하였지만, 편지지를 펼쳐 놓으니 첫 글자부터 꽉 막혀 버렸다.
이 궁리 저 궁리 하다가 범성은 아낙을 불렀다.
"웬 편지유?"
범성 아낙은 펼쳐진 편지지를 보고는 물었다.
"이게 말이여 부산으루 보내는 편지를 쓰려구 하는데 어떻게 소식을 전할지가 엄청 어렵구먼."
하며 포천의 일을 상억에게 들은 대로 이야기하였다.
범성의 이야기를 다 듣고 나서 아낙은 곰곰이 생각하더니,
"좋은 소식두 아니구 그런 참혹한 일을 그대루 쓰기가 거북하네유."
"그래두 소식은 알려줘야 하는디."
"그러문 이렇게 해유. 누가 죽였단 말은 하지 말구유. 상엑이가 올라가 보니 난리 통에 돌아가셔서 동네 사람들이 시신을 잘 거두어서 집 뒤에 묘를 써서 장례를 잘 치렀다구 그렇게 해유.

자초지종은 나중에 고향에 가문 알게 될테니까유."
아낙의 말을 듣고 그제서야 눈앞에 놓인 편지지가 눈에 들어왔다.
범성은 아낙이 일러준 대로 차분한 마음으로 편지를 쓰기 시작하였다.
우선 안부 소식을 묻고 상억이가 포천에 가서 철우 부모님의 부음과 동네 사람들이 집 뒤에 고이 모신 것과 덕수 부모에게 미실이의 이야기며 사흘 뒤에 덕수 내외의 장례를 치른다는 글을 또박또박 연필심에 침을 바르며 편지지에 꾹꾹 눌러 쓰는데 아낙이,
"편지지 한 개 일루 줘 봐유."
라고 말하며 펴 놓은 밥상 맞은편에 앉으면서 손을 내밀었다.
"편지지? 당신도 쓸거여?"
"그려유 아야꼬에게 쓸거유."
"여기 그동안의 내막을 다 쓰는데?"
"나 참! 내가 아야꼬상 한테 별도루 편지를 쓰려는 거유."
범성이 아무 말도 못 하고 편지지를 한 장 떼어서 건네주었다.
"그동안 아야꼬상 한테 많은 도움을 받았는데 고맙다는 표는 해야지유.아야꼬상 덕으루 엄니 금가락지두 없애지 않구 도루 엄니에게 드렸잖아유. 다 아야꼬상 덕분 아니겄슈?"
라고 범성 아낙은 혼잣말하면서 편지를 쓰기 시작하였는데,

あやごさん その間 こんにちは はじめまして
(아야꼬상 그동안 안녕하십니까 반갑습니다.)

라고, 아야꼬가 읽을 수 있도록 일본말로 편지를 쓰기 시작하였으나 범성 아낙도 무슨 글을 써야 할지
하고 싶은 말은 많지만, 글이 꽉 막히어서 고개를 갸웃거리며 손에 잡은 연필 끝만 내려다보고 있었다.
생전에 누구에게라도 써 보지 않은 편지를 쓰려 하니 어떻게 써야 할지, 막막하였다.

다행히도 일본말과 글을 배웠기에 용기를 내어서 더듬더듬 다음 줄을 써 내려가기 시작하였다.

綾子さんありがとうございました (아야꼬씨 고마웠어요)
今までごゆっくりお過ごしでしたか(그동안 편히 지내셨습니까)
綾子さんいろいろ手伝ってくれてありがとう
(아야꼬씨가 여러모로 도와줘서 고마워요)
忘れない(잊지않아요)
いつかまた会える日が来るでしょう(언젠가 다시 만날 날이 있겠지요)
綾子さんの娘さんもお元気ですか(아야꼬씨의 딸도 잘 있습니까)
また手紙を書きます(또 편지 보내겠습니다)
元気でいてください (몸조심하세요)

오랜만에 써 보는 일본 글이기에 가까스로 몇 구절을 쓰고 나니 더 할 말이 없어서 틀리는 구절도 있겠지만 전체적인 글의 맥락은 아야꼬가 알 것 같아서 그냥 보내기로 작정하고
범성 아낙은 편지지를 접어서 범성에게 건네니 범성은 아낙이 쓴 글을 훑어보고서는,
"우와! 우리 마누라 대단허네."
하며 감탄사를 던지더니
"안죽까지 일본 글을 안 까먹고 있었던거여?"
라고 말하면서 아낙의 총명함에 고개를 주억거렸다.
"하두 오래전에 배웠던 글이라서 맞는지두 모르겄시유. 내 딴에는 쓴다구 썼는디유."
"나는 일본글자는 잘 몰러. 핵교에 다닐 때두 집에서는 일본글자 배우는 것을 말렸거덩."
"왜요?"
"잘 몰러. 할아부지가 싫어하셨지."
"지피지기 면 백전백승이라는 말두 있잖어유?"

"얼래? 그런 말까지 아는거여?"
범성은 아낙의 해박한 지식에 새삼 감탄하였다.

이튿날 일찌감치 범성은 지게 위에 싸리나무로 만든 바지게를 얹어서 현수를 데리고 장이 열리는 읍내 장터에 나갔다.
아직도 삼팔선 이북에서는 치열한 전쟁 중이었지만 계절은 그것을 모른 채 밭 갈고 씨앗을 뿌리는 농사철이 다가왔다.
장터에는 농사 철을 맞기 위해 많은 사람이 웅성거리는데 특히 씨앗을 파는 가게와 장터 초입에 있는 대장간에 사람들이 몰리어서 붐비었다.
범성은 우선 우체국에 들러서 철우에게 보내는 편지를 보내고 현수를 데리고 이발소로 향하였다.
"여긴 왜유?"
현수가 의아해하며 묻자
"우선 머리부터 깍두룩 허자."
"안죽 안 길었는디유."
"그래두 상주가 우선 정갈해야지."
그렇게 하여서 이발소 문 옆에 지게를 받쳐놓고 들어갔다.
범성은 말끔하게 머리를 깎고 나온 현수를 데리고 건 어물전으로 가서 북어 한 쾌(열 마리) 사면서 현수에게 말했다.
"이런 부개(북어)를 고를 때는 색깔이 조금 진 한 걸루 골라야 뎌. 하얀 것은 잘못 말린 거구 너무 진한 것은 습기가 있는 곳에서 말렸기 때문에 썩어 가는 거여. 한번 만져 봐 이건 너무 딱딱하구 또 이쪽 거는 쪼금 물렁 하지?"
범성의 말에 따라 현수는 엄지와 검지로 세 가지 색깔을 띄운 북어를 꾹꾹 눌러보며
고개를 끄덕거렸다.
"이쪽 말린 쓰루메(오징어)두 부개 고르듯이 하면 되니깨 니가 한번 골라 봐."

범성의 말에 따라 현수는 대나무 꼬치에 꿰어 말린 오징어 앞으로 다가가 여러 뭉치를 뒤적거리며 고르기 시작하더니. 그중 한 뭉치를 꺼내 들고서,

“새 집 성, 이거는 어뗘유?”

하고 범성을 돌아보았다.

“그려 그거 뎠어. 인자 알겄지? 그렇게 고르는 거여.”

하며 현수의 선별 감각을 칭찬하여 주었다.

“그런디 이거 이렇게 많은디 이거 다 사유?”

“아녀, 한 죽(20마리)은 많으니께 반 죽(10마리)만 사면 될껴.”

건 어물 가게 한쪽 켠에 있는 쌀로 만든 한과류와 곱게 색동으로 색을 올린 옥춘당을 사서 북어 한 쾌와 오징어 반죽(10마리)을 함께 바지게에 얹고 이번에는 과일을 파는 가게 앞으로 갔다.

제철이 아니라서 사과와 배 값이 여간 비싸지가 않았는데 그나마 그것마저도 성한 것이라고는 없이 상처투성이거나 일부 검은색으로 썩어들어가는 것뿐이었다.

이리저리 골라서 조금 덜 상한 것으로 사과 다섯 개에 배 다섯 개를 골랐는데, 장사꾼이 골라 간다며 값을 더 달라 하여서 흥정을 하려 했지만 들어주지 않아 울며 겨자 먹기로 부르는 값을 줄 수밖에 없었다.

이어서 포목전에 들려 상주가 입을 옷을 만들기 위한 옷감으로 광목 한 필과 푸줏간에 들려서 대팻밥으로 둘둘 말아서 싸 놓은 쇠고기 두 근과 돼지고기 닷 근을 사 가지고 범성과 현수는 하리골로 돌아왔다.

돌아오는 길에 현수가 범성에게 물었다.

“새 집 성! 부산에 있다는 그 사람 말여유.”

“응, 그 사람이 왜?”

“그 사람이 돈을 줘서 이렇게 장을 보는디 왜 돈을 줬을까유?”

“늬네 집 하구는 멀지만, 그래두 친척이라서 그런게지.”

“그게 이상해유.”

"이상하다니?"
"혹시 미실이를 사 가는 값으루 돈을 준 거 아니유?"
현수의 말에 범성은 가슴이 뜨끔하며 윤철우가 미실이는 자기가 거두어 키우겠다고 한 말이 생각났고,
또 아무런 권한도 없는 자기가 그것을 인정하고 있는 것을 들킨 듯 하였으나,
"아녀, 어떻게 사람을 돈으루 사구팔구 하냐. 그런 생각은 하지 말어."
"그렇치유? 지가 잘못 생각 한 거지유?"
"그려, 사람은 말여 앞을 멀리 내다보구 살아야 하는겨."
범성은 알게 모르게 의미심장한 말을 현수에게 하였다.

범성과 현수가 제물을 사가지고 돌아 온 뒤에,
범성 아낙과 춘분이를 비롯하여 동네 아낙들이 승골댁으로 와서 장례 음식을 만들기에 바빴다.
상주가 입을 상복을 만들어야 하는데 손재주가 마땅한 사람이 없던 차에 춘분이가 윤실 엄마에게 맡기자고 제의하였다.
"옷 맹그는 건 윤실이네 엄마가 잘 해유. 애들 옷두 몽땅 만들어 입히잖어유. 손두 빠르구 꼼꼼해유."
그러고 보니 동네 아낙들이 모두 온 것 같은데 윤실이 엄마만 안 보였다.
아직까지 동네 사람들과 마주하기가 내키지 않은 모양이었다.
"내가 가서 부탁해 볼게."
범성 아낙이 가 보기로 하고서 윤실네 집으로 갔다.
"윤실 엄마 지셔유?"
툇마루 앞에서 부르니 윤실이 엄마가 방문을 열고 내다 보며
"뭔 일이유?"
하며 방을 나섰다.
"들어가두 돼유?"

“야, 들어와유.”
윤실 엄마의 뒤를 따라 범성 아낙은 방 안으로 들어가서 두 사람이 자리에 앉으니,
다른 사람이라면 눈치를 보던 윤실이와 동생은 범성 아낙의 곁에 다가앉아서 얼굴을 쳐다보며 아는 체를 하였다.
범성 아낙은 웃는 얼굴로 두 아이의 머리를 쓰다듬어 주었더니 윤실이가
“한필이는 왜 안 와유?”
“응 한필이는 할무니하구 집에 있어.”
하고 윤실이에게 대답을 해 주고 나서,
“어째 승골닥에 안 왔어유.”
“내가 무슨 낮으루 거길 가겠슈.”
“그러지 말어유. 그럴수록 더 자주 봐야지유. 다름 아니구 승골닥 상주가 입을 상복을 맹그러야 하는디 아무리 생각을 해두 아줌니뿐이 없어유. 그러니 아줌니가 맹그러 줘유.”
“그럼 오늘 중으루 맹글어야 하잖어유?”
“시간이 없긴 한디 내일 아척까지면 안 되겠어유?”
“몇 벌이나유?”
“상주가 하나니깨 되겠쥬?”
“오늘 밤새우면 아마 될 성싶어유.”
“고마워유 그럼 지금 같이 가유.”
윤실 엄마는 범성 아낙의 말에 잠시 주춤이다가
“그냥 여기서 만들께유. 거기서는 복잡하니까유.”
범성 아낙은 윤실 엄마의 심중을 알고서,
“그럼 그렇게 해유. 내가 지금 옷감을 가지구 올게유. 뭐 더 필요한 것이 있으면 얘기해유.”
“무명실이나 보내줘유. 집에 실이 모자랄거 같어유.”
“그려유 그리구 바쁠테니깨 내가 저녁에 와서 거들어 줄께유.”

그날 늦은 저녁에 범성 아낙은 상갓집에서 만든 음식을 조금 싸 들고서 윤실네 집으로 바느질을 도와주러 갔다.
윤실 엄마는 광목을 풀어서 벌써 옷 모양대로 잘라 놓고 화로에 인두까지 묻어 두었다.
"저녁은 어떻게 들었슈.?"
"야 아침에 찬밥이 조금 남아서 애들하구 끓여 먹었슈."
"그럼 즘심은 안 먹었다는 거 아니유?"
"지금 처지에 어째 때맞춰 먹겠어유."
"그래두 애들은 멕여야 하는디."
그러고 보니 윤실이 남매가 범성 아낙이 들고 온 음식 보자기를 궁금히 쳐다보고 있었다.
"이거 애들 먹으라고 조금 가져 왔어유."
말이 떨어지기 바쁘게 윤실이 남매가 범성 아낙 앞으로 바짝 다가앉았다.
"지름 음석이라서 애들이 빈속에 갑자기 먹으면 탈이 나니깨 조금씩 멕여유,"
라고 범성 아낙은 윤실 엄마에게 당부하였으나 윤실이 남매의 귀에는 들리지 않아서 덥석 두 손으로 부침개를 들고서 정신없이 먹기 시작하였다.
"고마워유. 애들이 먹을 것을 보니깨 환장을 하는구먼유."
윤실 엄마는 애들이 더 못 먹게 음식을 다락 위로 넣어두고는
"여기 뒀다가 내일 또 먹어야지 한꺼번에 많이 먹으면 배탈이 난다잖여."
윤실이 남매는 아쉬운 눈빛으로 닫힌 다락문을 쳐다보았다.

밤이 깊어서야 범성 아낙과 윤실 엄마는 상복을 다 만들었다.
하루 만 입고 불태워질 상복이었기에 바느질도 대강하였지만 그래도 명색이 옷이라서 갖출 것은 다 갖추어야 하기 때문에 시간이 많이 걸렸다.

두 아낙네가 호롱불을 켜놓고 마주 앉아 바느질을 하면서 많은 이야기를 나누었는데 주로 윤실 엄마의 신세 한탄이었다.

"서방인지 땡감인지 어째 그렇게 생각이 없는지 모르겠슈. 에펜네가 호강하는 것은 애시당초 바라지두 않았어유. 그냥, 새끼들 배만 안 곯으면 하는 바램이었구먼유."

"윤실 엄마 맴은 동네 사람들 모두가 다 알지유."

"살림이 없으면 없는대루, 넘 한테 손구락질은 안 받구 살아야지 가난하다구 누가 뭐래유?"

"그려유. 열심히 살문 낭중에 다 복이되서 돌아와유."

"무슨, 에펜네 하구 새끼들 부귀영화 누린다구 빨갱이한테 붙어먹어유. 그래서 된게 뭐 있슈.

처자식 내팽개치구 돌아다니더니 지금 꼴이 꼴이 아니잖어유. 그 지랄을 할라문 아무도 모르는 타관 땅에서나 하지 어째 낯짝 뻔하게 평생을 살아온 동네에서 그 지랄을 하구 도망갔으니, 남은 에펜네와 새끼들은 어쩌겠시유."

"형편이 조금 나아질까 해서 그랬나 보지유."

"아무리 그래두 그렇지유. 동네 사람들한테꺼정 그러면 쓰나유?"

"그건 윤실이 아부지가 생각을 잘못헌 거지유."

"저번에 한필이 할머니가 곡석을 주고 가든 날 친정집에 갔었슈. 그런데 이 화상이 빨갱이들을 데리구 거기까정 가서 그 염병을 했다잖어유. 친정 아부지가 나를 보자마자 마당 빗자루로 패면서 쫓아내대유.

내 딴에는 애들을 굶겨 죽일 수 없어서 친정으루 동냥을 갔다가 그 화상이 친정집에까지 그 지랄을 한 것은 꿈에도 몰랐슈."

윤실 엄마는 말하면서 자기의 신세가 처량하여 쏟아지는 눈물을 주체못하고 치맛자락으로 닦으면서 잠시 진정하더니,

"친정 아부지헌티 매만 맞고 빈 손으루 쫓겨 나오니 죽고만 싶더라구유. 그래서 친정 동네 앞에 큰 방죽이 있잖어유?"

"몹쓸 생각을 했구만유. 애들두 있는디 맴을 단단히 먹어야지유."
"그려유, 갑재기 애들 생각이 나대유. 그래서 다시 집으루 오는디, 친정 엄니가 곡석 두어됫박을 들고 길가에서 나를 기다리구 있더라구유. 우리 모녀가 서로 붙잡구 얼마나 울었는지 몰라유"
윤실 엄마는 다시 쏟아지는 눈물을 참지 못하고 앞으로 머리를 방바닥에 파묻고서 설움에 겨워 격한 울음으로 흐느끼고 있었다.
그 모습을 보면서 범성 아낙은 할 말도 없으려니와 자기도 목이 메었다.
한참이 지나서야 진정이 되었는지 치맛자락으로 눈물을 닦으며
"지가 주책이지유?"
하고 윤실 엄마가 씁쓸한 미소를 지었다.
"아니유. 친정엄마 맴이 얼마나 아팠겠어유. 세상에 제일루 끈끈한 것이 모녀지간 이라잖어유. 쇠 심줄보다 더 질기구유. 윤실 엄마두 애들이 배곯을까 봐 친정집에 갔잖어유. 다 자식 생각 때문이지유."
"친정집두 살기가 빠듯해유. 친정집에서 아부지헌티 매 맞구 쫓겨나는디 손 아래 올케헌티 얼마나 챙피하든지 죽구만 싶었어유."
만싶었어요."
"다 잊어버려유. 내쫓는 아부지 맴도 아마 울구 있었을 거요. 윤실 아부지한테 화가 난 것이 속상해서 윤실 엄니에게 화풀이하는 그 맴두 아플거유."
윤실 엄마는 범성 아낙의 말을 가만히 듣고 있다가,
"손 아래 올케두 마찬가지유. 말리거나 하지두 않았시유."
"올케야 이러지두 저러지두 못하니깨 황망해서 그랬겠지유."
잠시 침묵이 흐르고, 석유 등잔불의 심지가 타는 소리가 들리더니,
"아니, 이게 무슨 냄새야?"
하며 윤실 엄마가 주위를 두리번거리며 살피더니 윤실이 남매가 덮

고 자는 이불을 걷어보았다.
 "아니 이 녀석이 똥을 싸질렀구먼?"
하면서 윤실이 동생의 엉덩이를 철썩 때리고는 두 팔로 안아서 일으켜 세웠다.
윤실이 동생의 얼굴은 핏기없이 창백하여 있었고 제대로 서 있지 못하고 힘없이 비틀거렸다.
 "뭔 일이랴 설사를 한 모냥이여."
윤실 엄마는 씩씩대며 자고있는 윤실이를 옆으로 밀어 똥 싼 자리에서 멀리하였다.
 "애가 지름질 부침개를 먹고서 탈이 났구먼유."
하면서 범성 아낙은 주섬주섬 바느질감을 한쪽 켠으로 밀어 놓고 등잔불을 이불 가까이로 옮겨서 심지를 돋구어 환하게 밝혀 주었다.
그리고는 부엌으로 들어가서 숟가락으로 부뚜막의 황토를 한 움큼 긁어 작은 솥에 넣은 다음 물 한 바가지를 붓고 아궁이에 불을 지폈다
아궁이 하나에 솥이 두 개를 걸었기에 또 한 솥에도 물을 붓고 아이 씻길 물을 덮히었다.
황토물이 다 끓은 다음 체에 받치어서 불순물을 걸러낸 후 식혀놓고 세숫대야에 더운물을 담아 손으로 온도를 재 보고는 방으로 아이 씻기라고 넣어주었다.
그러는 사이 윤실 엄마는 아이의 뒤치다꺼리를 다 하고 범성 아낙이 넣어준 따뜻한 물에 아이를 씻기면서 범성 아낙에게 연신 고맙다고 말하였다.
아이가 새 옷으로 갈아입을 때 범성 아낙은 부엌으로 들어가 식혀놓은 황토물에 가라앉은 부분은 버리고 윗물만 가지고 방으로 들어왔다.
 "이거 멕이유."
 "이게 뭐래유?"

"야, 급한대루 이거 마시문 탈이 가라앉을거유. 이게 지장수 라구 하는건디, 지 친정에서두 이걸 먹으면 행결 나아져유."

윤실 엄마는 다른 사람도 아닌 범성 아낙의 말이라서 아무 의심도 없이 아이에게 범성 아낙이 만들어 준 지장수를 먹이고는,

"고마워유. 그런디 이 녀석 옷을 벗기다가 그만 상주 옷에 묻혔는데 이를 어쩌문 좋태유?"

윤실 엄마가 기어들 듯한 목소리로 말했다.

범성 아낙이 살펴보니 상복 두루마기 아래쪽에 누런색 얼룩이 보였다.

앞쪽을 뜯어내고 다시 만들을 시간도 넉넉지 않고 또 가져온 옷감도 여유가 없었다.

어찌할 바를 모른 윤실 엄마에게,

"어쩔 수 없지유. 차거운 물에 얼룩진데만 깨끗이 빨아서 말려야지유."

"찬 물에유?"

"그려유. 찬물에 빨아야 얼룩이 안 져요. 그래 같고 화롯불에 대충 말려서 인두질을 하문 표가 들 날거유."

".... ? "

요즈음 일어났던 일을 생각해보니 범성 아낙이 보통 여느 아낙들과는 달라 보여지기 시작하여서,

윤실 엄마는 범성 아낙의 얼굴을 한참 쳐다보았다.

"윤실 엄마와 내가 입을 꽉 다물으무는 아무도 모르니 그렇게 해유."

하고 웃으며 말하는 범성 아낙이 윤실 엄마에게는 친동기간 보다도 더 가까운 느낌으로 다가왔다.

日常으로

덕수 내외의 장례도 다 끝내고,
범성은 삽과 괭이를 들고서 텃밭으로 나섰다.
난리 통에 일년을 묵혀놓은 텃밭에는 파랗게 잡초의 싹들이 뾰족이 고개를 치켜들고 있었다.
범성은 삽으로 땅을 파서 먼저 밭이랑을 만들고 괭이로 두덕을 만들어서 어제 삼식이 집에서 얻어 온 씨감자를 심을 요량이었다.
우선 밭이랑을 세 개 만들어서 첫 번째 이랑에는 빨간색 감자. 두 번째 이랑에는 자주색 감자. 그리고 마지막 이랑에는 하얀색 감자를 심을 생각이었다.
엊저녁에 아낙과 마주 앉아서 얻어온 씨감자의 눈이 있는 곳을 살려 세 조각으로 나누어 장만한 것을 아낙이 삼태기에 담아서 가지고 왔다.
손자를 업고서 시어머니도 뒤를 따라서 나왔는데, 손자는 할머니의 등에서 내리려고 몸을 이리저리 비틀고 발버둥을 치었다.
"가만있어. 이 눔아."
시어머니는 손자를 추슬려 업고서는 내려놓지 않았다.
눈에 넣어도 아프지 않을 귀한 손자이기에 당신 품에 간직하고픈 마음이리라.'라고 범성 아낙은 생각하며 짐짓 한마디 말을 하였다.
"엄니 한필이 지가 혼자 걸어 다니게 내려놔유. 자꾸 업히면은 다리가 벌어져서 낭중에는 안짱다리가 돼유."
웃으며 말하는 며느리의 말에 못이기는 척하며 그제서야 할머니는 손자를 내려놓았지만, 행여 넘어질세라 두 팔을 앞으로 내밀고는 손자의 뒤를 졸졸 따라다니었다.
이윽고, 김 노인도 대문을 나서서 손자가 돌아다니는 것을 보고는
"아니, 우리 한필이 자빠지면 어쩔라구 저리 놔 두는거여?"
하고 우려스러운 눈으로 말하는데,
"괜찮어유. 애들이 클 때는 자빠지구 깨지구 그렇게 커야지유."
하고 범성 아낙이 걱정하는 시아버지를 안심시키는 미소로 말하였다.
"그려두 그렇지, 앞으루 고꾸러져서 무릎이라두 깨지면 어떡혀."
"아부지, 걱정 마셔유. 한필이 쟤가 그래두 피난살이꺼정 겡험한 애라구유."
범성의 말에 온 식구가 다 함께 한바탕 웃었다.
"그 옆에는 뭐를 갈을꺼냐?"
"야, 엄니 요 쪽에는 시금치를 갈으려구 하구유 가운데 쪽에 열무를 갈을까 하는데유."
"열무를 갈기엔 너무 많잖아유."
아낙의 말에 시어머니가 ,
"니 시아부지가 열무짐치 하나루 한여름을 지내지않니?"
시어머니의 말에 범성 아낙은 그냥 웃기만 하였다.
사실 시아버지는 열무 철이 되어서 끝날 때까지 밥상엔 늘 빠지지 않고 열무김치가 있어야 밥을 먹었다.
그 식성을 알기에 범성 아낙은 웃음으로 시어머니의 말에 화답을 하였다.
그렇게 하며 그날부터 범성의 집에서는 한 해 농사일이 시작되었다.

그날 밤,
범성 아낙은 범성에게 나직이 말하였다.
"아무래두 나 애 들어 섰나 봐요."

"응? 뭐라했우."

"애가 들어 섰는거 같어유."

범성은 아낙의 얼굴을 잠시 뚫어져라 바라보더니,

"증말이여?"

하며 놀랍고 또 좋아서 벌린 입을 다물지 못하였다.

손이 귀한 집에서 아낙이 애를 가졌다니 놀라기도 한 일이다.

"확실한겨?"

"그런 거 같어유."

"얼른 엄니한티 알려야 되겄어."

하고 범성이 일어서자 아낙은 황급히 범성의 팔소매를 잡았다.

"왜 이래유. 낭중에 찬찬히 얘기 하두룩 해유."

"아녀, 얼른 알려 줘야 뎌."

범성은 아낙의 팔을 뿌리치고 안방으로 건너가니 아버지는 벌써 자리에 누워 잠이 들었고 어머니도 자리에 들려 하고 있었다.

"지금 뭐라구 했냐?"

범성의 얘기를 듣고 어머니는 깜짝 놀랐다.

"에미가 애를 가졌나 봐유."

범성의 목소리가 컸던지 자고 있던 김 노인이 벌떡 일어나며,

"뭐? 누가 애를 가졌단 말이냐?"

"영감! 참 잠 귀두 밝어유. 에미가 애를 가졌다내유."

하고 시어머니는 며느리가 애를 가졌다는 얘기를 김 영감에게 일러주었다.

"장 허다. 장 혀,"

하며 만면에 웃음꽃이 활짝 띄우며 어쩔 줄을 몰라 하였다.

"아니, 내가 지금 이러구 앉아 있을 때가 아니지."

덕수 어머니는 황망히 일어서서 치마를 둘러 입고서 며느리에게 갔다.

"얘, 에미야! 애가 섰다고? 원, 시상에나 이런 경사가 또 어디 있냐."

시어머니는 방으로 들어서자마자 며느리의 두 손을 포개어 움켜쥐고는 가벼이 흔들었다.
"아녀유. 쪼금 더 있어 봐야 알 것 같어유."
범성 아낙은 얼굴을 붉히며 쑥스러운 듯이 말하였지만, 시어머니는 그런 며느리의 말에는 아랑곳없이
"그래, 얼마나 된거여?"
"그게 저번 달에도 없더니 이번 달에도 거르는데유."
"됐어 됐어, 인자 한필이 동생이 생긴겨."
시어머니는 좋아서 싱글벙글하며 계속 말을 이어 나갔다.
"이 눔 가졌을 때두 입덧이 읎드니 이번에두 입덧이 읎었냐? 신통하기두 하다."
하며 누워 자고 있는 한필이를 돌아보는 시어머니의 얼굴은 세상을 다 가진듯한 흡족한 미소가 가득하였다.

그날로부터 시어머니는 범성 아낙에게 아무것도 하지 말라고 엄명 아닌 엄명을 내리니,
가뜩이나 농사철이 돌아오면서 바빠지는데 범성 아낙은 좌불안석이 되었다.
"아니 영감, 물 같은 것은 영감이 갖다 먹지 그런 것까지 에미 심부름 시키문 어쩐대유?"
김 노인이 방안에서 냉수 한 그릇을 부탁하자, 부엌에 있던 시어머니에게 지청귀를 듣는 일도 가끔 있었다.
범성 아낙이 강낭콩을 심으려고 호미로 토담 바깥 양지쪽 주변을 파고 있는 것을 본 시 어머니가 기겁을 하고는 쫓아와서,
"얘야, 홀몸두 아닌데 어째 그렇게 쪼그리구 앉아서 호미질하니? 이리 내거라."
하고 아낙의 손에서 호미를 빼앗다시피 받아들고는,
"영감 이리 와 봐유."
하고 김 노인을 불렀다.

"아이구 엄니, 이리 줘요. 이런 것쯤은 아무 상관 없어유."
"안뎌 안뎌, 넌 그냥 가만히 있어라."
하며 막무가내로 강낭콩 심는 일조차 못 하게 하였다.
극성? 스럽기까지한 시 어머니의 며느리에 대한 과잉보호이기도 하였다

다음 날,
범성은 아침 밥상머리에서
"초입 모탱이에 있는 밭에는 뭐를 갈아야 할지 마땅치가 않네유."
하고 동네 어귀에 두 개로 나뉘어진 밭에 무엇을 심어야 좋을지 식구들의 의견을 물었다.
"올개는 피난 다닌다구 밭일이 늦어졌는디 뭐라두 서둘러서 심어야지유."
라고 범성 아낙이 말하였다.
그러자 시어머니가 며느리의 말을 받아서,
"아범아! 에미 몸도 몸이니 괜히 신욕만 고되게 하지 말구 그냥 놔두거라.."
시어머니는 밭일에 힘들어할 며느리를 생각하여 아무것도 심지 말라는 뜻으로 말하였다.
"엄니 땅을 묵히면 종내는 못쓰게 돼유."
범성의 말에 시어머니는,
"그럼, 지금 에미가 이 몸을 갖구 한여름 땡볕에 밭일을 어떻게 해야 한다는 거냐?"
하고 범성을 다그치는데, 범성 아낙은 앉은 자리가 몹시 불편하였다.
"내가 되는 대루 해 나갈께유."
"말이야 쉽지. 그게 애 에미 손이 안 가겄냐?"
시어머니가 범성에게 면박을하자 아낙이 나섰다.

"그럼, 이렇게 해유. 밭이 두 개 있잖유. 그중에 작은 밭에는 두어 고랑은 고구마를 하구유,
나머지는 참깨랑 들깨를 갈으면 모종 낼 때만 손이 가잖어유? 날이 가물어두 벨 걱정 없구유."
"그렇지, 에미 말이 맞어. 그리구 나머지 밭은?"
"그건 말이유."
"그래, 남은 밭은?"
"묵힐 수는 없으니까 올 한해는 윤실이네한테 부치라구 하문 어떨까유?"
"뭐? 윤실이네한테 부쳐 먹으라구?"
시어머니는 눈을 동그랗게 뜨며 며느리를 쳐다보았다.
범성 아낙은 자기 자신이 힘들어서 밭농사를 피하려 하는 것이 아니라는 눈빛으로
"올 한해만 그렇게 해유. 엄니."
하며 시어머니의 눈치를 살폈다.
"그려, 그렇게 혀,에미 맴이 그러문 그렇게 혀. 다 좋은 일 아녀?"
이제껏 잠자코 오가는 대화만 듣고 있던 김 노인이 며느리의 말을 거들었다.
그제야 범성도,
"그럼 당신이 윤실네 가서 그렇게 말하구 와. 우선 그 집에는 먹을 게 부족하니 빨리 거둘 수 있는 감자를 심어보라구 혀. 두어 달이면 거둘 수 있으니, 마침 집에서 심고 남은 씨 감자두 있구 하니께 그걸 주구 말여."
시어머니도 범성의 말에 동조하고는 고개를 끄덕이며,
"그럼 도지는 받지 말거라."
"아유, 엄니 땅 안 묵히는 것도 어딘디 도지를 받겠어유."
하고 범성이 말하였다.
"그럼 지가 일찍 가서 그렇게 얘기 할께유. 그리구 지가 깜박

했는디유. 앞에 텃밭 감자 심구 한쪽 귀퉁이가 남었잖어유. 거기에다가 모시(麻)를 갈어야 하겄시유."

"웬 모시?"

"그려유, 시금치는 다른 곳에 조금 갈아 먹구유. 대신에 모시를 조금 많이 갈어유."

"글쎄, 왜?"

범성이 재차 물었다.

"엄니 아부지 입으실 여름옷이 다 헤져서 내년에는 마땅치가 않어유.그래서 올개 모시를 심어야 내년 여름옷을 장만할 수 있어유. 그리구, 여름철이문 아부지 늘 배앓이 하시잖어유. 모시 잎사귀를 달여 마시면은 효험이 있잖어유."

범성 아낙의 말에 시아버지를 비롯하여 시어머니와 범성까지도 아낙의 선견지명에 감탄하였다.

(지금은 모시(麻)를 개인 마음대로 재배할 수 없지만, 그 시절에는 아무런 제재없이 麻를 재배하였습니다.)

註 <<[大麻管理法] 대마 또는 대마를 원료로 하는 제품의 관리나 유출 방지 등을 규정한 법. 국민 보건 향상에 기여함을 목적으로 1976년에 제정되었다. 2000년에 폐지되고 마약류 관리에 관한 법률에 통합되었다. 마약류 관리에 관한 법률 (약칭: 마약류관리법) >>

한편,

중공군의 개입으로 1.4 후퇴까지 겪었던 유엔군은 38선 위쪽까지 진격하여 밀어내어 상억이 철우의 집 포천까지 다녀 왔으나, 4월 말 중공군과 인민군은 다시 한번 서울을 점령하기 위하여 70만의 병력을 동원하여 야심만만하게 대공세를 실시하여, 설마리 파평산 전투와 사창리 전투에서 국군을 공세의 대상으로 삼아 돌파하고 종내는 서울 북쪽 8km 지점인 의정부까지 밀고 내려왔으나, 중공군의 약점인 보급문제와 미군의 막강한 화력으로 인하여 저지당하고 유엔군과 국군의 반격으로 밀려 38선 위쪽으로 밀어내었다. 이때

화천의 저수지에서 중공군은 대패하여 저수지의 이름이 파로호라고 지어졌다.
(깨트릴 파破)(오랑캐 로虜)(호수 호湖)
중공군의 10만이 넘는 사상자를 낸 전투에서 사기를 잃은 적들은 휴전을 제의하기도 하였다.
그리하여 6월10일부터 휴전 협상이 개성 판문점에서 시작되었으나 그 일대 이외에는 서로 유리한 고지를 점령하기 위한 전투가 계속 되었다.

토담 아래 심어놓은 해바라기가 고개를 서쪽으로 돌리고 있을 때, 춘분네가 소쿠리에 자주색으로 알알이 반짝거리는 찐 옥수수를 담아서 가지고 왔는데,
하정이와 필운이도 제 어미 뒤를 따라왔다.
"성님! 이거 한번 먹어봐유."
"뭔, 옥숙구여? 색깔이 참 곱기두 하다."
"찰 옥숙구인디유 소금 간물을 조금했더니 먹을 만 하네유."
범성 아낙은 부엌에서 소쿠리를 가지고 나와 옥수수를 옮겨 담고는,
"엄니, 이리 오셔서 옥숙구 잡숴유."
하고 시어머니를 부르니 시어머니는 뒤꼍에서 한필이를 업은 채 나왔다.
"아유, 엄니 애 내려놔유. 이 더운데 왜 업구 지셔유. "
"애가 안 떨어질라구 하는구나."
"네 살이나 됐는데 안죽두 업으시문 어떡한대유?"
며느리의 말에 시어머니는 못 이기는 척 한필이를 툇마루에 내려놓으니 한필이는 기다렸다는 듯이
옥수수 소쿠리 쪽으로 잽싸게 다가섰다.
"이거 봐유, 지 혼자 서도 잘 뛰어 다니잖유."
"그러다가 자빠지면 코가 깨지능겨."

하며 시어머니는 웃으며 다 식어서 온기라고는 없는 옥수수를 하나 집어서 입으로 호호 불면서 한필이의 손에 쥐여주니 한필이는 그것을 받아쥐고는 하정이 남매와 함께 밖으로 뛰어나갔다.
“한필아! 고꾸러진다. 뛰지 말어라.”
하는 시어머니의 말에 범성 아낙은 웃었다.
“근디, 성님. 아야꼬 아줌니하구 미실이 지지배 사진을 봤는디유 몰라 보겠던디유.”
“사진을?”
“야, 메칠 전에 아야꼬네 아저씨가 댕겨갔잖어유? 그때 식구가 같이 박은 사진을 주구 갔대유. 그래서 가 봤는디 사진 각구에 넣은 사진이 크대유.”
“그려?”
“야, 보니께 첨에는 몰랐는디 가만 보니께 미실이 지지배드라구유. 엄청나게 이뻐드라구유.”
“한번 가서 봐야겄네.”
범성 아낙은 갑자기 아야꼬가 보고 싶어졌다.
철우가 왔을 때 소식은 들었지만,
가족사진 이야기는 못 들었기에 더 궁금하고 아야꼬가 그리워졌다.

얼마 전,
철우는 범성이 보낸 편지를 받고 포천으로 올라갔었다.
상억이 포천에 갔을 때와는 달리 그 일대에는 국군과 중공군이 대치하여 전운이 다시 감돌을 때였지만, 여러 우여곡절 속에서 포천을 다녀왔다.
전시 상황인지라 경황없이 부모님 산소 찾아 예를 드리고 부모님 시신을 거두어 준 동네 사람들에게 고마움만을 표하고 상황이 안정되는 대로 찾아뵙겠다는 인사만 겨우 하고서 도망 나오듯이 포천을 떠나서 하리골에 들른 것이었다.
하리골 덕수 생가에 들러서 전후 자초지종을 얘기하고 미실이가 성년이 될 때까지 자기가 거두어 기르겠다는 말까지 전하면서 세 식구가 사진관에서 함께 찍은 사진을 내어놓았다.
액자 속에 찍은 사진은 철우와 아야꼬가 나란히 의자에 앉아 있고 아야꼬의 무릎 위에 미실이가 앉아 있었는데 단발머리에 빨간 리본으로 된 핀을 꼽고서 하얀 브라우스에 검정 치마를 입고 하얀 양말에 검정색 구두를 신고 있었다.
철우가 내놓은 사진을 물끄러미 한동안 내려보던 미실이 할아버지는 착잡한 얼굴로 고개를 끄덕이어 철우의 제의에 긍정적인 답을 하였다. 그러면서,
"애한테는 여기가 지 뿌리라는 것을 잊지 않도록 해 주시게나."
라고 하였다.

그때 범성과 상억이 철우를 보러 찾아와서 세 사람은 서로 반가워 여러 이야기를 나누고 특히 상억에게는 포천까지 어려운 걸음을 하여 고맙다는 치하를 몇 번이나 하였다.
상억이 여동생의 그 후 소식을 묻자 철우의 얼굴에 근심이 스쳐 가면서,
"아무런 소식도 못 들었네. 다급한 시간이라서 수소문하기도 어려워서……."
하며 말끝을 흐렸다.
"성님, 이따가 저녁은 지 집에서 잡숫두룩 해유. 그리구 하루 주무시면서 얘기라두 해유."
"아닐세 벌써 며칠째 회사에 자리를 비워서 오늘 밤차로 내려가야하네."
"그럼 저녁 밥이라두,
지가 한필이 에미에게 시켜놓고 왔어유."
"그렇게 하세나. 아야꼬가 제수씨께 보내는 편지 부탁도 있고 하니, 그렇게 함세."
그러고서 범성의 집에서 저녁밥을 먹고는 그날 밤차를 타고 부산으

로 떠났었다.

범성 아낙은 철우가 건네주고 간 아야꼬의 편지를 여러 번이나 꺼내어 읽어보았다. 편지지를 펼쳐보면, 그때마다 아야꼬의 모습과 착한 마음이 편지지 위에 어른거리는 듯하였다.
편지의 내용은 이러했다.

< 赤ちゃんのお母に 香順さんへ

あなたが去ってからもう何ヶ月も経つ
お元気ですか
春芬さんもお元気ですか
私も皆さんの心配で元気です。
私のミシルちゃんも元気に育っています
短い期間でしたが、
記憶に残ります。
最近、天気がとても暑いです。
農村での一日はとても暑いでしょう
いつかみんなまた会える日が来る
日本人という偏見なく接してくれる
あなたの考え方が私は好きです
どうもありがとう >

(애기 엄마 향순씨에게

당신이 떠난지 벌써 몇달이 지났군요
몸 건강하신지요
춘분씨도 잘 있는지요
나도 여러분의 염려로 잘 있습니다.
나의 미실이도 잘 크고 있어요
짧은 기간동안 당신들과 지냈지만

나의 기억속에 오래 남아 있을겁니다.
요즘 날씨가 매우 덥습니다.
농촌에서의 하루는 무척 덥겠지요
언젠가는 우리 모두 우리 모두 다시 만날 날이 꼭 오겠지요
일본 사람이라는 편견없이 대하여주는
당신의 사고방식을 나는 좋아합니다
감사합니다)

무덥고 지루한 여름이 고개를 숙이는 24절기의 하나인 處暑가 지나고 아침 저녁으로 제법 선선한 바람이 목 뒷덜미에 느껴질 때,
범성 아낙의 배도 많이 불러졌다.
논에 심어놓은 푸른 벼 잎사귀가 노란 색을 띄우고 고개를 반쯤 수그릴 때 쯤,
범성이 삼 밭에서 베어 지게로 여러번 지어 날라서 마당에 세워놓은 삼을 범성 아낙과 시어머니는
평상 위에 앉아서 잎사귀와 꽃대를 따서 그늘에서 말리고 줄기는 우물가의 커다란 물두렁에 담가 놓았다.
삼 잎사귀와 꽃대는 사나흘 말려서 함지박에 담아 집안 상비약으로 다려서 사용하기로 하였고,
(각혈. 토혈. 지혈. 소변출혈. 항문부종. 동통. 자궁염. 종기. 타박상. 옹종. 외상. 유선염. 해독 및 거담제로 사용)

물 두렁에 담가놓았던 줄기는 꺼내어 껍질을 벗기어 가늘게 찢어서 실을 만들어 길게 이어 놓았는데 굵기가 12細(모시 용도)와 8細(삼베 용도) 두 가지로 실을 만들어 물레로 자아서 꾸러미로 만들어 놓고 가을 일 끝나 농한기가 되며는 내년 여름에 시부모님 입으실 모시 옷감과, 나중에 상이라도 당하면 소용되게 시부모님 입고가실 수의를 만들 삼베 옷감을 베틀에 걸어 짜려고 시렁 위에 올려 놓았다.

그런 중에서도 전쟁은 지루하게 계속되고 또 한해가 바뀌어서 범성 아낙은 해산을 하였는데,

또 건강한 사내아이를 출산하였으니 집안은 경사스러움에 가득하였다.
한필이가 태어났을 때처럼 시아버지는 대문에 금줄을 치면서 벌려진입을 다물 줄을 모르며,
"우리 또 손자가 생겼슈."
하며 지나는 사람에게 싱글벙글하며 큰 소리로 자랑하였다.
범성 아낙의 산후조리는 시어머니도 있었지만, 주로 윤실 엄마와 상 억의 처 춘분이가 번갈아 가면서 주로 맡아서 돌보아주곤 했는데, 범성 아낙은 윤실 엄마가 헌신적으로 자기를 돌봄에 뭐라고 형용할 수 없는 감정으로 코끝이 찡하면서 눈물이 핑 돌기도 하였다.
함께 따라서 온 윤실이는 갓난아기를 한참이나 쳐다보더니 등을 돌려대고 제 등에 업혀달라고 하기도 하였다.
어린 생각이지만 오래전에 자기에게 젖을 물려주었던 한필이 엄마가 머릿속에 각인되었던 듯하였다.
그런 행동의 윤실이가 기특하기도 하여서 범성 아낙은 윤실이의 머리를 쓰다듬으며,
"아직은 어려서 못 업어 나중에 크며는 잘 데리고 놀거라."
하고 말하였다.

새로 태어난 아이의 이름은 할아버지가 성필이라고 지어주었는데, 할머니가 왜 성필이라고 지었느냐고 묻자
"집안이 대대로 손이 귀하였는데 이제 떡하니 둘이나 생겼으니 이보다 더 좋은 일이 어디 있어,
그래서 이룰 成 자를 붙였지."
"그럼 한필이는 하나 일 거라구 한필이라구 지었슈?"
"원 할망구두, 한필이는 날개 翰 자라고 했잖여. 높구 멀리 날으라구."
시아버지와 시어머니의 주고받는 말에 범성 아낙이 빙그레 웃을 때 춘분네가 방안으로 들어왔다.

"어여, 문 닫어 찬 바람 들어온다."
시어머니가 말하였다.
춘분은 덕성 아낙의 옆에 앉으며,
"성님, 이거 먹어보라구 가져왔슈."
하며 소쿠리에 담긴 먹음직스런 빨간 홍시를 내밀었다.
그것을 본 시어머니가,
"아서, 아서. 아직꺼정 찬 것을 먹으문 안뎌."
하고 손사래를 치니,
"화루에 데워서 먹으문 되잖어유?"
춘분의 말에 시어머니는,
"그것두 안뎌. 애 낳구 나서 감을 먹으문 뒷간에를 못가서 안 되는 거여."
라고 하며 산모에게 변비가 생길까 봐 못 먹게 하였지만,
범성 아낙은 달달하고 시원한 홍시가 갑자기 먹고 싶어졌다. 그래서,
"엄니, 그래두 도림닥에서 생각해서 가져온 것이니께 맛이나 봐야지유."
하고 시어머니의 눈치를 살폈다.
이에, 시어머니도
"그럼 쬐끔만 먹어 보거라."
하며 붉고 윤기가 있는 홍시를 하나 골라서 반을 쭉 가르더니 감꼭지 쪽의 허연 부분을 떼어내고 씨를 발라서 며느리에게 건네주면서,
"차거우니께 바루 먹지 말구 입안에 넣었다가 먹거라."
하며 나머지 반쪽은 자기의 입속에 넣었다.
춘분이 그것을 보고는,
"한필이 할무니는 뒷간에 어떻게 갈라구 그래유?"
"나는 괜찮어."
"근디 왜 감 꼭지는 빼내버려유?"

"응, 그건 꼭지 쪽에 있는 허연 속이 있잖여 그거 많이 먹으면 뒤가 맥혀서 그러는거여."
"그려유? 나는 그것두 몰랐네유."
춘분의 말에 모두 함께 웃었다.
한바탕 웃음이 끝난 후 범성 아낙이 말했다.
"엄니, 윤실이네 말여유."
"응 그래, 윤실네가 왜?"
"다른게 아니구유 지가 좀 이러니깨, 그래서 곰곰이 생각을 해 봤는디유 지난번에 삼베 실 만든 거 있잖어유. 그걸 윤실 엄마에게 줘서 베를 짜 달랬으문 해유."
"나중에 에미가 허문 안 되겄냐?"
"그래두 되지만, 지가 몸 추스르구 그라문 너무 늦을 꺼 같어유. 그리구 젖멕이까지 딸리문 두어 달 걸릴텐디유. 마침 지금은 농사일두 없구하니깨, 윤실엄마에게 맡겼으문 하는디유."
범성 아낙의 조리있는 말을 듣고 시어머니는 쾌히 승낙하였다.
"그래라 잘 생각했다. 에미는 애들 키울 생각만 하거라."
"그럼 그렇게 하는거유 엄니,"
"그려 그럼 이따가 아범한테 말해서 베틀을 갖다 주라구 해야겄다."
"아니유, 먼저 윤실 엄마에게 물어 봐야지유."
"윤실 엄마가 꼼꼼해서 그런 거는 아마 잘 할거유."
하고 춘분이 말하였다.

다음날,
평소와 같이 윤실 엄마가 범성 아낙의 뒤를 도와주러 왔다.
"윤실이 엄마, 지가 뭐를 좀 부탁할까 하는디유."
"뭐를 부탁한대유."
"다른게 아니구 지가 아직 이래서 말인디유. 베를 짜야하는디 할 수가 없을거 같어유. 그래서 윤실 엄마에게 베를 좀 짜달라고 부탁하구 싶네유."
윤실 엄마는 잠시 생각하더니,
"낭중에 천천히 짜면 되잖아유?"
"아녀유. 몸 추스르구 나서두 바루 못하지유. 베틀에 앉으문 배 허리 다리 모두 힘이 들어가야 하는디 더군다나 애 젖까지 멕이다 보면 베를 짤 시간이 없어유. 올여름 시 부모님 입을 모시 적삼이라두 맹글려면 안 되겠어서 그래유."
"글쎄유."
"그럼 그렇게 해 주는 거로 해유. 이따가 베틀은 한필이 아부지가 가지구 가서 꾸려 주라구 할게유."
"우리 집에서 말이유?"
"야, 웃방이 있잖어유. 거기다가 꾸려 놓으문 되잖아유?"
"그렇기는 하지만, 뭐 지가 한필이 엄마만큼 솜씨가 있어야지유."
"원 벨말을 다 하네유. 윤실이 엄마 솜씨야 인근에서 다 알아주는 솜씨 아녀유?"
라고 말하면서,
범성 아낙은 시렁 위에 보관하여둔 삼베 실꾸리 뭉치를 내려서 윤실 엄마에게 보여주며,
"이따가 베틀하고 함께 보낼께유."
그때 시어머니가 방으로 들어왔다.
아무래도 그새 둘째 손자가 또 보고 싶어서 방안으로 들어온 듯 시선은 갓난아기에게로 향하였다.
"아줌니 고만 봐유. 애기 닳겠어유."
윤실 엄마가 웃으면서 말을 하니,
"그게 아녀, 그새 얼마나 컸는지 보러 온거여."
하며 멋쩍게 웃고는,
"어떻게? 길쌈은 하기루 했어?"
하고 윤실 엄마와 며느리의 얼굴을 번갈아 보며 물었다.

"야, 얘기 다 됐어유."
"그려? 그럼 길쌈 품삯은 후하게 쳐서 주도록 하거라."
"아이구 엄니, 그걸 왜 지가 줘유?"
"그럼 누가 주니?"
"엄니가 줘야지유. 그렇잖어유?"
"내가, 왜?"
"엄니 아부지 입을 거잖어유. 그러니깨 엄니가 삯을 줘야 맞지유."
라고 말하는 덕성 아낙의 말에 모두 한바탕 웃었다.

그로부터 두어 달 후,
범성 아낙은 반짇고리를 펼쳐 놓고 바느질 준비를 하였다.
윤실 엄마가 짜 온 한자 (30cm) 폭의 모시포를 펼쳐놓고 시 부모님의 모시 옷을 만들 요량이었다.
"한필 아부지! 이리 좀 와 봐유."
범성이 마당에서 방 쪽으로 다가오자,
"가새(가위)가 안 드네유. 좀 갈아줘유."
아낙에게서 가위를 받아 들은 범성이 엿장수처럼 두어 번 가위를 철컥거리며 우물가에 만들어 놓은 숫돌 앞에 쪼그려 앉아서 가위를 갈기 시작하였다.
시어머니가 방으로 들어서며, 방바닥에 펼쳐 놓은 모시포를 보곤,
"얘야 베가 곱게 짜졌구나."
시어머니가 모시를 만져보면서 말하였다.
"그려유. 윤실 엄마 솜씨가 좋구먼유."
범성 아낙이 말하면서 손을 뻗어 막자(60cm 짜리의 막대기 눈금 자)를 집어 들며,
"엄니 칫수를 재 봐야지유 일루 와 봐유."
시어머니는 등을 돌려서 며느리의 앞에 서며,
"메누리 덕에 시 에미가 호강이여."

라고 말하면서 흐뭇해 하였다.
그해 8월 5일,
전쟁으로 인하여 아직 환도하지 못하고 부산에서 그냥 머무르고 있는 임시수도의 정부와 국회에서는
개헌에 따라서 첫 대통령 직선제가 시행되어 대통령에 이승만. 그리고 부통령에는 함태영이 선출되었다.
(초대 때 에는 제헌국회에서 대통령을 선출하였음. 이에 앞서 5월 10일에는 전국 도의원의 총 선거가 실시 되었음.)

백마고지 와 공비(共匪)

남북간이 휴전을 조율하고 있는 시기에도, 서로가 대치하고 있는 강원도 철원군은 인근의 평강군. 김화군과 함께 철의 삼각지대 중의 하나로서 두 진영이 수시로 충돌하는 지역이었다.
이 와중에 중공군은 이런 교착상태를 타개하려고 점령하기 쉬운 곳을 탐색하였고, 급기야는 철원 서쪽의 백마고지와 화살머리고지를 공격하여 점령하였다.
당시 유엔군은 철원평야 일대를 완전히 장악한 상태였는데, 철원 북방에 있는 백마고지는 남동쪽으로 펼쳐진 철원평야를 지켜낼 수가 있어서 국군과 유엔군의 보급선을 확보할 수 있었는데, 주변의 산들이 100m가 넘는 산들에 둘러 쌓여있는 상황의 지리적 여건을 이용한 중공군 38군의 공세가 시작되었다.
당시 백마고지 일대에 주둔한 국군 9사단은 중공군을 맞이하여 격전을 치르게 되었다.
이렇게 시작된 격전은 치열하여서 뺏고 빼앗기는 전투가 10여 일 동안에 12번이나 되었으나 결국에는 중공군을 백마고지 일대에서 격퇴함으로써 비로서 끝이 났는데 이 전투에서 중공군의 사상자 수는 1만 4천여 명이나 되었고 국군은 3천 4백여 명이 되었다.
외신 종군기자가 수많은 조명탄들이 터지며 내려오는 하얀 섬광을 보면서 백마같은 모양이라며,
'Monroe Morning World' 등 외국 신문에 먼저 'White Horse Hill' 이라는 명칭으로 타전하여 기사들이 나왔고 이후 국내 언론에도 전하여져서 '백마고지' 라는 명칭이 붙었다.(나무위키에서 인용)

처음에는 윤실이 외갓집이 있는 솔매산 근처의 외딴집에서 밤이 되면 밥에 넣으려고 삶아서 바가지에 건져놓은 보리쌀이 그릇까지 없어지더니 점점 동네 안으로 번져서 솥에 넣어둔 밥과 찬장의 반찬도 함께 없어지기 시작하여서 종내는 닭장 안에 가둬놓은 닭까지 손을 타게 되었다.
사람들은 동네 청년들의 밤참 서리로만 생각하고 그냥 넘기었는데 그 정도가 지나쳐 인근 여러 동네에까지 도둑을 당하고는 무서운 생각까지 들게 되었다.
그 소문은 순식간에 퍼져서 하리골에도 들려왔다.
구장 집 사랑방에 마실꾼들이 둘러앉아서 이수 아버지가 손바닥에 침을 뱉어가며 새끼를 꼬던 손을 멈추고,
“내가 말여 솔매산에 한 달이나 숨어 지내서 아는디 거긴 산이 아주 깊어. 그래서 아마두 도망 못 간 빨갱이들이 숨어 있을껴.”
하며 그때의 생각을 하였다.
“그동안은 아무 일두 없었잖어유.”
상억의 말에 삼식이가,
“뿔뿔이 흩어진 눔들이 여기저기서 모여 들은 모양이여.”
“그거 큰일 아녀유? 우리 동네두 멀지는 않은디.”
“큰일이여. 이제 밤마실도 못 다니겄어.”
“도둑질만 하지 안죽 사람은 해코지는 안 하는가벼.”
“맞닥뜨리면 뭔 일이 날지 어찌 아는겨.”
하며 모두들 근심 어린 말들이 오갔다.
“근동에서 일어난다면 근동사정을 빤히 아는 놈들의 짓인디....”
라고 말하며 삼식이가 말끝을 흐렸다.
“짚히는 사람이라두 있는겨?”
삼식의 어물쩡한 말에 이수 아버지가 되물었다.
“그런거는 아니구....”
“행여, 증만 이라구 생각은 하덜 말어.”
“어째서?”

"아! 증만이두 사람인디 동네 사람들한티 그 정도루 했으문 지두 속이 있는 사람일틴디."
"이수네는 그렇게 당하구두 그랴?"
"그걸 생각하문 밑두 끝두 없지만, 그래두 어떡혀. 부랄 내놓구 같이 자란 사이 아닌가벼."
"아무리 그래두 그렇지."
"생각해 봐, 난리 통에 증만이가 잠깐동안 나쁜 맴을 가졌다지만 원래 그런 사람이 아녔잖여."
"뭐, 그런 사람이 따루 있남?"
"삼식이 자네 말이여.. 자네 할머니 돌아가셨을 때 말이여 그때 누가 젤루 고생을 했나 생각을 혀 봐. 증만이 아녀?"
"왜, 이 일을 거기다가 붙이는감."
"그라니, 하나 가지구 여러 가지를 덮으문 안 되능겨."
"근디, 왜 이리 거기를 두둔한댜?"
"내 얘기는, 돌 보다는 쌀이 많다는겨."
잠자코 듣고 있던 구장이 둘의 대화를 끊고 말하였다.
"본래는 증만이 그 사람두 바탕은 착한 사람이여. 그러니 더 두구 보면 알겄지."
하니,
"그건, 나두 그렇게 생각해유."
하고 삼식이가 좀 전과는 사뭇 다른 말을 하였다.
"워낙이 먹구 살기가 힘드니깨 잠시 정신줄을 놓았다구 생각들 허구. 그 얘기는 그만 들 혀."
구장이 쐐기를 박듯이 말하면서,
"앞으룬 말여, 밤이 되문 밖에 나다니지 말도록 허구, 부엌 눈에 잘 띄는 곳에 먹을거라두 놓아두도록 하라고 혀."
"왜유?"
상억이 구장의 말뜻을 물었다.
"그게 말여, 도둑이 들어서 마침 먹을거라두 있으문 아무 일 없이 몰래 먹구 가거나 가지구 갈꺼 아녀?
반대루 생각혀 봐, 증작에 훔치려 왔다가 아무것두 없으문 내놓으라구 해코지허구 달려들 거 아녀?"
구장의 설명에 상억은 고개를 끄덕이며,
"그것두 그러네유."
하고 말하였다.
"그리구 말여 또 한 가지는 증만이 집 식구들을 잘들 보살펴줘. 왜냐하면, 그런 일이 있으문 소문이 나서 우리 동네에는 빨갱이 도둑들이 오지는 않을 껴."
"참말루 좋은 생각이네유."
이수 아버지, 김인한이 구장의 말에 맞장구를 쳤다.

구장의 생각이 맞았던지,
인근 동네에서는 도둑들의 극성이 더욱 심하여졌지만, 하리골만큼은 피해가 없었는데,
연말쯤 되어서, 급기야 토벌대가 들이닥쳐서 솔매산 일대를 에워싸고 공비(共匪.빨치산 이라고도 함)토벌에 나서기 시작하였다.
총소리가 하루 동안 콩 볶듯이 들리더니 다음날 아침에는 총 소리가 멈추고 조용하여졌다.
후퇴하는 인민군 본대에서 뒤떨어져 낙오된 인민군과 부역을 하였던 추종자들이 죽거나 생포되어서 줄줄이 묶이어 끌려가고 있었는데, 그중 공비 서너 명이 냇가 쪽으로 뛰어 달아나려고 하였다.
갑작스런 상황에 토벌대는 달아나는 공비들을 향하여 일제히 총을 쏘기 시작하였다.
공비들은 냇가를 건너가지도 못하고 모두 총에 맞아 피를 흘리며 쓰러져 죽었는데, 그중 한 명이 거친 숨을 몰아쉬며 간신히,
"오마니,…."
하고 어머니를 부르며 하늘을 응시한 채로 숨을 거두었다
흐르는 피는 마른 흙을 삼키며 민족의 비극인 양 절규하며 오열하

니 선홍색으로 흐르는 피는 본디가 다 똑같은 민족의 같은 핏줄이었다.
솔매산의 공비가 토벌되고 인근 마을이 다시 잠잠한 일상의 평화가 찾아들었다.

해가 바뀌어,
1953년. 2월 15일.
대한민국 임시수도인 부산에서, 정부는 대통령 긴급명령(통화에 관한 특별 조치령)을 내려 그 동안 사용하였던 돈의 환율을 100대 1로 하여, 원 단위를 환으로 하고 미국 돈을 60대 1로 조정 하였다.
(제 1차 통화개혁)

민들레 방긋 웃고 개나리도 꽃을 피우니,
헐벗은 민둥산에도 진달래 피는 계절은 어김없이 찾아왔다.
한필이도 가슴에 흰 손수건을 달고서 엄마 손을 잡고서 일학년 입학하려 학교 문을 들어선다.
언제 왔는지 하정이와 필운이도 제 엄마의 치마폭을 잡고 뒤에 서 있었고,
윤실이도 제 엄마와 함께 있었다.
전쟁통에 입학 시기를 놓친 하정이도 제 동생 필운이와 함께 입학을 하려고 온 모양이었다.
한필이가 하정이를 보고 난 다음부터 제 엄마의 뒤로 몸을 숨기며 괜한 심통을 부리기 시작하였다.
범성 아낙은 한필이가 학교로 올 때와는 다른 행동을 하기에 왜 심통을 부리는지 알 수가 없어서
 “얘가 왜 이렇게 육충을 떨어?”
하며 한필이의 머리를 쓰다듬으며 이유를 물어보았지만, 한필은 막무가내였다.
일학년 입학생들이 반을 가르기 위하여 줄을 서는데도 한필이는 줄

을 안 서려고 엉덩이를 뒤로 빼면서 제 어미를 원망에 찬 눈빛으로 쳐다보기만 하였다.

"왜 그런대유?"

춘분이가 그러는 한필이를 보며 범성 아낙에게 물었다.

"그러게 말여, 왜 골을 부리는지 당최 알 수가 있어야지."

범성 아낙도 그 이유를 몰라 답답하기는 매일 반이었다.

이윽고 반 편성이 되었는데,

하리골에서 온 하정이 남매와 윤실이 그리고 한필이가 모두 한 반으로 편성되었다.

시골 학교이기에 등교길에 서로 보살피며 함께 다니라고 학교 측에서 배려하여 같은 반으로 편성하여 주었다.

손가락 끝에 까시래기가 돋고 터진 손등에 콧물 자국이 말라서 허옇게 보이는 꾸러기 아이들 중에는

혼란한 난리 속에 입학을 몇 번이나 놓쳐버린 턱 밑에 까칠한 수염이 있는 떠꺼머리총각이 하나 있었는데, 제 아비에 이끌리어 와서는 어깨를 움츠리고 앞뒤를 살피며 멋쩍게 쭈뼛거리다가 하리골 아이들이 있는 줄 끝에서 서성이고 있었다.

교육에 대한 무지한 면도 있었지만, 농사일을 하다 보니 일손이 모자란 이유도 있고 더 큰 이유는 출생신고가 몇 년 늦어져서 입학 학령기가 늦은 데다가 전쟁 속의 혼란으로 인하여 교육에 큰 관심을 두지 않은 탓도 있었다.

"애들이 죄다 한 반으루 돼서 같이가구 같이오문 되겄네유."

춘분의 말에,

"그려, 하정이와 윤실이가 누나가 돼서 한필이 필운이 잘 데리구 다닐껴."

대답하며 범성 아낙은,

학교에서 돌아 올 때까지도 입을 쑥 내밀고 심통을 부리며 뒤처져서 따라오는 한필이에게 신경이 쓰였다.

집으로 돌아온 한필이를 보고서 성필이를 업고 있던 할머니가,

"아이구, 우리 집 대들보가 왔구나."
하며 반겨 맞이하는데 한필이는 그러는 할머니를 본체만체하면서 댓돌 위에 벗어 놓은 신발을 집어 들더니 할머니에게 집어 던졌다. 갑작스런 행동에 할머니는 피할 사이도 없이 그만 한필이가 집어던진 고무신에 얼굴을 맞았다.
"아니, 이 녀석이 이게 뭔 짓거리여?"
범성 아낙이 크게 소리를 치며 한필이의 팔을 잡아끌어 등짝을 때리니 한필이는 울음을 터트리는데
"에미야 애가 뭔가 지 맴에 안 드는 일이 있는가부다."
하고 할머니가 손자를 두둔하였지만, 범성 아낙은 한필이의 행동에 기가 차서
"어디 이 녀석이 할머니한테 행패여?"
하며 또 등짝을 한 번 더 때리고서
"엄니 괜찮으셔유?"
하고 시어머니에게 다가갔다.
"그려 아무 일 없어."
"엄니 죄송해유. 저 녀석이 학교에서두 저렇게 육충을 떨더니 왜 저러는지 모르겠네유."
"뭔가 심통이 나서 그러는가벼. 그리구 에미야."
"야."
"아무리 화가 나두 말여, 지 새끼라구 으른 앞에서 막 때리는 게 아니다."
"엄니, 잘못했어유. 갑작스런 일이라서 지가 생각을 못했어유."
덕성 아낙은 시어머니 앞에서 몸 둘 곳을 몰라하는 데,
"이거 안 신어."
하며 한필이가 댓돌 위에 남은 고무신 한 짝마저 집어 들더니 멀리 던져버리고는 울면서 방으로 들어가며 방문을 세게 닫았다.
아들의 행동을 보다가 범성 아낙은 얼핏 머리에 스치는 생각이 들었다.

그것은 하정이가 신은 운동화를 학교에서부터 한필이가 자꾸 쳐다보는 모습이 떠올랐는데
집에 와서 고무신을 집어 던지며 안 신는다고 골을 부리는 것을 보니 하정이가 신은 운동화가 부러웠던 탓이라고 생각들었다.
어린 마음에 그럴 수도 있겠거니 하였지만 요즘 들어 점점 더 나빠지는 한필이의 행동을 보며 버릇을 고쳐줘야겠다는 생각이 들었다.
때마침 범성이 들어오면서 이러한 광경을 보고서는 한필이를 뒤따라 방안으로 들어섰다. 그리고는 다짜고짜 한필이를 방바닥에 엎어놓고 빗자루 몽댕이로 엉덩이를 내리치기 시작하였다.
아버지는 물론이고 엄마와 할아버지 할머니에게 한 번도 꾸지람이나 매를 맞아보지 않은 한필인지라,
제 아비의 갑작스런 매질에 깜짝 놀란 한필이는 얼굴이 새파랗게 질리어서 울음소리도 내지 못하고 제 아비의 얼굴만 쳐다보며 몸을 웅크릴 뿐이었다.

"이 눔이 어디서 못된 버릇을 배웠어? 누가 그렇게 하라구 가르쳤어?"

범성은 아들의 엉덩이를 빗자루로 마구 때리며 야단을 치지만 기실은 한필이의 행동이 자기가 자식을 잘못 가르쳤음에 늙으신 어머니에게 면목이 없어서 더 그랬는지도 몰랐다.
범성이 매질하는 소리를 듣고,

"아범아 그만 하거라 .애 기 죽겄다."

하고 어머니가 참견하였다.
매를 맞는 한필이나 범성 아낙도 시어머니도, 마음이 여렸던 범성이 그렇게 화를 내며 아들을 패는 것을 보는 것은 처음이었다.

"이눔아 착한 사람이 되라구 핵교에 보냈더니 한 나절 만에 못된 짓을 배워 왔으니 낼부터는 학교에 가지 말어 알았지?"

범성의 노기 띈 호통에 한필이는 그저 몸을 웅크리고 부들부들 떨고 있었다.
범성 아낙이 방으로 들어가서 범성의 손에 들려진 빗자루를 빼앗고

는 한필이를 감싸 안으며,

"얼른 아부지헌티 잘못했다구 빌어."

그제서야 한필이는 기어 들 듯한 목멘 소리로

"아부지 잘못 했어유."

하고 고사리 두 손을 모아 비비며 말하였다.

자식을 때리고 자기 마음도 편치 않았던 범성이 방 밖으로 나간 다음에 범성 아낙은 한필이의 등을 토닥여주며,

"아부지 화나면 무섭지?"

그러자 한필이는 고개를 끄덕이었다.

"한필아, 아부지가 한필이 학교 갈 때 신으라구 장날 장에 가서 운동화를 사려고 했는데 니 발에 맞는 것이 없고 큰 것만 있어서 다음 장날에 사러 온다구 말해 놓고 왔는데 우리 한필이가 그 얘기를 못 들었구나."

하고 범성 아낙은 거짓말로 한필이의 맘을 도닥거려 주었더니 그제서야 한필이는 눈물을 씻으며 제 어미의 얼굴을 쳐다보며 눈을 동그랗게 뜨고서는,

"증말이여?"

"그럼, 그래서 우선 그때까지 신으라구 새 고무신을 사 온거여."

그제서야 제 어미의 말을 듣고는 한필이의 심통이 가라앉은 듯하였다.

"봐라 하정이만 운동화를 신었고 필운이는 고무신을 신었잖어? 작은 게 없어서 그런거여. 그리구 윤실이는 찢어진 고무신을 꼬매서 신고 왔잖어? 그래두 아무런 골두 안 부리고 웃으며 뛰어다니잖여."

덕성 아낙은 한필이를 어르면서 말하였다.

그날 저녁,

"미운 일곱 살이라더니 한필이두 그런가봐유."

범성 아낙의 말에,

"그려, 이때 버릇이 나쁘게 드니 똑바루 가르쳐야지."
"애를 잘 구슬려야지 그렇게 무지하게 때려유?"
"확실히 할 때는 확실히 해야지."
"어머니가 이때껏 애를 너무 오냐오냐해서 버릇이 없어진 거 같어유."
"손자 귀하다구 해서 그런 면두 있지. 내가 내일 엄니한테 잘 말을 해야겄어.이때 버릇을 고쳐야 되지 안 그러면 못 고쳐."
범성의 말을 들으면서 아낙은 언뜻 춘분의 말이 떠올랐다.
낮에 학교 운동장에서 춘분이의 딸 하정이가 신고 있는 운동화를 유심히 쳐다보는 것을 의식한 춘분이가 하던 말이 떠 올랐기 때문이다.
"성님, 하정이두 운동화 사 줬어유. 부산 미실이 지지배 사진을 보니께 그 지지배는 가죽구두를 신었던디, 우리 하정이두 가죽구두는 못 신겨두 운동화는 신켜주구 싶어서 사 신켰어유."
"잘했어. 하정이가 신으니 참 이쁘구먼."
그렇게 입으로는 말하면서도,
딸 가진 어미의 시새움을 느끼며
딸이 없는 자기의 입장에서 조금은 이해가 되는 듯싶어 쓴웃음을 지었는데 춘분이 그것을 보고는 퉁명스레,
"성님, 왜? 그라무는 안되는거유?"
"아녀 아녀, 아야꼬하고 미실이는 어찌 살구 있는가 생각나서 그러는 거여."
하고 얼버무렸다.

며칠 후,
닷새 만에 돌아오는 장날이었다.
범성은 망태기를 한쪽 어깨에 걸치고서 읍내 장으로 나갔다.
장터 초입에 있는 대장간에는 농사철을 앞두고 농기구를 고치거나 새로 장만하러 나온 장꾼들로 많이 북적거렸고 장날마다 나와서 별 하릴없이 얼큰하게 술에 취하여 장바닥을 휘젓고 다니는 장돌뱅이도 서너 명 눈에 띄었다.

저 지난, 그러니깐 정확히 열흘 전 장날에 한필이에게 사 준 고무신 때문에 떼를 쓰던 한필이를 얼굴이 파랗게 질리도록 때려주었던 마음이 아파서 이번 장날에 운동화를 사 주려고 장터에 나왔다.
우선 신발전에 들러서 지푸라기로 재어 온 한필이 신발 칫수에 맞추어서 검정색 운동화를 하나 고르고 낡아진 어머니의 고무신을 새것으로 하나 골라 값을 치루고 푸줏간에 들려서 돼지고기 한칼 베어서 대팻밥에 둘둘 말아 망태에 넣고 아버지 어머니가 좋아하시는 눈깔사탕과 센베이(생과자)한 근을 막대 저울에 달아서 사서 그것도 망태에 담고는, 이번에는 이발소로 향하였다.
이발소 미닫이 유리문을 열고서 안으로 들어서니 매캐한 담배 냄새와 머리카락에서 나는 누릿한 냄새가 코끝에 확 풍겨왔으나 차례를 기다리는 손님들은 그 냄새에 개의치 않고 이야기에 열기가 가득하였다.
이야기의 내용은 단연 올 농사의 밭작물 파종 이야기로부터 솔매산 공비 이야기 그리고 경상도 통영 용호도 포로수용소에서의 폭동이 일어난 이야기 그리고 아직까지도 부산에 있는 임시 수도 이야기며 여러 이야기들이 오고 가고 하였다.
차례가 되어서 범성은 덥수룩하였던 머리를 말끔하게 깎고서 이발소를 나오는데,
"어이, 범생이."
하며 누군가가 부르는 소리에 바라보니 국민 학교 때 옆자리에서 앉았던 동무가 웃으면서 반갑게 손을 흔들며 다가왔다.
"아니, 이게 누구여?"
범성도 오랜만에 보는 동무의 손을 잡으며 반가워하였다.
"마침 잘 만났네. 안 그래두. 매곡리에 사는 사람을 만나려고 하였는데 거기서 온 장꾼들은 어째 보이지가 않는데 본 사람이 있는가?"
"매곡리 사람들은 왜?"
"그게 말이여. 이 여자가 매곡리를 찾는 모양이여."
하면서 댓 발자국 뒤에 있는 헝클어진 머리에 철 지난 솜 누비저고리의 남루한 옷을 입고 저고리 옷고름 대신 뿔로 만든 나비 모양의

브로치를 하고 애를 배었는지 두꺼운 검정색 치마 위로 남산만 한 배 위에 작은 보퉁이 하나를 끌어안고 있는 여자를 돌아보며 말하였다.
여자는 경계하는 눈빛으로 두 사람의 오가는 대화에 귀를 쫑긋 세우며 듣고 있었다.
범성이 여자에게 두어 걸음 다가서며,
“어디서 왔어유? 거기는 우리 처가 동네인디유 누구 집을 찾는 거유?”
여자는 범성의 물음에 대답을 하지 않고 잠시 주위를 살피다가 작은 보퉁이 속을 뒤지더니 사진 한 장을 꺼내 보였다.
여자가 꺼내주는 사진을 범성이 받아보니 어떤 군인과 함께 찍은 여자의 사진이었는데
사진의 뒤를 보니 매곡리 주소와 함께 김기훈이라는 글씨가 적혀 있어서 사진을 더 찬찬히 살펴보니 군에 있는 처남이 분명하였다.
깜짝 놀란 범성은 다시 한번 사진 속의 인물이 처남이란 것을 확인하고는 여자의 얼굴을 찬찬히 쳐다보았다.
“이 사진을 왜 댁이 가지구 있어유?”
범성의 의아해하는 물음에 여자는 그냥 배시시 하고 웃기만 할 뿐이었다.
이 여자의 정신이 아무래도 정상은 아닌듯한 생각이 범성의 머리를 스쳤다. 하여, 사진 속의 처남 사진을 가리키면서.
“이 사람 아는 사람이유?”
그러자 여자는 범성의 물음을 이해하였는지 검지손가락으로 자기의 가슴과 남산만 한 배를 꾹꾹 두 번씩이나 가리키며 또 배시시 웃었다.
범성은 뭐가 뭔지 모르게 머릿속이 새하얘졌다.
자초지종을 알아보려 해도 상대편의 정신이 맑지 않기에 보다 더 구체적인 사연은 모르겠지만, 처남과 함께 찍은 사진이며 사진 뒷면의 처남이 직접 적어 놓은듯한 매곡리 주소며 요모조모 생각을 더듬어보니 분명 처남과의 무슨 관계가 있는 듯하고 행색을 보아하니 끼니도 제대로 못 이은듯하여 우선 여자를 데리고 우시장 옆에

있는 국밥집으로 들어갔다.

"아줌니 국밥 한 그릇 말아줘유."

국밥집 아주머니는 여자의 행색을 아래위로 훑어보고 범성을 향하여,

"하나만 줘유?"

"야 그려유. 국밥 한 그릇 하구유 막걸리 한 되 줘유."

"안주는유?"

"그냥 한 잔만 마실거니깨 선짓국 하나 있으문 되지유."

하면서 긴 나무의자 한쪽에 앉으며

"아, 자네두 여기 앉아서 대포나 한잔 해여."

하며 여자를 데리고 온 친구에게 앉기를 권하였다.

"어째, 좀 알만한 사람인가?"

친구도, 데리고 온 여자가 매우 궁금하여서 범성에게 물어보았다.

"나두 잘 모르겄어. 근디 가지고 있는 사진을 보니까 내 처남 사진이기는 한디 그 사진을 어떻게 가지고 있는지는 더 알아봐야 할 것 같아서 말여."

그러는 동안에 시킨 국밥이 투박한 질그릇에 가득 담겨서 나왔는데 국밥집 아주머니는 다시 또 여자의 얼굴을 흘금대며 쳐다보더니 범성에게,

"아는 사람이여?"

"글쎄유 이제부터 알아봐야지유."

"샥시는 참하게 생겼구먼."

하며 혀끝을 차면서 말하였다.

범성이 수저를 들어서 손에 들려주자 여자는 잠시 망설이며 범성의 얼굴을 한참 쳐다보다가 배가 무척이나 고팠던지 뜨거운 국밥을 입으로 불어가면서 허겁지겁 정신없이 먹기 시작하였다.

"뜨거우니까 찬찬이 먹어유."

범성의 말을 알아들었는지 여자는 또 범성의 얼굴을 물끄러미 쳐다보더니 다시 뜨거운 국밥을 먹기 시작하였다.

여자가 국밥 한 그릇을 게 눈 감추듯이 먹고 난 후에 범성이 여자에게 말을 하였다.

"아까 그 사진 다시 보여줘유."

하며 양쪽 검지손가락으로 네모 모양을 그리면서 여자가 끼고 있는 보퉁이를 가리켰다.

여자는 범성의 말을 알아들었는지 눈을 껌벅거리며 옆구리에 끼고 있는 보퉁이를 손가락으로 가리켰다.

"그려유 그 안에 있는 사진 말여유."

그러자 이번에도 여자는 손가락으로 보퉁이를 가리키면서 빼앗길까봐 앞 품 쪽으로 더 꼭 끼어 않으며 고개를 가로저었다.

"아니유 그 보퉁이 안 뺏어유. 김기훈 사진을 다시 보여줘 봐유."

"김기훈!"

기훈이의 이름에 잠깐 동안 여자의 눈동자가 반짝이며 처음으로 말문을 열었다.

"그려유, 김기훈 사진 말여유."

범성은 조금 전처럼 또 두 손가락으로 네모를 그리며 말하였다.

그제야 범성의 말뜻을 알아들었는지 여자는 보퉁이 속을 헤집고 사진을 꺼내었다.

범성은 사진을 받아들고,

"이 사람 알아요?"

하고 아까처럼 확인하기 위하여 사진 속의 기훈이를 가리키며 다시 물으니 여자 또한 아까 대답처럼 손으로 자기 가슴을 두 번 가리키고 남산만 한 배를 두 번 가리키었다.

"이 남자 내 동생이유."

범성은 사진 속의 기훈이를 가리키며, 여자에게 말하였다.

하리골 입구까지 여자는 별 탈 없이 범성의 뒤를 따라오더니 발길을 주춤거렸다.

"왜 그려유? 얼른 가유."

범성의 재촉에 여자는 세차게 머리를 가로저었다.
낯선 남자에 의하여 낯선 동네로 가게 되니 여자의 본능이 되살아나는 모양이었다.
한동안 설득을 하다가 안 될 것 같아서,
"김기훈네 집에 안 갈거유? 기훈이가 시방 집에서 기다리구 있어유."
하며 거짓말로 여자를 타이르기도 하였으나 여자는 요지부동이었다.
마침 장을 보고 돌아오던 춘분이를 만났다.
"누구래유?"
"응 장터에서 만났는데 아무래두 매곡리 처갓집과 무슨 사연이 있는 듯싶어서 데리구 오는 중인디, 잘 따라오더니 이제 꿈쩍도 안 하는구먼."
춘분은 여자의 행색을 요모조모 살피더니,
"애 산달이 다 되어 가는 거 같어유. 그런디 조금 미친 거 같네유."
"응 그려 조금 실성기가 있는 거 같어."
"한필이 오갓집하구는 무슨 관계유?"
"이 여자가 매곡리 처남의 사진을 가지구 있으니께 필히 무슨 곡절이 있는 듯 싶어서 그랴."
"성님헌티 보여줄라구유?"
"그래야 안 되겠어? 만나보면 알 수 있겠지만, 애를 밴 젊은 여자를 길거리에 내버려 두면 어쨔."
"내가 한번 달래 볼게유."
하고 말하면서 춘분은 여자 앞으로 한발 다가섰다.
그리고는 여자의 때 묻은 솜 저고리의 소매를 다정히 잡아 흔들면서,
"이 봐유, 나랑 같이 기훈이 집으루 가유."
그래도 여자는 아무 반응없이 춘분이의 얼굴만 쳐다보았다.

춘분은 다시 똑같은 말을 되풀이하였다.
"이 봐유, 나랑 같이 기훈이 집으루 가유."
그제서야 여자는 눈을 크게 뜨면서 잊어버린 기억을 되 찾은 듯이
"김기훈이 집에?"
하고 반응을 보였다.
"그려유 나랑 같이 김기훈이 집에 가유."
춘분의 재촉에 여자는 다시 한번 춘분의 얼굴을 빤히 쳐다보더니 그제서야 경계심을 풀고 얼굴이 환해지면서 고개를 끄덕이었다.
그리고는 춘분이에게 어서 앞장서라는 듯이 손짓을 하였다.

세 사람이 동네 입구를 지나 범성의 집에 도착하였다.
대청에서 성필이와 앉아 놀던 아낙이 갑자기 들이닥치는 세 사람을 보고는 엉거주춤 성필이를 안고 일어서면서 시선이 여자에게로 향하였다.
"누구래유?"
생전 처음 보는 얼굴에 거기다가 행색마저 거지꼴이었으니 의아해하였다.
"성님! 이 여자가 글쎄 기훈이를 아는 듯해요."
춘분의 뜬금없는 말에
"기훈이라니, 애들 오삼춘 말이여?"
범성 아낙은 도대체 무슨 말인지 몰라하며 범성을 쳐다보았다.
"그러니까 그게 말여 장터에서 만났는디, 글쎄 이 여자가 기훈이 하구 둘이서 찍은 사진을 가지구 있더라구. 아무리 물어봐두 말이 안 통하는디 당최 알 수두 없구해서 데리구 왔어. 필경 기훈이 하구 관계가 있는 일 같기두 하구."
범성이 여자와 만나게 되었던 자초지종을 이야기하였다.
범성 아낙이 여자에게 가까이 다가서서 자세히 살펴보다가 솜 저고리에 옷고름 대신 여며놓은 브롯지에 눈길이 멈춰졌다.
자세히 보니 분명 낯익은 브로치였다.

범성 아낙이 손을 뻗어 브로치를 만져보려 하니 여자는 황급히 범성 아낙의 손을 뿌리쳐 밀어내며 손으로 브로치를 감추듯 꼭 쥐었다.
무안해진 범성 아낙이,
"뺏으려는 거 아녀유. 낯이 익은 거라서 볼려구 그런거유."
그래도 여자는 막무가내로 브로치를 가리면서 화를 내며 돌아섰다.
"사진을 보여줘유. 이 사람이 기훈이 친 누나유."
범성의 달래는듯한 부드러운 말에 여자는 범성 아낙을 지긋이 보더니 이번에는 온화한 얼굴로 보퉁이 속에서 사진을 꺼내어 범성 아낙에게 보여 주었다.
여자에게서 사진을 건네받아 본 범성 아낙은 깜짝 놀래어 손이 부들부들 떨었다.
국군 소위 계급장이 붙은 모자를 쓰고 있는 기훈이가 긴 머리를 늘어트린 여자와 함께 찍은 사진 아래쪽에는 사진을 찍은 날짜가 있었는데 4285.8.20. 이라고 씌여있었다.
크게 뜬 두 눈을 질끈 감았다가 다시 자세히 보아도 사진 속의 남자는 틀림없는 동생 기훈이었다.
사진 속의 여자 얼굴을 보고 앞에 있는 여자의 얼굴을 보니 조금 말랐기는 하여도 틀림없는 사진 속의 인물이었다.
"아니, 이게 어찌 된 일이래유?"
범성 아낙이 잠시 놀란 가슴을 진정하고 여자에게 물었으나 여자는 대답 대신 배시시 웃기만 할 뿐 대답이 없었다.
범성 아낙이 기가 차서 여자의 행동거지를 보다가 다시 앞가슴에 꽂혀있는 브로치에 시선이 멈춤과 동시에, 오래전 기훈이와의 일이 생각났다.

범성 아낙, 즉 향순이가 스무 살 되던 해 기훈이가 서울로 공부하러 떠나던 전날,
기훈이가 누나인 향순이에게

"누나 내가 이제 서울로 가면 누나가 많이 보고 싶을건디 누나가 아끼는 소뿔 로 만든 나비 모양의 쁘로찌 나 주면 안뎌?"

"뭐? 내 쁘로찌를?"

"그려, 누나가 보고 싶을 때 꺼내 보게."

"내가 제일 아끼는 건디 니가 갖구 싶다면 줘야지. 대신 잃어버리면 안되여?"

"그럼, 안 잃어버릴게."

향순은 멀리 떠나는 동생에게 선 듯 아끼는 쇠뿔을 깎아서 나비 모양으로 만든 브로치를 내주었다.

누나에게서 브로치를 받아든 기훈이 서랍 속에서 송곳을 꺼내어 숫돌에 끝을 뾰족하고 날카롭게 갈더니

브로치 뒷면에 '누나 김향순' 이라고 조그만 글씨로 새겼는데,

그때의 일이 언뜻 생각이 났다.

범성 아낙은 무언가 짚히는 생각이 있어서 부리나케 방으로 들어가서 사진첩을 들고 나왔다. 그리고는 여자에게 사진첩을 펼쳐 보이는데 거기에는 기훈이와 함께 찍은 사진이며 친정 식구들과 함께 찍은 사진들이 있었다.

여자는 범성 아낙이 보여 주는 사진을 한참 보더니 사진 속의 기훈이를 손가락으로 가리키면서

"김기훈. 이거 김기훈."

하면서 얼굴에 미소를 가득 담으며 말하면서 사진첩을 빼앗다시피 하면서 범성 아낙의 얼굴을 한번 보고 사진 속의 얼굴을 비교하여 보는 눈치였다.

여자의 행동거지에 범성 아낙은 두 다리에 힘이 빠지면서 자리에 주저앉을 뻔하였다.

이때껏 아무 말 없이 지켜보던 시어머니도 상황을 파악하였는지,

"에미야 그러고만 있지 말구 더 자세한 것은 낭중에 알아보구 우선 씻기구 옷이나 갈아 입혀서 좀 쉬게 하거라. 보아하니 많이 고달펴 보이는구나."

시어머니의 말에 범성 아낙은 흩어진 정신을 다시 차리고
"그려유 기훈이가 내 동생이유."
라고 여자에게 자기가 기훈의 누나임을 다시 알려주며 여자의 손을 꼬옥 잡아주었다.
그제서야 여자도 안심이 되었는지 범성 아낙이 잡은 손을 뿌리치지 않고 다소곳이 미소를 띄운 얼굴로 쳐다보고 있었다.
시어머니가 또 말하였다.
"에미야 우선 먼저 늬 친정에 이 일을 알리두룩 하거라. 이런 큰일을 네 손으루 처리하문 안 된다."
"아무래두 그래야 되겠지유? 엄니?"
"그럼, 그래야지."
시어머니가 갈팡질팡하는 며느리가 몹시도 안쓰러운 듯이 혀를 차며 말하는데 상억이가 무슨 일이 있느냐는 듯이 두리번거리며 안마당으로 들어섰다.
"아이구 하정이 아부지 마침 잘 왔슈."
춘분이 반색을 하며 말하였다.
"누가 왔다매?"
"안 그랴두 하정이 아부지를 부르려구 했는디 때맞춰 잘 왔슈."
그러면서 춘분은 신랑에게 사태를 대강 이야기하고는,
"그러니깨 당신이 빠른 걸음으루 매곡리에 이 일을 알려주구 와유."
사태를 파악한 상억이
"그럼 누이, 내 얼릉 다녀올깨유."
라고 범성 아낙에게 말하였다.
"아무래두 동상이 수고 좀 해 줘야겄어.가서 으른들 놀래지 않게 차분히 말씀드려주구."
"야, 알았어유."
상억이 등 뒤로 대답을 하고는 부리나케 대문을 나섰다.
부엌에서 범성 아낙과 춘분이의 노력으로, 온몸을 깨끗이 닦은 여

자에게 범성 아낙이 시집올 때 입고 왔던 옷을 갈아 입히니 좀 전의 거지같은 모습은 간 곳 없고 마치 하늘에서 내려온 선녀가 따로 없는 듯하였다.
여자의 옷매무새를 잡아주며 브로치를 살펴보니 역시나 범성 아낙의 직감대로 뒷면에 김향순이라고 긁어 써놓은 글씨가 확연히 보였다.
틀림없이 기훈이와 관련이 있는 것 같기는 한데 도대체 무슨 연관이 있는지 알 수가 없었다.
그래서 범성 아낙은 브롯지의 뒷면에 새겨진 김기훈 이라는 글씨를 손으로 가리키며
"이거 누가 주었어?"
하고 다정하게 물으니 여자는 대뜸,
"김기훈, 김기훈 죽었어 죽었어."
라고 또렷이 대답하였다.
여자의 짤막한 말을 듣고 범성 아낙은 가슴이 덜컥 내려앉았다
아무리 정신이 온전치 못한다고 하더라도 믿기지 않는 엄청난 말을 하는 것을 듣고 범성 아낙은 불길한 생각이 엄습하였다'
그러나 한편으로는 최전방에서 전쟁 중이므로 항상 마음을 조아렸던 일이기에 믿지 않으려 하여도 불길한 생각은 계속 꼬리를 물었다. 고개를 가로저으며 잠시 진정한 후에,
"아니 내 말은 이거 누가 줬냐구."
하고 다그쳐 물으니,
"김기훈 죽었다. 김기훈 죽었다."
여자는 똑같은 말을 반복하며 눈물을 흘리기 시작하였다.
그런 여자를 도닥거리며 달래느려고 범성 아낙이 애를 쓰고 있는데, 매곡리 친정 동네로 소식을 전하러 보냈던 상억이가 헐레벌덕거리며,
"누이 큰일 났어유."
하며 큰소리로 외치며 구르듯이 뛰쳐 들어오는데,

급히 뛰어서 왔는지 땀에 흠뻑 젖은 얼굴에 숨을 헐떡이고 있었다.
범성 아낙은 그런 상억을 바라보며 뭔가 모를 불안감이 얼핏 머릿속을 스치고 지나갔다.

"왜? 왜 그랴?"

범성 아낙의 놀란 물음에 상억은 잠시 숨을 고르더니,

"글쎄유 매곡리에 가서 이야기 도중에 편지 배달부가 왔는디 기훈이 전사 통지서가 왔어유."

"뭐라구?"

순간 안 좋은 예감이 현실로 다가온 듯 범성 아낙은 다듬이 방망이로 뒷통수를 맞은 듯 정신이 멍해졌다.

"기훈이가 어떻다구?"

상억의 말을 믿고 싶지 않아서인지 아니면 잘못 들은 것이라고 생각하여서인지 범성 아낙은 떨리는 목소리로 상억에게 다시 물었다.
상억은 그런 범성 아낙의 굳은 표정에 움찔하여 주춤대다가,

"기훈이 전사 통지서가 왔어유. 그래서 매곡리 집에서는 난리가 났어유."

이어지는 상억의 자세한 이야기를 들은 범성 아낙은 몸을 부르르 떨었다.
그리고는 잠시 후에 여자를 와락 껴안고서 눈물을 주르르 흘리는데, 여자는 영문도 모른 채 두 눈을 크게 뜨고는 꿈벅거리기만 할 뿐이었다.

잠시 시간이 흘러 정신을 가다듬은 후,
범성은 아낙과 함께 매곡리로 발걸음을 하였는데,
매곡리로 가는 도중에도 범성 아낙은 두 다리가 후들거리기만 하였다.
친정집에 도착하니 집안은 고요한 적막만이 흐르고 친정어머니는 자리에 누워있다가 범성 아낙이 들어오자 그만 울음을 터트리고 친정아버지는 돌아앉아서 담배를 꺼내어 불을 붙이고 있었다.

"아부지 어떻게 된거래유?"
친정아버지는 깊게 담배 한 모금을 빨더니 긴 한숨과 함께 연기를 내 뿜으면서 방 한쪽 구석으로 밀어놓았던 기훈이의 전사 통지서를 딸의 무릎 앞으로 밀어주었다.
범성 아낙은 떨리는 손으로 전사 통지서를 집어 펼쳐 보고서는 멍하니 누워있는 친정어머니의 얼굴만 쳐다보았다.

휴전회담을 앞두고 마주 보며 대치하고 있던 국군과 인민군과는 서로가 더 유리한 고지를 점령하기 위하여 뺐고 빼앗기는 치열한 전투 속에서 기훈은 소대원을 이끌고 사투를 벌이다가 적의 박격포 공격에 무참히도 부하들과 함께 젊음이 꽃으로 변하여 산화되었다고 한다.
그리고 그 고지는 휴전이 성립되었을 때는 이미 휴전선 바로 너머였기에 전사자의 시체도 거두지 못하고 살아남은 병사들의 상황보고에 따라서 전사자로 기록했다는 것이었다.

"얘 향순아."
친정어머니가 몸을 돌아누우며 잠긴 목소리로 나지막이 딸을 불렀다.
"야, 엄니, 나 여기 있어유."
범성 아낙은 어머니의 손을 잡으며 대답하였다.
"아까 상엑이가 왔던디 늬네 집에 누가 왔다는 소리 같었는디 그게 무슨 말이냐?"
라고 울어서 퉁퉁 부은 두 눈을 지그시 감고서 조용히 그러나 차분한 목소리로 친정어머니가 물었다.
범성 아낙은 분위기가 분위기이니만큼 이야기를 하여야 마나 하고 잠시 머뭇거리다가,
"낭중에 천천히 말할테니까 우선 엄마 몸 먼저 추슬러유."
하고 말하니 친정어머니는 재차 물었다.

"상엑이 말을 얼핏 들으니 기훈이 얘기도 있는 것 같던디 그기 무슨 말이냐?"

친정어머니의 재차 물음에 범성 아낙은 아는 대로 자세히 말을 하였다.

눈을 감고 가만히 듣고 있던 친정어머니가 한참 후 두 팔로 몸을 의지하며 일어나 앉아서 중얼거리듯이 입을 열었다.

"아마 필시 무슨 곡절이 있는 것 같구나. 그래, 그 샤시는 지금 어디있냐?"

"우리 집에 있어요."

"이리로 한번 데리고 와보거라."

"그런데 그게..."

범성 아낙은 말끝을 흐렸다.

뭔가 심상치 않음을 느낀 친정어머니가

"왜, 무슨 일이 있냐?"

라고 하며 의아함을 드러내며 되물었다.

"엄니, 그게 근디 정신이 조금 이상해요."

주저주저 말하는 딸을 지그시 바라보던 친정어머니가

"그게 무슨 말이냐?"

"조금 미친 것 같기두 해유."

"뭐 미쳤다구?"

"그려유."

딸의 대답에 잠시 눈을 감고 생각하던 친정어머니가

"그 샤시가 기훈이와 찍은 사진두 있구 네 뿌로찌도 있구 또 애를 뱄다니 아마도 기훈이와 사연이 있는 듯하구나. 데려와서 알아봐야 되겠구나."

"우선 엄니 몸부터 추슬려유. 내가 봐서 데리구 올게유."

"아마 기훈이가 이 에미헌티 지 씨를 남겨주고 간 것 같구나."

"엄니 말 들으니께 그런 것 같기두 하네 유."

"얼른 데려와 봐라."

하고 말하고는 친정어머니는 전쟁터에서 죽었다는 막내아들 기훈이를 생각하며 목을 놓아 울기 시작하였다.
옆에 앉아있던 친정아버지가 목이 메인 소리로,
"이제 그만혀 운다구 살아 돌아온다면 나두 백번은 더 울었어."
라고 말하면서 자식 잃은 슬픔이야 다 똑 같은 처지의 친정어머니를 위로하였다.

집으로 돌아온 범성 아낙은 친정어머니와 오가던 이야기를 시어머니에게 소상히 말하고는,
"엄니 그래서 내일 저 색시 데리구 또 친정에 다녀와야 될성 싶네유."
잠시 생각을 하던 시어머니가 하는 말이,
"아니다 에미야,
"예?"
"지금 늬 친정도 어수선하구 또 경황도 없구하니 며칠 더 여기서 몸조리 시켜가지구 그 때 보내도록 하거라."
"그럼, 엄니가 가로치지 않어유?"
"아녀 내가 불편한것은 없어 그러니깨 눈치 보지말구 내 말대루 하거라. "
시어머니의 깊은 뜻에 덕성 아낙은 무한한 고마움을 느끼며,
"엄니 고마워유."
하고 말하였다.
"고맙기는 뭐가 고마워, 에미 니가 손이 귀한 이집에 시집와서 떡두께비같은 아들을 둘씩이나 낳아 줬는디 내 마음으로는 저 샤시도 우리집에서 몸을 풀었으면 좋겠다는 생각이 들어서 그렇지."
"아니, 엄니 여기서 애 낳기를 바라시는 거유?"
"안 될것두 없잖니? 손이 귀한 집에서 애를 낳으면 얼마나 좋겠니?"

아마도 시어머니는 집안에서 또 아기의 울음소리가 들리는 것을 그렇게 되기를 바라는 모양이었다.
시어머니의 말 뜻을 알아들은 범성 아낙이,
"산 달이 언제인지두 지금 모르잖어유?"
"아녀, 내가 보기에는 며칠 안 갈 것 같어."
"그걸 엄니가 어떻게 알어유."
"내가 한필이 애비 갖기 전부터 동네 에펜네들 배만 보고 지내온 사람이잖니? 그래서 알 수 있지."
"원 시상에 엄니두,"
"에미야 그럼 그렇게 하는거다."
"친정 얘기두 들어 보구유."
"그야 물론이지만,에미 네가 친정에 잘 말씀을 드려 보아라."
"야, 엄니 그렇게 할께유."
범성 아낙은 그렇게 대답을 하면서 손이 귀한 집안에서 또 아기의 첫 울음 소리를 듣고 싶어하는 시어머니의 속 마음이 이해가 되었다.

다음 날 새벽녘,
잠결에 들리는 신음소리에 범성 아낙은 귀를 기울이었다.
무슨 소리인가 하고 귀를 세우고 들으니 옆 방에서 들려오는 여자의 신음 소리였다.
여자의 직감으로 범성 아낙은 재빨리 일어나서 옆방의 문을 열어 보고는 깜짝 놀랬다.
부리낳게 등잔에 불을켜고 살펴보니 여자에게 산기가 있는지 산통에 힘이겨워 일그러진 얼굴에는 땀이 젖어흐르며 신음을 하고 있었다.
"한필이 아부지 한필이 아부지. 얼른 엄니 좀 불러줘유."
범성 아낙은 앞뒤 가릴 정신도 없이 범성에게 시어머니를 불러 달라고 소리치며 벽에 걸린 수건을 걷어서 여자의 얼굴에 범벅된 식은 땀을 씻겨주기 바빴다.
이윽고 시어머니가 방으로 들어섰다.
시어머니도 잠 자리에서 급히 쫓아 나왔는지 속 꼬쟁이 바람이었다.

"엄니, 애를 낳으려나봐유."

"그런가 부다. 언제부터 이랬니?"

"지두 잠결에 신음소리 듣구서 와 봤어유."

"그려? 곧 낳을거 같구나. 얘 애비야 애비 밖에있냐?"

"야 엄니 여기 있슈."

"우선 윗 방 아궁이에 불 지펴서 가마솥에 물을 데워라. 얼른 서두르구, 그리구 헛간에 볏짚 두어단 방안으로 보내라. 에미는 가위하구 실을 준비 하거라."

시어머니는 그래도 손자 둘을 받아낸 경험이 있어서인지 당황하지 않고 침착하게 아기를 받아낼 준비를 하였다.
그러는 중에도 진통은 계속되어서 바라보고 있는 시어머니와 범성 아낙은 초조하기만 하였다.

"에미야 집에 미역줄기라두 있느냐?"

"야, 있어유. 아버님 생신때 끓일라구 한게 있어유."

"응 그럼 됐다. 첫 국밥을 멕여야 되니께 가서 물에 불려놓거라."

범성 아낙이 문을열고 밖으로 나가 보니 범성은 아궁이 앞에 쪼그려 앉아서 장작불을 지피고 있었고 시아버지는 대청 마루에 나와 서성거리다가 며느리와 눈이 마주치자

"얘야 어찌 되었느냐?"

하고 초조한 얼굴로 물어보았다.

"곧 낳을 것 같어유. 아부지는 방에 들어가 지셔유."

범성 아낙이 마른 미역 줄기를 물에 담가놓고 볏 짚단을 들고 방으로 들어가니 시어머니는 그것을 받아서 여자의 아래에다가 펼쳐 깔면서

"얘 애비야 화롯불을 보내거라."

"화로불을 달라구유""

"그려, 가위를 소독해야니깨 불이 괄하게 담거라."

화롯불이 들어오자 시어머니는 가위를 화롯불에 얹어서 뜨겁게 달구더니 식으라고 화로 손잡이에 거꾸로 꽂아 놓았다.

방에서는 잠잠 하더니 또 신음소리가 크게 들렸다.

첫 닭이 울고 동녘에 붉은 해가 치 솟을 때,

"아이구 나왔다. 나왔어.고생 많었다."

하고 시어머니의 상기된 목소리가 방안을 가득 채웠다.

이어, 방안에서 새 생명의 첫 울음 소리가 터져 나오고

"에미야 거기 실 하구 가위를 이리주거라."

시어머니는 새 생명의 탯 줄을 자르려고 자리를 옮겨 앉더니 준비한 무명실로 탯줄을 단단히 묶은 다음 화로불에 소독하여 .놓았던 가위로 탯줄을 자르고 자른 부위에 화로 속의 재를 발라서 솜으로 아무려 놓았다

범성 아낙이 더운 물을 가지러 방문을 열고 나오자 아궁이 앞에 있던 범성이,

"어쪄?"

하고 사내인지 계집애인지를 물어보는데,

"이쁜 지지배유."

하고 범성 아낙은 초조하였던 얼굴을 활짝 웃으며 대답하였다.

산모에게 첫 국밥을 끓여 먹이고 난 후에 범성 아낙은 ,

"한필이 아부지 고생스럽지만, 저것을 뒷 산골짜기에 가지구 가서 태워 줘유."

하며 마당 한쪽에 치워 놓은 산모의 뒤치다꺼리를 손으로 가리켰다.

"저걸 나 보구 치우라구?"

"그럼 누가 하겄어유. 한필이허구 성필이 허듯이 그렇게 좀 해

쥐유."

"그려, 알았어."

"불조심 하구유."

범성은 싫은 기색도 없이 아낙의 말대로 바지게 위에 가마니에 넣어놓은 산후 뒤처리 물을 처리하기 위하여 뒷산 기슭으로 향하였다.

이튿날,

고양이 손이라도 빌려야 할 정도의 한창 바쁜 모내기 철이라서 송곳 끝만큼의 여유도 없는 시간을 내어서 상억이가 매곡리에 연락하였던 모양인지 범성 아낙의 친정어머니가 범성 아낙의 올케를 앞세우고 미역과 커다란 닭 한 마리를 들고서 하리골 딸네 집으로 왔다.

시어머니가 먼저 보고 달려나가 반갑게 맞아드리며,

"에휴, 날도 더운데 이 먼 데까지 오시느라구 고생 많으셨어유."

하니 친정어머니는

"이런 일로 사둔댁에 번거롭게 해서 면목이 없구먼유."

"원 별 말씀을 다 하셔유. 자 어서 안으루 들어가셔유."

시어머니가 친정어머니를 부축하여 방 안으로 들어가고 난 다음,

"성님 예까지 오시느라구 고생 하셨어유. 근디 집에두 있는데 이런 걸 왜 갖고오셨슈."

하고 범성 아낙이 친정 올케가 들고 있는 짐을 받으며 말을 하니,

"아가씨가 고생이 많었시유. 경황이 없었겠구먼유."

라고 친정 올케가 대답하였다.

"갑작스런 일이라서 경황이 없기는 하였는디 시어머님이 계셔서 무난 했어유. 근디 어찌 알구 오셨어유? 나는 내일쯤에나 연락을 드릴라구 했는데유."

"어제 꼭두새벽에 상억이가 와서 애기 낳았다는 말만 하고는 논에 모를 내는 날이라며 급히 돌아갔어."

"그랬구먼유. 지두 농사일루 바쁠텐디 하여튼 사위보다 낫구먼유."

"지지배라면서유?"

"그려유, 콧날이 오똑하구 또 왼쪽 귓등에 까만 점이 하나 있는게 꼭 기훈이를 빼 닮았어유."

"아가씨가 며칠 더 고생을 할 것 같네유."

"그래야겠지유. 삼칠일은 지내야 될텐디."

덕성 아낙과 친정 올케가 밖에서 대화를 할 때 방안으로 들어선 친정어머니는 단아한 옷매무새로 저고리 앞섶을 열어 갓난아기를 끌어안고 젖을 물리며 아기의 얼굴을 가만히 내려다 보고 있는 산모의 앞으로 바짝 다가앉았다.

그렇게 한동안 산모의 얼굴과 아기를 번갈아 쳐다보던 친정어머니는 아기의 왼쪽 귓등에 검은 점이 있는 것을 보고는 경악하면서 손을 뻗어 아기의 귀를 만져보는데 산모는 화들짝 놀래며 그 손을 뿌리쳤다. 아마도 자기 새끼에게 해를 입힐까 하는 어미의 본능이었으리라.

순간 무안해진 친정어머니가 얼굴 표정을 부드럽게 하면서,

"아녀, 괜찮어.간난쟁이가 이뻐서 그러는게야."

그렇게 말하면서 아기를 감싼 포대기를 도닥거려 주었다.

산모는 친정어머니의 얼굴에서 눈을 떼지 않고 한참이나 쳐다보았다.

"샤시 애 낳느라구 고생 많이 했어. 그런디 기훈이와는 어떻게 만난겨?"

기훈이라는 말을 듣자 산모는 부드럽고 나지막한 목소리로

"기훈이 김 기훈이."

하며 손가락으로 젖을 빨고 있는 간난쟁이의 얼굴을 가리키며 해맑은 미소를 지었다.

"아직은 온 정신이 돌아오지 않아서 그려유."

시어머니가 어색한 분위기를 바꾸려고 말하는데,

"씨도둑은 못 하는 모양이유. 이목구비며 왼쪽 귓등에 점이 있는 것하고 쏙 빼 닮았어유. 그런 것을 보니 틀림없이 죽은 우리 애 씨가 분명하네유."

하고 친정어머니는 기훈의 씨가 분명함을 인정하였다.

"안 그려두 우리 메누리가 그렇다구 말 하대유."

"그런디 이 색시는 어디 사는 누구인지 알 수가 없어서 갑갑하내유."

그때 올케와 함께 방으로 들어온 범성 아낙이,

"엄니, 내가 가만히 생각해보니 아마두 기훈이가 서울에서 공부할 때부터 알은 색시 같어유."

"공부할 때?"

"그려유. 그러니깨 아마두 같은 학교에 다녔거나 집이 서울이었거나 한 것 같어유."

범성 아낙의 말에 친정어머니는 눈물을 왈칵 쏟으며

"불쌍한 녀석 그래두 씨는 하나 남겨주고 갔구나! 에이구 이를 어쩌면 좋을꼬."

하며 산모의 손을 두 손으로 꼬옥 쥐었다.

산모는, 아무런 표정도 없이 찬찬히 보기만 하고 있었다.

이영주

이영주
나이는 23살
여자는 강원도 양구라는 곳의 남 부럽지 않은 집안에서 무남독녀로 태어났는데 어릴 적부터 머리가 총명하여 부모는 물론이려니와 인근 동네에서까지도 칭송이 자자하였다.
일찍이 영주의 총명함을 알아본 부모는 서울에 사는 먼 친척 집에 데려가서 하숙을 시키며 명문 대학까지 보내어졌는데, 거기에서 기훈이와 만나게 되었고 방학을 이용하여 영주는 양구의 부모에게 기훈을 소개하기도 하였다..
그 후, 전쟁이 발발되자 기훈은 군대에 지원 입대하여 영주와 헤어지게 된지 2년 후, 양구의 어느 부대에 있다는 기훈의 소식을 듣게 되어 영주는 고향 양구로 향하였다.
그때는 양구가 적의 수중에서. 벗어난지 얼마 안 되어 국군이 점령하고 있었지만, 통행이 그리 원만하지는 않은 지역이었다.
고향에 도착하니 부모님은 공산당의 인민재판으로 무참히도 학살되었고 집은 풍비박산이 되어서 영주는 그 자리에 그만 주저앉고 말았다
가까스로 정신을 차린 영주에게 마을 촌로가 위로하며 말을 건넸다.
“이제서리 정신이 드는감네. 어째서리 이제야 오는감.”
하며 혀를 차면서
“앙이그래두 너네 아버지가 너를 무척이나 보고 싶어 했드랬

지, 그렇지만 한편으로는 네가 여기 오지 않기를 바랬드랬어 여기는 마카 지옥이라고. 암, 사람이 살 수 없는 지옥이라고 안 오기를 바랬드랬지."

촌로의 그 말에 영주는 다시금 부모님의 처절한 모습을 상상하며 목 놓아 울었다.

"얼마 전에 국방군이 왔드랬어 그래서 가만 보니까는 먼젓번에 너하고 여름철에 함께 온 젊은이였는데 한참이나 멍하니 서 있더니 사람들과 몇 마디 얘기를 주고받고 돌아갔드랬어 모자에는 밥풀떼기 계급장이 붙어 있드랬어."

"무슨 말을 묻던가요."

"나하고 직접 얘기한 것은 아니고, 네 부모님이 어떻게 됐으며 또 네 소식도 묻더라는 구나."

"그럼 할아버지, 그 군인은 어디 있나요?"

"나야 잘 모르지 그런데 이 근처에 국방군 부대는 임당쪽에 있으니 아마 거기겠지."

잠시 생각에 잠긴 영주가,

"할아버지, 거기를 한번 가 봐야겠어요. 군인부대이기 때문에 저 혼자 가기가 쉽지 않으니 누구 사람 하나 구해줘요."

라고 말하니 촌로는 고개를 끄덕이며 잠시 생각하더니,

"그럼 우리 집 손자 녀석을 데리구가 방산리에는 걔가 잘 아니깐드루."

"할아버지 고마워요."

"그럼 언제 갈려고?"

"내일 가 보려고 해요."

"손자에게 그렇게 일러 놓을 테니 그리 알고. 그럼 어디서 있을 거여? 여기서 이러지 말고 우리 집으로 가서 우선 지내도록 해여."

"괜히 폐만 끼치는 것 같아요."

"폐는 무슨 폐? 너네 아버지한테 도움을 얼마나 받았는데. 당연한 일이지."
영주는 지붕 한쪽이 무너져 내리고 을씨년스런 집에 있기가 꺼려지고 그렇다고 당장 쉴 곳도 마땅치 않아서 촌로의 말을 따르기로 하였다

이튿날 촌로의 손자를 앞세우고 기훈이가 있을 만한 군부대를 찾아가는데,
"여기 이 부대는 지금 새로 생기는 부대래요."
하고 소년은 영주에게 새로 창설되는 부대임을 알려주었다.
(전쟁 말기인 1953년 1월 15일. 보병 제21사단인 백두산 부대가 창설되어 양구에 주둔하였다.)

통나무 울타리로 만들어놓은 부대 앞의 초소에서 소위 김기훈을 찾으니 인적사항을 꼼꼼히 묻어보고는
한참 후에,
"김 소위님은 작전을 나가셨기에 지금은 영내에 안 계셔서 오늘은 면회가 안 되겠습니다. 귀대하시면 김 소위님에게 말씀드리겠습니다."
자세히 알려주는 초병을 뒤로하고 돌아서는 영주의 발걸음은 무거웠으나 한편으로는 기훈이가 이곳에 있다는 확실한 소식을 듣고는 마음이 안정되었다.

두 사람의 재회는 그렇게 우연한 인연으로 다시 만날 수 있었다.
어느 날 기훈이가 영주를 찾아왔다.
며칠 전에 영주와 함께 양구에 있는 사진관에서 함께 찍은 사진과 오래전에 누나에게서 받은 쇠뿔로 만든 브로치를 영주에게 건네고 또, 고향 집 주소도 종이에 적어 알려주면서,
"영주야 지금은 전쟁 중이니 아무래도 이곳은 위험하니까 여기 적은 이 주소를 가지고 우리 고향 집으로 찾아가거라. 지금 네가 의지할 곳은 아무래도 우리 고향 집뿐일 것 같구나."

기훈은 다가올 운명을 미리 감지한 듯이 영주에게 의미심장한 말을 하였다.
그리고 다음 날 기훈은 소대원을 이끌고 백석산 쪽으로 작전을 나가서 전사하였고,
그 소식을 들은 영주는 기훈의 전사 소식에 정신줄을 놓아버렸다.
그 후 영주를 찾으러 온 서울에 사는 먼 친척의 도움으로 영주는 서울로 다시 오게 되었지만,
잃어버린 정신은 양구에 그대로 남겨져 있었다.
영주를 서울로 데리고 온, 그 먼 친척은 정신줄을 놓아버린 영주에게는 관심이 없었고 양구에 남겨진 영주 부모의 재산에만 눈독을 들이고 그것을 자기의 소유로 만드는 데에만 정신을 쏟았다.
영주의 배가 불러올 즈음 그 친척은 영주를 정신 병원에 입원시키려 했을 때는 영주의 배에서 새 생명이 잉태되어 배가 불러지기 시작하였는데,
어느 날 영주가 행방불명이 되어버렸다.
어쩌다 이따끔씩 맑은 정신으로 잠깐씩 돌아오는 영주의 상태에서 그녀는 자신이 처한 처지를 본능적인 직감으로 상황을 판단하고 친척 집을 떠나기로 마음을 먹고 기훈이가 써준 주소를 찾아서 무작정 떠났던것이다.

친정어머니는 아기 엄마의 그런 모습을 보면서 연신 흐르는 눈물을 주체하지 못하였는데
그 모습을 빤히 쳐다보던 여자가 입을 열었다.
“기훈이, 기훈이 엄마?”
언뜻 잠시 맑은 정신으로 돌아온 듯하였다.
깜짝 놀란 주위 사람들이 멍하고 여자를 보고 있는데 친정어머니가,
“그려, 내가 기훈이 에미여. 이제 정신이 드냐.”
하며 여자의 두 손을 더 세게 잡고 흔들었다.

잠시 방안에는 침묵이 흘렀고 모두들 얼굴에 안도의 환한 미소가 흐르는데,

"여기는 어디예요?"

여자가 침묵을 흩트리면서 말하였다.

"김 기훈이 고향 집이여유."

하고 범성 아낙이 여자의 등을 도닥거려 주면서 알려주었다.

여자는 친정어머니에게 쥐어진 한쪽 손을 빼더니 그 손으로 범성 아낙의 손을 꼬옥 잡고는

해산할 때의 일을 기억하는지,

"고마워요."

라고 말하며 고개를 끄덕여 감사함을 표시하였다.

"그리구 여기 이분은 김기훈이 엄마유."

범성 아낙이 친정어머니를 가리키며 소개하니까,

"김기훈이 죽었다. 김기훈이 죽었다."

하면서 여자는 다시 정신줄을 놓으며

"이거 김기훈이다. 김기훈이 여기있다."

하며 아기를 끌어안았다.

모두들 아연실색한 도중에 시어머니가 말하였다.

"아마 많이 놀란 모양이유 그러니까 애 아버지 이름은 부르지 말도록 해유,"

하며 기훈이라는 말을 하지 말도록 하였다. 그러면서,

"맴 편하게 해주구 여기서 그냥 지내다가 삼칠일이나 지나문 그 때 데려가는 게 좋을성싶네유."

친정어머니도 시어머니의 말에 동조하고 그렇게 하기로 하였다.

"이거 사둔댁에 신세를 이렇게 져서 어떡하남유?"

"그런 말씀 마셔유. 사람이 온전해야 하는데 그렇지가 않으니 도리가 없는 일 아녀유?"

그날 오후 친정어머니와 올케가 돌아가고 난 후로 여자는 눈에는 띄지 않을 정도로 조금씩 정신을 되찾아가기 시작하였다.

아마도 주위 환경과 따뜻한 보살핌이 여자에게 안정감이 들도록 하였던 탓이리라.

휴전

그 해 1953년 6월 18일
경상도 거제도에 있던 반공포로들이 석방되고,
한 달 뒤인 7월 27일에는 판문점에서 휴전 협정이 조인되었는데,
조인서 내용은 영문. 한국문 및 중국문으로써 이 3개 국어의 각 협정 본문은 동등한 효력을 가지고 있으며,

국제 연합군 총사령관.
　　미국 육군대장 마크 W 클라크 (Mark Wayne Clark)
조선인민군 최고 사령관.
　　조선민주주의 인민공화국 원수　김일성
중국 인민군 최고 사령관
　　팽덕회 (彭德懷)

참석자
국제 연합군 대표단 수석대표
　　미국육군중장 윌리엄 K 해리슨 (William Kelly Harrison Jr)
조선인민군 및 중국 인민지원군 대표단 수석대표
　　조선 인민군 대장 남일

이렇게 되어있었다.

그리고 이 전쟁으로 인하여 희생된 인명은 150만 명이었고

민간인도 35만 명이 되었고 부상자 실종자는 헤아릴 수 없이 많았다.

유엔군으로 참전한 각 나라의 상황은 ,
그리스 왕국은 6.25 전쟁이 일어나기 직전 공산주의자들과의 대규모 내전을 두 차례 치렀으며 영국과 미국의 도움으로 내전에서 승리해 발칸 반도 전역이 공산화되는 와중에 가까스로 공산화를 면했다. 내전의 결과 확고한 반공 국가가 된 그리스는 6.25 전쟁이 터지자 기꺼이 군대를 파병했다.

튀르키예와 그리스가 머나먼 극동의 소국에서 벌어진 전쟁에 만 명이 넘는 군대를 보내 성심껏 싸우게 한 데에는 국제평화의 이상에 대한 수호정신도 없지는 않았겠지만 그 못지 않게 자국이 처한 정치적 상황에 대한 계산이 배경에 깔려 있었다. 냉전 문서에 나오는 나토와 바르샤바 조약기구의 세력도를 보면 알겠지만 튀르키예와 그리스는 서유럽과 지리적으로 분리되어 있었고 공산화된 발칸 반도와 캅카스에 둘러쌓여 공산화 위협을 받고 있었다. 게다가 이들은 트루먼 독트린의 직접 당사국으로서 미국의 참전 요청을 거부하기 힘든 상황이기도 했다. 이러한 상황에서 그들은 필사적으로 나토에 가입하고자 했고 이러한 의지를 한국전쟁 참전으로 표명한 것이었다. 덕분에 이들은 1952년 나토에 가입할 수 있었다.

호주가 UN군의 일원으로 최초로 참전한 전쟁이 6.25 전쟁이다.

필리핀 제3공화국은 미국, 영국에 이어 세번째로 상륙하였으며, 필리핀 前대통령 피델 라모스는 6.25 전쟁 참전용사이다.

태국은 한국 전쟁에 육, 해, 공군을 모두 파견한 8개국 중 하나이다.

네덜란드는 과거 식민지였던 남아메리카 수리남(1975년 독립) 등

속령지역 용사들도 동원하여 참전했다.

콜롬비아는 라틴 아메리카 국가 중 유일하게 전투 병력을 파병한 국가이다.

사실 콜롬비아 말고도 전투 병력을 파견한 국가가 있는데 바로 멕시코다. 1943년 발효되어 1952년까지 유지되었던 '멕시코와 미국 간 상대국 거주 자국민 병역에 관한 협정'으로 미국에 거주하던 멕시코 국적자들이 미군에 징집되어 참전했다. 멕시코는 약 10만 명에 달하는 군인들이 참전했지만 미군으로 분류되어 표기됐기 때문에 많은 이들은 이를 알지 못하고 있다. 미국 군인들 중 3.5%는 멕시코계 군인이었다.

뉴질랜드는 마오리족까지 참전했다. 이들이 퍼뜨린 노래가 바로 Pokarekare ana (한국어 번역명은 '연가')

에티오피아 제국은 하일레 셀라시에 1세 황제가 특별히 자신의 친위대를 내줘서 파병했다. 단 그 당시 에티오피아에 제대로 된 상비군이 친위대 밖에 없었다고 한다. 그러나 공산화 이후에는 흑역사로 치부해 참전자들을 박대했다.

벨기에와 룩셈부르크는 벨기에-룩셈부르크 연합으로 파병되었다. 룩셈부르크는 80명 남짓한 소규모 병력을 파견했지만 이는 룩셈부르크군 자체가 1000명 내외의 소규모 군대인 점을 감안하면 상당한 병력이다. 또한 병력 대비 사상자의 비율은 전체 유엔군 중 가장 높았다.

프랑스군 중에서 랄프 몽클라르 중장은 이 전쟁에 참전하기 위해 자신의 계급을 스스로 중령으로 강등시키고 참전했다. 하지만 미군으로부터 그대로 중장 대우를 받았다.

남아프리카 연방은 아프리카의 잊어져버린 6.25 참전국이다. 대부분의 한국 사람들과 국내 매체들도 에티오피아만을 아프리카 유일의 6.25 전쟁 참전국으로 기억한다. 남아공이 에티오피아와 달리 6.25 참전국에서 빨리 잊어진 것은 당시에 영연방 국가였고, 다른 아프리카의 국가들과 다르게 소수의 네덜란드, 영국계 백인 이주민들이 국민 대다수의 아프리카 흑인들을 배제, 억압하며 20세기 말까지 백인 통치를 자행하는 등 사실상 백인 국가로 취급받던 나라였던 점이 크다. 대한민국 정부 역시 남아공이 참전국임에도 불구하고 이 아파르트헤이트에 항의하는 뜻에서 공식 수교를 단절했을 정도였다. 또한 전쟁 때 파병 인원의 규모도 작았고 공군 병력만 파견한 것도 주요 이유인 듯하다. 하지만 826명 중 36명이 전사하고 8명이 포로가 될 정도로 치열하게 싸웠다. 그러나 정권이 교체된 이후로는 쉬쉬하고 있는데, 아무래도 백인 정권이 미국, 영국의 똘마니로써 참전했다고 보는 시각이라 한국전쟁 참전행사도 열리지 않고 있다.

사실 대만도 3만 명대의 병력을 파견하는 것을 고려하고 있었다고 한다. 만약 이 계획이 실행되었다면 영국에 이어 3번째로 많은 군대를 파병한 나라가 되는 것이었다. 그러나 이 때 미국은 대만의 참전이 중공군의 개입으로 인한 3차 세계대전이 터질 가능성, 중공군이 대만에 빈집털이를 시전하는 것 등을 두려워해 대만을 뜯어말려 물자 지원에 그쳤다고 한다.

잘 알려지지 않은 사실 중 하나인데, 스페인도 당시 유럽서 가장 큰 규모의 파병을 지원하려고 했었다. 하지만 당시 스페인은 파시스트 독재자 프랑코가 지배하고 있던 시기로 국제적으로 왕따당하던 시절이라 웃기지 말라면서 무시당했다. 애초에 프랑코가 파병 지원을 시도한 이유도 이 외교적 고립 상황을 해결하기 위한 의도가 있었다. 스페인은 의료지원이라도 하려고 했으나 과거의 안 좋은 기억 때문인지 네덜란드와 벨기에가 극구 반대하여 무산됐고 대신에 똑같이 최대 규모 파병을 자처한 그리스, 튀르키예에서 전투 병력이 갔다.

또 하나의 잘 알려지지 않은 사실은 상기돼 있는 멕시코인, 멕시코계 미국인 외에 미국령 푸에르토리코 출신이 엄청나게 많이 참전하고 전사했다는 것이다. 6.25 전쟁에 참전한 미군 병력 약 180만 명 중 약 18만 명이 히스패닉 계열인 것으로 전해지는데 이 중 멕시코계 병력은 약 12만 명, 미국령 푸에르토리코 출신 병력은 약 6만 명이었다고 한다.

1940년대 후반 미국, 영국, 캐나다 등으로 이민 간 아일랜드인들도 해당 국가 소속으로 참전하여 160명 이상 전사했으며, 당시 네덜란드령이었던 수리남에서는 수리남인 병사들이 네덜란드군 소속으로, 벨기에령 콩고에서는 콩고인 병사들이 벨기에군 소속으로 참전한 것으로 전해진다.

약 800명이 참전한 것으로 알려진 북아메리카의 원주민 나바호족 역시 미군 소속으로 참전했다.

망명정부였던 우크라이나 인민 공화국의 일부 군인도 역시 미군 소속으로 참전한 기록이 있다고 우크라이나 국립 군사역사박물관에 소개돼있다.

이스라엘은 공식 참전을 하지않은 대신 약 4000여 명의 유대인이 미군이나 영국군 등의 일원으로 비공식 참전했다.

특히 일본의 참전은 1급 군사기밀로 분류되어 미군은 일본인 당사자들에게 외부 발설을 금지하고이 사실을 봉인해 왔다.
또한, 일본의 민간인 남성 60여명이 군무원 신분으로 통역/취사/수리/의무/운전 등을 담당했다.
일본인을 미군이 대동하고 그 중 18명이 한반도 최전선에서 전투에 참가했던 것이 미 국립 공문서의 미군 작성 일급 비밀 문서에서 밝혀졌다.
이에 관한 내용은 2020년에 국내 언론에서 일본 마이니치 신문 기사를 베이스로 국내언론들에서도 다룬적이 있다. 이 영상에서는 한국전쟁 개전초기 미국은 주일 미군을 중심으로 한국에 급파하지만 이후 부산을 중심으로한 낙동강 전선까지 후퇴하게 되자 일본인들도 살아남기 위해 소총을 들게된 사연이 나온다.
이들중에 전사자도 나오게 되는데 하필이면 대전 전투에서 미 제 63 야포병연대 소속으로 취사지원을 하던 일본인이 대전전투에 참전했으며 다부동 전투에서는 미 육군 제 8기병 연대 소속으로 미군에 취사지원을 하러 같이 왔던 군무원 소속 일본인이 다부동 전투에 참전했다.

6.25 참전 일본인들의 구체적인 사연과 규모 그리고 명단과 개입 수준에 대해서는 2020년대까지도 극비로 분류되어 있고, 공개된 기밀 문서들이나 학자들의 연구 결과로 밝혀진 일본인들의 참전 규모와 활약상에 대해 일본, 미국, 한국 세 나라 다 공식적으로 시인도 부인도 하지 않고 있다. 일본 정부 입장에서는 1947년 5월 3일 통과되어 1951년부터 시행된 평화 헌법을 심각하게 위반하는 일이었고, 미국 정부 입장에서는 일본 국적의 일본인들이 한국전쟁에 참전한 사실이 발각되면 북한과 그 배후의 소련과 중국을 자극하여 국제적인 문제로 발전할 우려가 있었고, 한국 정부 입장에서는 불과 몇 년 전까지 한반도를 식민지배한 일본의 도움을 한국이 받았다는 사실은 대내외적 정통성 확립에 큰 문제가 될 수 있었다.
때문에 현재까지도, 6.25 관련 박물관에 가면 지원국 리스트에 일본이나 "연합군 점령하 일본"이라는 국가는 없다, 정확히는 정통성이니 뭐니보다도 반일 감정이 제일 큰 이유겠지만.
세 나라 모두 이에 대한 내용을 극비 사항으로 분류하고 관련 내용을 부인해 왔었다. 다만 정황상 공산권에서도 일본인들이 참전했다는 걸 모르지는 않았던 것으로 보이는데, 실제로 북한 측에서 일본인 포로를 남송하면서 일본을 끌어들이지 말라고 거세게 항의를 했다거나 해당 사실을 내부용 선전선동에 일부 활용했다는 기록들이 존재한다. 다만 확전을 막기 위해 소련군의 직접 참전 사실이 공산 진영과 자유진영 양측 모두에 의해 숨겨졌던 것처럼, 일본의 참전 사실 또한 양측 모두에 의해 숨겨진 것으로 보인다.

(마이니치 신문이 입수한 미국 국립문서보관소에 미군이 작성한 극비 문서에 따르면 미군은 1950년 발발한 한국전쟁에 최소 60명의 일본 민간인과 동행했으며, 그 중 18명이 전투에 참여했다. 60명 중 18명은 20세 미만이었으며, 그 중 4명은 전투에 가담했다. 전선에서 전사한 일본인의 사망 진단서와 실종 신고서도 있었다. 6월 25일은 한국전쟁 발발 70주년이 되는 날이다.)

1950年に勃発した朝鮮戦争に、少なくとも日本の民間人男性60人を米軍が帯同し、うち18人が戦闘に加わっていたことが、毎日新聞が入手した米国立公文書館所蔵の米軍作成の極秘文書で判明した。60人のうち20歳未満の少年が18人おり、うち4人が戦闘に参加していた。前線で殺害された日本人の死亡証明書1通と行方不明者1人の報告書もあった。6月25日で朝鮮戦争勃発から70年となる。

(이상, 출처 나무위키에서 인용)

**이처럼 많은 참전국들을 열거하는 이유는,
우리는 참전국하면, 언듯 미국만 생각하는데 세계 여러나라에서 병력과 물자를 지원하였고 많은 인명이 희생되었다는 것을 잊으면 안 된다는 것이다.**

하리골의 평화

휴전이 조인되고도 한동안 크고 작은 전투가 있는 와중에도 계절은 어김없이 제 때에 찾아와서 들녘의 수수밭은 장승보다 더 큰 키로 가을 햇볕에 그을려 붉은 얼굴을 숙이고 영글어 가고 있었다.
범성의 집에서 몸을 풀은 여자 영주도 정신이 안정되면서 어느 정도의 차도가 있었지만, 본래의 정신까지 돌아오려면 더 많은 시간이 필요하였지만, 갓난아기와 함께 매곡리로 보내어졌고 하여서 시끌벅적하였던 범성의 집에도 조용하여졌지만, 아기의 울음소리가 없어지니 오히려 더 쓸쓸해 보이고 집안이 텅 빈 느낌만 들었다.
밭에 나갔던 윤실이 엄마가 삼태기에 방금 캐어 황토흙이 묻어있는 고구마를 범성 아낙에게 내밀며,

"이거 얼마 안 되지만 으른들 잡숫게 쪄 드려유."

하고 말하였다. 범성 아낙은 윤실엄마가 건네주는 고구마를 함지박에 받아 담고서는,

"애써 지은 건데 뭐하러 갖고 왔어유. 안 그려두 되는디."

"밭이 황토밭이라서 고구마가 실하게 되었어유. "

"밤 고구마네유. 잘 먹을게유. 우리 고구마는 색깔이 허연 게 길쭉하기만 하여서 아주 물 고구마래유."

"그런 게 날루 깎아 먹으면 더 맛있쥬."

윤실엄마는 웃으면서 범성 아낙의 말에 대꾸하였다.
그때, 시어머니가 성필이의 손을 잡고 한쪽 손에는 붉은 수수 이삭을 한 웅큼 쥐고서 대문을 들어섰다.

"엄니, 웬 수수를 잘라 왔어유?"

범성 아낙의 물음에 시어머니는 수수 이삭을 들어 보이며
"응 쇠죽 끓일 때 솥에 넣어 한필이 핵교 갈 때 먹으며 가라구 잘라왔다."
"누룽지 긁어주면 되지 수수는 먹기가 껄끄럽잖아유."
"다른 애들이 먹으니까 지두 해 달라더구나. 이게 뭐 먹고 싶은 모양인지."
사실 그때의 시골 동네에서 아이들이 먹을 군것질이란 것이 없었다.
학교 가는 길에 심심하지 않게 누룽지나 쇠죽 솥에서 쪄낸 수수 이삭 정도가 고작이었다.
"웬 고구마냐?"
"윤실네 엄마가 가져 왔어유."
"집에서나 먹지 왜 가져오누."
시어머니의 말에 윤실엄마가,
"밭 주인두 맛을 봐야 하잖아유."
"그럼 이게 초입에 있는 밭에 심은거여?"
시어머니의 말에 윤실엄마는
"그려유 두 고랑 심었는디 많이 열렸어유. 다 캐면 두 가마니쯤은 나올 거 같어유."
"잘했어. 윤실네는 바지런해서 모든 거시 다 잘 될 거여."
시어머니는 부지런히 열심히 살아가려는 윤실네를 칭찬하여주었다.

며칠 후면 추석이기에 범성은 읍내 장터로 나갔다.
닷새 만에 서는 장이지만 대목장이라 하여 명절을 앞둔 이 삼일은 매일 장이 섰다.
아직 덜 익은 밤이며 대추 감등의 과일 풋내를 물씬 풍기며 짚으로 만든 널찍한 둥구먹에 지천으로 쌓여 있었다.
추석 차례에 쓰일 제수용을 사서 망태기에 넣고 이른 아침밥을 먹었기에 시장기를 느끼어 길거리 좌판에서 파는 국수를 사 먹으려고

앉은뱅이 의자에 쪼그려 앉았다.
"아줌니 나 그 국수 하나 말아줘유."
하고 국수 한 그릇을 말아 달라고 하였다.
국수를 파는 여자는 범성을 한번 흘깃 보더니
"술은 안 마셔유?"
하고 물었다. 대부분 사람이 주문한 국수가 나오기 전에 막걸리 한 대포쯤 하기 때문에 국수 파는 여자는 그렇게 물어 본 것이었다.
"야 그려유. 술두 한 대접줘유."
범성이 막걸리도 한 대포 한다니까 여자는 옆에 있는 술독에 바가지를 집어넣어, 한번 휘휘 저어서 큰 대접에 찰랑찰랑하게 부어주었다.
"뭔 장꾼들이 이렇게 많대유?"
범성의 말에 국수 파는 여자는
"대목 아녀유. 그리구 그동안 즌쟁 때문에 추석 지사두 못 지냈잖어유."
라고 하며 전쟁 때문에 조상님들께 추석 차례도 변변치 못하게 모셨기에 이번 추석 대목장이 성시를 이룬다는 것이었다.
막걸리 한 잔을 반쯤 마셨을 때 주문한 국수가 나왔다.
국수 파는 여자는 물에 젖은 긴 나무젓가락의 물기를 앞치마에 쓱쓱 닦아주면서
"장은 다 본 거유?"
"아직 몇 가지 더 봐야 돼유."
"추석두 추석이지만 핵교 운동회가 있으니 난닝구 하구 빤쓰 파는 데는 정신이 없구만유."
하고 국수 파는 여자는 학교 운동회가 있기 때문에 러닝셔츠와 팬티 운동모자를 파는 곳이 제일 붐빈다고 말하였다.
범성은 옆구리가 찌그러진 큰 양재기에 가득 담겨진 국수에 앞에 놓인 뚝배기에서 양념 한 숟가락을 퍼서 약간은 누루스럼한 국수위에 얹고서 긴 나무젓가락을 양손에 하나씩 쥐고 양념이 골고루 배

이게 섞은 다음, 한 입 크게 베어 물었다.
햇밀을 제분하여 만들은 국수는 아직 방앗간의 제분기술이 빈약하여 밀기울이 점점이 섞여 있어서 누런 색깔이지만 구수한 밀기울의 향이 입안을 가득 채웠다.
(요즘의 밀가루는 우리 고유의 재래종 밀이 아니고, 외국에서 밀을 수입하여 제분하는 과정에서 표백을 하기 때문에 색이 하얗다.
지금은 값싸고 흔한 음식인 국수지만 그 시절에는 귀한 음식으로 대우받았다.
메마른 한 뼘 뙈기밭에 심은 밀을 초여름에 수확하여 탈곡을 하기 위하여 마당에 널어놓고 도리깨질로 알곡을 만들려면 땀에 젖은 팔뚝이며 목덜미에 밀 까락이 엉겨붙어 따갑고 쓰라림에 살갗이 밤새도록 쓰라리기도 하였다.
방앗간에서 곱게 빻은 밀가루로 국수를 몇 단 뽑아내어 잔치 때와 큰일을 치를 때 사용하려 고방 깊이 보관하고 아꼈으며, 밀 껍데기인 밀기울은 누룩을 만들어서 술 담을 때 효모로 사용하려고 건조시켜 놓았다)

국수 한 그릇과 대포 한잔을 마시고 범성은 다시 망태기를 어깨에 걸쳐 메고 옷을 파는 난전으로 발길을 옮기었다.
시장통 한쪽 모퉁이에 드럼통을 반쯤 잘라서 화덕 위에 걸어놓고 검정색 물감을 풀어서 군복을 염색하여주는 곳의 가게 주인은 하리골에서 살다가 전쟁이 나기 전에 읍내로 이사를 나온 집인데
그 집 큰딸이 삼식이와 혼인을 하였기에 삼식이의 처가였고 하리골 사람들과도 같은 동네에서 살았기 때문에 서로가 별 허물없이 지내는 사이였다.
삼식이의 장인 장모가 낡은 고무 앞치마를 앞에 두르고는 눈코 뜰 새 없이 손 바쁘고 발 바쁜데 검정색으로 물들여진 군복을 널어놓은 빨랫줄 아래로 한 눈에 보아도 염색하는 집 개로 알만한 검은 개가 바닥에 배를 깔고 엎드려서 혹여 누가 널어놓은 옷을 걷어 갈까 봐 지나는 장꾼들을 눈알을 이리저리 굴리며 살펴보고 있었다.
삼식의 장인 장모와 손아래 처남은 아예 까만 옷을 입고서 스무 살 남짓의 처제도 함께 일을 하는데, 네 식구가 모두 손도 얼굴도 온통 검댕이 칠이었다.
범성은 그 모습을 보니 웃음이 나서 빙그레 웃으니 삼식이 장모가

범성을 발견하고는,

"장 보러 온겨?"

하고 아는 척하였다.

"야, 안녕 하셨슈? 엄청나게 바쁘시네유."

그때 가게 모퉁이 뒷간에서 삼식이가 바지춤을 추켜 올리며 나오면서,

"장에 온겨?"

하고 범성을 발견하고 말하였다.

"옥이 아부지두 와 있구먼."

범성도 삼식이를 보고서 말하였다.

"응 나두 시방 온거여."

"처갓집에는 농사두 안 짓는디 거름이 뭔 소용이랴? 집에서 보고 나왔어야지."

범성의 우스갯소리에 삼식은 웃으면서,

"아이구 오는디 갑자기 배가 싸르르 하더라구. 처갓집이 아니었더라문 바지에 쌀뻔했어."

"장모님이 뭐 씨암탉이라도 잡아줄지 알구 미리 뒷간에 간거 아녀? 사람이 눈치도 없어 저것 봐, 씨암탉 잡을 시간두 없이 바쁘잖여."

범성의 말을 들으며 삼식이 장모가 빙그레 웃었다.

"그나저나 장에는 뭐 사러 나왔어."

삼식이 범성이 메고 있는 망태기 안을 들여다보면서 말하였다.

"응, 추석은 지내야 될거 아녀? 그래서 상에 올릴걸 사려구 나왔지."

범성은 망태기를 벌려서 안을 보여 주었다.

"어물 값이 .비쌀건디."

삼식의 말에

"그렇다구 안 올릴 수두 없잖여. 철이 이르니깨 집에 있는 밤나무 대추나무가 안죽까지 션찮은디 장에서 영글은 놈을 조금 사

야 될거 같어.""
하고 범성이 대답하였다.
"대추는 우리 집 뒤켠에 있는 놈이 조금 붉어지니깨 그걸 좀 따 가도록 혀."
"뭘 그랴, 다른 것도 사야 하니깨 살 때 같이 사문 되지."
그때 삼식의 장모가 손님과 이야기하는 소리가 들렸다.
"아니 이거는 못 쓰겠으니 다른 것 으루 줘유."
"나두 받은거유."
"그래두 안 돼유. 어느 정도래야지 이건 증말 못 써유.거기 다른 거 있내유 그걸루 줘유."
범성이 바라보니 염색한 옷을 찾아가는 손님이 돈을 내는데 그 돈이 너덜너덜하게 찢어지고 찢어진 곳을 종이로 여기저기 이어 붙여서 돈이 절반은 종이가 되어 있는 것을 삼식이 장모가 받을 수 없으니 바꿔 달라 하고 있었다.
그러거나 말거나 손님은 염색된 옷을 그냥 들고 가려고 하니까 삼식이 장모는 들고 가려고 하는 옷을 나꿔채어 둘둘 말아서 안쪽으로 집어 던졌다.
"이 아줌니가 왜 이려유?"
손님도 삼식이 장모에게 언성을 높이며 대들었다.
"생각을 해 봐유. 거기두 쓰지 못할 돈이니깨 주구는 안 바꿔 주는 거 아녀유?"
"못 쓰긴 왜 못 써유. 나두 받은 돈이라니깨유."
"그러니깨 그 돈은 댁이 쓰구서 성한 돈으루 주면 되잖어유."
손님의 어거지에 삼식이 장모도 화가 났는지 언성을 높이니까 할 수 없이 성한 돈으로 바꿔 주고는 옷을 받아 가면서
"아이구 이 집에 다시 오지 말아야겠구먼."
하고 갔다.
그러자 삼식이 피식 웃으며
"장모님 저 사람 이제 여기루 안 오구 염색하러 서울루 갈려나

보네유."

"서울?"

삼식이 장모가 무슨 뜻인지 몰라서 되물었다.

"그렇잖어유 염색집이 여기 뿐인디 서울루 가야하잖어유."

삼식의 우스갯 소리에 장모는 웃으며,

"아마두 그래야 될거여."

"그런디 어디사는 사람이래유?"

"그 왜 어디여 저어기 솔매산 아래동네에 사는 노랭이 영감 있잖어 그집 아들이여. 지는 나를 모르겠지만 나는 지를 알구있지 장똘뱅이여."

"물들일 일감은 많이 들어오나유?"

"옷 장수들이 조금씩 갖고 오기는 하는디 그게 맴이 편치가 않구먼."

"왜요?"

"생각을 해봐. 새옷두 있구 입던 옷두있구 열벌이구 스무벌이구 계속 가져오니 그게 이상 하잖여.

어떨 때는 새 사지군복도 가져 오는 걸? 아마두 군대 보급 물자에서 빼 돌리는 것 같아서 불똥이 튈까봐 그러지."

"그렇기두 하겠네유."

"그렇다구 안 받을 수두 없구."

"돈두 좋지만, 되두룩이문 그런 것은 받지 말어야 되겠네유. 무슨 일이 생길지두 모르잖어유."

"아무래두 그래야 쓰겄어."

삼식이 장모는 걱정스레 말하였다.

"앗따, 처제는 고운 얼굴에 검은 칠이 됐는데 어떻게 시집갈려고 햐?"

삼식이가 처제의 얼굴에 검댕이가 묻은 것을 놀리느라 우스갯소리를 하니 처제는 얼굴을 붉히며

"형부, 막걸리 사 오까유?"

하고 오히려 말을 되받았다.

"그래두 걔가 옥이 줄라구 생각혀서 운동복을 사 놨는데 놀리면 쓰겄나?"

장모의 말에

"아니 우리 처제헌티 그런 깊은 생각이 있었어유?"

삼식의 말에 모두들 한번 웃었다.

"그려유 이따 갈 때 가지구 가유."

삼식이 처제가 웃으며 말하였다.

범성은 난전에 펴 놓고 파는 옷 전에 들려서 추석 다음날 열리는 운동회날에 아들놈 잘 뛰라고 앞가슴 쪽에 VICTORY 라고 미국말로 써 놓은 하얀 난닝구(런닝셔츠)와 옆에 하얀색 두 줄이 들어간 까만 빤쓰(팬티)를 사고 식구 수에 맞춰서 목양말을 사고 한필이와 성필이가 신을 것은 카바 양말을 골랐다.

(목 양말 양말의 목이 긴 것으로 한번 신으면 목 부분에 신축성이 없어서 자꾸 흘러내리기 일쑤였고, 카바양말은 요즘처럼 목에 고무줄탄력이 있어서 주로 아동용으로 만들어 흘러내리지는 않았지만, 제조 기술이 시원찮아서, 몇 번 신으면 흘러내리는 것은 마찬가지였다.)

이어 신발가게에 들려 어머니와 한필이 엄마의 하얀 코고무신을 한 켤레씩 사고서

육곳간에서 대팻밥에 싸 주는 쇠고기 한칼을 망태기에 담고서 집으로 향하였다.

논에 심은 벼는 고개를 숙이었지만 아직은 여물지가 않아서 추석에 햇곡식은 차례상에 올리지도 못할 것 같았다.

2대 독자

추석을 이틀 남긴, 단기 4286년 서기로는 1953년 9월 20일
범성의 부친 김 노인이 나이 59세로 갑자기 세상을 하직하였다.
원래 몸은 허약하였으나 평소에 잔병치레도 없었고 고뿔(감기)도 걸리지 않고 식사도 많은 양은 아니지만 제 때에 꼬박꼬박 잘 드시다가, 돌아가시기 전날에도 저녁밥도 드시고 손자들과 놀다가 잠 자리에 들었는데 아침에 보니 미동도 없어서 어머니가 흔들어 깨우니 이미 세상을 하직하고 만 것이었다.
돌연, 범성의 집에서는 청천벽력같은 난리가 났다.
"아이구 이를 어짜문 써, 아이구 아범아 이를 어짜문 써."
울부짖는 어머니의 비명소리에 깜짝 놀란 범성과 아낙이 급히 방안으로 뛰어들었을 때에는 이미 김 노인은 평안히 잠든 얼굴로 몸은 차갑게 식어가고 있었다.
"아부지, 아부지."
범성이 김 노인의 팔을 잡아 흔들며 불러 보았으나 아무런 움직임도 없을 뿐이었다.
범성 아낙도 시아버지의 바짓가랑이를 잡고 흔들며 불러 보아도 식어서 굳어진 다리는 마치 장작개비처럼 뻣뻣하기만 하였다.
이어서 어머니의 곡소리가 크게 나며 한필이와 성필이 형제가 무슨 영문인지 몰라하며 할아버지의 머리카락을 쓰다듬고 있다가 제 아비 어미가 울부짖으며 곡 소리를 내자 두 형제도 따라서 울기 시작하였다.
범성이 진정을 하고서,

"엄니 이게 어찌 된 일이래유?"
하고 어머니를 돌아보며 말했다.
김 노인의 머리맡에서 반쯤 정신이 나간 어머니가 더듬거리며,
"나두 몰러, 아침에 일찍 일어나는 양반이 안 일어나기에 깨우려구 햤더니 글쎄 이렇찮여."
범성은 생각지도 않은 일을 생전 처음 맞닥뜨림에 어찌해야 할지 몰라 망연자실하고 있을 때
이른 새벽의 곡소리를 듣고서 뒷집에 사는 삼식이가
"뭔 일이랴?"
하면서 범성의 집으로 들어섰다.
그리고는 이내 상황을 알아차리고서,
"아니, 이게 어찌 된 일이랴? 어제꺼정 성성하시던 분이 뭔 일이랴?"
하고 놀라서 뒤로 한 발짝 물러나면서 두 눈이 휘둥그레졌다.

삼식의 통보로 구장이 황급히 오고 곧이어 상억이와 마을 사람 몇몇이 와서 안마당에 차일을 치고 멍석을 깔아놓고 대문에 구장이 종이에 크게 喪中이라고 글씨를 써 붙여서 상갓집임을 알렸다.
바쁜 가을일도 일이려니와 추석이 낼 모래인데 상을 당했으니 동네 사람들도 난감하기만 하였다.
춘분이와 윤실엄마가 몇몇 아낙들과 함께 문상객들에게 내놓을 음식을 만드느라 부엌으로 들락거리며 바쁘게 움직이지만 아무런 준비도 없이 닥친 일이라서 허둥대기만 하였다.
"성님. 국수는 어디있슈?"
울어서 눈이 퉁퉁 불어 새빨개진 범성 아낙에게 춘분이 말하였다.
범성 아낙은 치마폭으로 눈물을 닦으며
"응 광에 가면 안쪽 설겅 위 궤짝 안에 있으니께 넉넉하게 해여. 그리구 다른 것두 거기 광 안에 다 있으니께 알아서 혀."
하며 치마 허리끈에 매달아 놓은 광 열쇠를 끌러서 춘분에게 건네

주었다.
춘분은 우선 국수 다발을 꺼내어 삶으라고 부엌으로 건네주고는 떡쌀 서 말쯤을 꺼내 물에 담그고 콩 두어 말을 두부를 만들려고 물에 불려 놓았다.
동네 아낙 몇이서 마당 한쪽에 솥뚜껑을 엎어 걸어놓고서 들기름 냄새를 잔뜩 풍기며 매운 연기에 눈을 가느스름히 뜨고서 누름질을 부치고 있었고,
바깥마당 우물가에서는 이수 아버지와 동네 사람 몇몇이 돼지를 잡는데 주위에는 아이들 몇몇이 그것을 구경하느려고 둘러 서 있었는데, 정작 아이들의 관심은 돼지의 오줌보에 있었다.
오줌보에 바람을 잔뜩 넣어서 공차기하려고 기다리고 있었다.

구장은 대청마루 한쪽에 소반을 펼쳐놓고 거기에서 가느다란 붓으로 먹물을 찍어서 편지지에 여러 곳으로 보낼 부고장을 준비하면서
"이보게, 븜생이."
구장이 범성을 불렀다.
범성이 구장 옆으로 다가가자
"장례는 며칠 장으로 할껴?"
범성이 선뜻 말을 하지 않으니 구장이 다시 말하였다.
"삼일장으루허문 추석날이 되는디 그렇게 할 수는 없잖은겨?"
"없지유."
"그럼 천상 오일장으루 해야되겠구먼 그려."
"오일장으루유?"
범성이 되묻자
"그려, "
"천상 그렇게 해야 되겠네유."
"어디 장지는 따루 생각해 둔디가 있능겨?"
"장승배기루 모셔야 되잖겄시유.조상님들 허구 할아부지 가묘두 모두 거기 지시니깐유."

"그려 그럼 낭중에 매곡리 최 영감이 오무는 그리 일러 둘 테니 그건 됐구, 부고장 보낼 일가에는 빠짐없두룩 해야 혀."

원래 범성의 집안이 삼대독자 집이었기에 모친의 친정집 일가하고 매곡리 처가 이외에는 친인척이 없지만, 인근에서는 범성의 조부 때부터 평판이 좋았던 집안이라서 그만큼 부고장을 띄우게 되었다.

상억은 노란 봉투에 담긴 여러 곳으로 보내는 부고장을 허리춤에 간직하고 대문을 나섰다.

오후가 되어서 인근에 사는 문상객들이 오기 시작하였고 며칠 전 군대서 제대한 구장 집 큰아들인 한구와 승골닥 현수가 문상객들의 시중을 드느라고 바삐 움직이고 있었다.

문상객들이 마당에 쳐 놓은 차일 아래에 자리하고 고인과 그 부친의 덕담을 서로 주고받으며 이야기를 하였고 또 한쪽에서는 농사 이야기등 여러 이야기들이 오갔다.

"아니, 어떻게 앓지두 않구 돌아가셨댜?"

"편히 가실려구 그랬나부지."

"환갑이나 지내셨나?"

"아녀, 내년이 환갑일껴."

"환갑두 못 넘기셨구먼."

"우리 동네에 환갑 넘기신 사람은 구장님 뿐이여."

"근동 에두 환갑 넘긴 분은 서너 사람이 전부여."

"원, 한 甲子살기가 그리 어려워서야…. 환갑을 넘기면 장수하시는거여."

모여 앉은 사람들은 짧은 수명에 아쉬움을 탓하며 혀를 차면서 숙연하여졌다.

"그런디 한 달 전에 부산으루 피난 갔던 이승만 대통령이 이제 서울루 왔다는구먼."

"아니 그 소식을 이제서야 알았는가? "

읍내에서 온 문상객이 핀잔하듯이 말하였다.

"그려, 그것두 누가 말해서 알았지. 촌구석에서야 알 수가 있남?"

"아니, 라지오 소리두 안 들어?"

"이런 촌구석에 라지오 있는 집이 어디 있다구 동네 다 뒤져봐두 라지오 있는 집이 어디 있어."

옆에 앉아있던 다른 사람이 이야기에 끼어들면서,

"이승만 박사 대통령이 서울로 왔건 안 왔건 우리헌티 뭔 상관이여 그저 즌쟁만 없구 농사나 풍년들면 되는거지 뭐."

(1953년 8월 15일 대한민국 정부가 임시 수도였던 부산에서 서울로 비로서 환도하였고 한달뒤인 9월 16일에는 대한민국 국회도 환도 하였으나 먹고사는 생활이 피폐해진 사람들에게는 큰 관심 대상이 아니었다.)

해가 서산 봉우리에 걸쳐 있을 때쯤 부고장을 돌리러 갔던 상억이가 지친 몸으로 돌아왔다.

"상엑이 돌아왔구먼, 다니느라고 욕 많이 썼지? 그래 알릴 데는 죄다 알렸지?"

하는 구장의 말에,

"야, 다 기별했슈. 근데 읍내 면장님은 서울 가서 읎더구만유."

"기별했으문 됐어 어서 시원한 막걸리루 목이나 축이게."

"야."

상억은 구장의 말에 대답하면서 옆구리에 찬 수건으로 얼굴과 목덜미에 배인 땀을 씻었다.

춘분이 작은 소반에 국수 한 그릇에 누룸질과 큰 대접에 막걸리를 가득 담아서 상억의 앞에 내려놓으며

지친 얼굴의 신랑을 안쓰러운 눈으로 보면서,

"미정 아부지 욕 봤슈. 부고장 다 돌릴라문 몇십이라는 걸어 다녔겠구먼유."

하고 위로의 말을 하였다.

"부산까정두 걸어간 사람인디 뭐 이까짓꺼 쯤이야."

하고 춘분의 말에 상억은 씨익 웃으며 대답하였다.

부산이라는 상억의 말에 춘분은 얼핏 아야꼬가 생각이나서,

"부산 아야꼬 아줌씨 집에두 연락한거유?"

하고 물어봤다.

"그려 우체국에 가서 편지를 띄웠어."

"편지가 가려면 닷새는 걸릴 건데?"

"어차피, 멀어서 못 올 테니 알구나 있으라구 혔어."

"그려유 좀체 멀어야지."

날이 어숙하여 질 때, 구장이 큰아들 한구에게,

"대문 앞에 상갓집을 알리는 호롱불을 내다 걸어라."

하고 말하였다.

한구는 석유 호롱불에 불을 붙여서 지게 작대기에 매달아 대문 옆 틈새에 고정하여서 붙들어 매니 대문 앞마당이 훤해졌다.

농사일에 바빠서 낮에 못 온 문상객들이 하나둘 대문 안으로 들어섰다.

춘분이와 동네 아낙들이 부억 뒷문 밖 한쪽켠의 임시로 만들은 화덕에서 두부를 만들고 있었다.

낮에부터 부억 아궁이에서는 일체 불을 때지 말라는 구장의 말이 있었기 때문이다.

"날씨두 더운디 아궁이에 불을 때면 방 구들이 절절 끓는데 오일장을 치루려면 시신이 어찌 되겄어?

생각들을 좀 해봐. 그러니깨 아궁이에는 일체 불을 넣지 말두룩 혀 다들 알았지?"

하고 엄명을 내렸던 탓이었다.

사랑채에 걸어놓은 쇠죽 삶는 큰 솥 앞에서는 돼지를 삶는데 다 익어가는지 맛있는 고기 냄새가 진동을 하였다.

안방에서 시어머니가 범성 아낙에게 넌지시 낮은 소리로

"에미, 니가 생각이 깊은 탓으루 미리 수의를 만들어 놓아서 다행이다."

하고 며느리의 선견지명을 칭찬하였다.

"원, 엄니두…. 안 만들었으문 아버님이 돌아가시지두 않았을지 모르는거 아녀유?"

"명이 그것 뿐이지만서두 죽기 전에 메누리 덕에 시원한 모시적삼 입고서 삼복더위두 지냈구 이승을 떠나 저승으로 갈 때 입으라구 맹글은 삼베 수의도 입었으니 호강을 한거여."

"생전에 잘 모시지두 못했는데 어째 이리 아무 말씀두 못허시구 무에 그리 바쁘신지 훌쩍 가 버리셨는지 모르겄어유."

"그러게 말이다."

시어머니와 며느리는 또 흐르는 눈물을 치마폭 끝으로 닦으면서 서로를 위로하였다.

추석을 하루 앞둔 9월 21일 날

아침 일찍이 매곡리 친정집에서 친정아버지가 문상을 왔다.

범성 아낙은 친정아버지 앞에 앉아있노라니 돌아가신 시아버지 생각이나서 눈을 지그시 내리감았지만 고였던 눈물은 막지 못하였다.

"이제 그만 울 거라. 편안히 가셨으니 호상인데 자꾸 눈물을 흘려도 좋지 않으니라."

하며 친정아버지는 범성 아낙을 진정시키었다.

범성 아낙은 눈물을 훔쳐내고는

"엄니는 잘 지시구유?"

"그려, 니 어미는 요즘 간난쟁이 보는 재미에 푹 빠져있지."

"애기 엄마는 어뗘유?"

"안죽꺼정은 정신이 들었다가 나갔다가 하는디 지 새끼 챙기는 것을 보며는 점점 좋아지는 것 같기두햐."

"다행이네유."

"그나저나 멩절을 앞두고 돌아가셨으니 황망스럽기두 하구나."

친정 아버지는 추석을 앞 둔 초상을 치를 일이 적이 걱정이 되어서 말하였다.

"인력으루는 안 되는 일인걸유."

범성이 장인 의 빈 잔에 술을 따르며 도리가 없는 일이라며 대답하였다.

"초상집이 쓸쓸할테니 니가 여러모루 잘 도우거라. 그리구 상여꾼들은 다 짜 놨느냐?"

장인어른이 옆에 있는 상억을 돌아보며 말하였다.

"야 다 맞춰 놨어유."

"상엑이 니가 고생 많이 했구나."

"지가 뭘 했다구유. 그냥 당연한 일을 했을 뿐인걸유."

상억은 손사래를 치며 겸손해 하였다.

미운 일곱 살

경황없는 속에서 추석 명절과 장례를 치루느라 혼이 다 빠진 범성과 아낙은 천근만근 무거워진 몸을 추스르며 안방의 어머니 앞에 앉았다.
며칠 새, 어머니의 모습이 많이 수척하여짐을 한 눈에 알아볼수 있었다.
“엄니 고생 많었시유. 이제 좀 푹 쉬셔유.”
범성이 수척하여진 어머니의 모습이 안쓰러워서 나직이 말하였다.
“고생이야 늬네 들이 했지. 그리구 한필이헌티 뭐라구 야단치지 말거라. 애들이 뭘 알겠냐.”
“아무리 몰라두 그렇지유. 그렇게 말을 해두 듣지 않으니 혼은 내야지유.”

장례를 치르던 날 범성은 아침 일찍이 한필이를 불러 앉히고
“한필아, 오늘은 할아버지 산소에 모시는 날이니까 핵교에 가지 말고 상여 따라서 산으로 가야된다. 알았지?”
범성의 말에 한필이는 뿌루퉁하게 입을 한발이나 내밀고 있다가,
“싫어 오늘은 소 운동회가 있어서 한 사람도 결석하지 말라구 선생님이 말했어.”
“그래두 오늘은 할아버지가 영영 떠나시는 날이니께 니가 집안의 장손이니께 빠지지 말구 산소에 함께 가야 하는 거여. 알았지?”
“그래두 싫여. 내가 안 가면 6명씩 달리기를 하는데 5명뿐이 안

되잖어?"
한필이는 입을 쑥 내밀며 할아버지를 장사지내는 것보다 함께 달리기할 조직에 자기가 빠지면 안 된다는 생각에 뿌루퉁해져서 말을 하였다.
"이 녀석이, 왜 이리 말을 안 들어. 오늘은 할아버지가 증말루 떠나가는 날이야 알았지?"
하고 우격다짐을 하였지만, 기어이 한필이는 아침밥을 안 먹고 전에 식구들도 모르게 혼자 몰래 빠져나가 학교로 갔었다.
장사를 지내는데 장손인 한필이가 학교에 간 것을 범성이 뒤늦게 알고는 절치부심하는데
"성, 내가 가서 한필이 데려 올까유?"
하고 보다 못한 상억이가 말을 하니까 할머니가 손을 저으며
"아서라 그 어린것이 무얼 알겄니 내버려 두어라."
라고 만류하였었다.
"엄니, 그렇게 맨날 한필이 역성을 들어주니깨 애가 삐뚤어지게 되잖아유. 오늘은 가만지셔유 버릇을 고쳐놔야겄어유."
범성은 단호한 어조로 말하면서 단단히 혼내어 주리라고 마음을 굳혔다.
학교에서 돌아온 한필이는 그래도 마음 한구석에는 제가 잘못한 것을 조금이나마 아는지 집으로 들어오지 못하고 바깥 마당 채에 있는 돼지우리 옆의 헛간 구석에 쪼그려 앉아있다가 마침 돼지 밥을 주러 간 제 어미에게 들켰다.
아버지에게 야단맞을 일에 안절부절못하고 눈을 동그랗게 뜨고 혼이 쏙 빠져있는 한필이를 본 범성 아낙은 가슴이 철렁하였다.
"한필아 왜 여기 이렇게 있는 거야?"
범성 아낙이 다가가서 앞치마 귀퉁이로 한필이의 흘러내린 콧물을 닦아주면서 자애스럽게 말하며 머리를 쓰다듬어주니까 한필이는 겁에 질려 억눌려 가슴속에 있던 울음이 터졌다.
그런 모습이 안쓰러워서 범성 아낙은 자식을 꼭 끌어안으며,

"아부지한티 잘못했다구 두 손으로 빌어. 그러나 오늘은 니가 많이 잘못한 거야 알았지?"
범성 아낙의 품속에서 한필은 고개를 끄덕이었다.
범성 아낙은 아들의 손목을 잡고 집으로 들어가는데 범성의 노기 찬 눈빛과 마주치자, 한필은 그만 오금이 저리어서 엉덩이를 뒤로 빼며 제 어미 뒤로 숨으며 숨어들었다.
"이리 와, 이눔의 자식."
노기 어린 범성은 방구석에 있던 수수 빗자루를 거꾸로 움켜쥐고는 한필이를 무섭게 노려보며 호통을 치며 한필이의 엉덩이를 세게 내리쳤다.
한필이는 처음 당해보는 아버지의 매질에 까무러치듯이 놀라 주저앉으며 두 손을 싹싹 빌면서,
"아부지, 아부지 지가 잘못했어유."
하며 겁에 질려 새파래진 얼굴에 눈물 콧물이 범벅이 되어 울었다.
보다 못한 어머니가,
"얘, 애비야 어디 부모 앞에서 지 새끼라구 마구 때리는 벱이 있더냐? 어디서 배운 짓거리냐?"
하며 범성의 손에 들린 빗자루를 빼앗았다.
그제서야 냉정함을 되찾은 범성이
"엄니 지가 그만 화를 참지 못했어유. 잘못했어유. 엄니."
"한필이 너두 애비 말을 들어야지 늬 애비 화내는 거 처음 보니 무섭지?"
할머니의 말에 한필은 어깨를 움츠리고 제 애비 눈치를 살피면서 고개만 끄덕이었다.
그런 한필이를 데리고 범성 아낙은 대청마루로 나와서 앞치마 자락으로 한필이의 눈물 콧물을 닦아주곤 꼭 껴안아 주며,
"아부지 화 나문 엄청 무서워. 그러니 아부지 말 잘 들어야 되는거여 알었지?"
어미의 말에 한필이는 고개만 끄덕이었다. 그 사이로 동생 성필이

가 끼어들어서 제 형인 한필이의 볼에 흘러내린 눈물을 고사리손으로 닦아주고 있었다.

다음 날,
학교 운동회가 열리는 날, 하늘은 높고 눈이 시리도록 맑고 푸르렀다.
한필이는 어제의 일은 까마득히 잊어버렸는지 새벽녘에 일어나서 고양이 세수하듯이 코끝에 물을 찍어 바르고 있는 것을 본 범성 아낙이

"야 이 녀석아 귀하구 목 뒤로도 깨끗이 씻어야지 얼굴에 물만 묻히면 어떻게 하니? 코두 팽하니 풀구."

어미의 말은 들은 척도 없이 물에 젖은 손을 땅바닥을 향하여 휙휙 털고는 아침 밥상이 차려진 방안으로 쏜살같이 들어갔다.
그리고는, 횃대에 걸린 운동복을 내려서 입었다 벗었다 하며 마음이 들뜨더니 아침밥을 먹는 둥 마는 둥 하고는 학교로 갈 준비를 하였다.

"밥은 다 먹고 가야지, 뜀박질할 때 배고프면 힘이 없어서 못 뛴다."

밥도 제대로 먹지 않고 학교로 가려는 손자가 걱정스러워 할머니가 말하였다.

"안 먹어두 뎌. 엄마 이따가 학교 올거지?"

"그려 알었어.엄마가 즘신밥 싸가지구 갈거여."

범성 아낙은 말하며 허리춤에서 꼭꼭 접은 5환짜리 두 장을 꺼내어서

"뭐 사 먹고 싶은 거 사 먹어."

하며 아들의 손에 꼬옥 쥐여주었다.

"엄마 나 오늘 운동화 신고갈껴 고무신 신고 달리기하면 신발이 벗겨진단 말여."

아들의 말에 범성 아낙은 깨끗이 빨아 시렁 위에 올려놓은았던 운

동화를 꺼내주며,
"자, 니 운동화 여기있다. 그런디 오늘 뜀박질 일등을 할 자신 있어?"
"그럼 엄니, 내가 얼마나 잘 뛰는지 모르지? 나는 내 옆에 앉은 내 짝도 이기는데?"
"그려? 니 짝이 그렇게도 뜀박질을 못하니?"
"응 그 앤 맨날 꼴등이여."
라고 하면서 한필이는 벌써 대문 밖으로 뛰쳐나갔다.

만국기가 휘날리는 드넓은 운동장에는 먼저 온 상급생들이 학부형과 함께 선생님을 도와서 천막도 치고 책상 걸상도 옮기고 있었다. 그리고 벌써 많은 학생들이 와서 웅성거리는데 남자아이들은 하얀 운동모자 위에 빨간색과 파란색으로 된 띠를 두르고 여자아이들은 단발머리 맨 이마에 역시 빨간색과 파란색으로 띠를 매어서 자기가 홍군과 청군임을 나타내고 있었는데,
윤실이와 하정이 그리고 필운이까지도 파란 띠인 청군이었는데 한필이 혼자서 홍군이 되어 있었다.
"야, 이필운. 너 머리띠 뒤집어서 홍군으로 다시 매여."
은근히 샘이 난 한필이가 만만한 필운이에게 파란 띠를 빨간 띠로 바꿔 매라고 강요하였다.
"시려 선생님이 청군 하라고 했어."
"너 그라문 쓰루메(마른 오징어)안 사준다."
하면서 한필이는 손에 쥐고 있던 오 원짜리 돈을 필운이에게 내보여주었다.
한필이가 내보이는 돈을 보고서 필운이는 잠시 망설이다가 머리띠를 풀어서 빨간색 쪽으로 바꿔 맸다.
그렇게 마음을 바꾼 필운이 손을 잡고서 한필이는 오징어를 구워 파는 곳으로 갔다. 그 옆에는,
가겟집 순이 엄마가 펼쳐놓은 사과 상자 위에는 소다를 넣어서 잔

뜩 부풀린 둥그런 빵이 있었고,
뒤쪽으로는 큰 가마솥을 걸어놓고 실에 꿰어서 쪄낸 햇밤이 자르르 하게 윤기를 내고 사카린을 넣어서
찐 자주감자 빨간감자가 김을 무럭무럭 내고 있었다.
(그 시절의 과일상자는 지금처럼 종이상자가 아니고, 나무 널빤지로 만들어진 궤짝이기에 무척 튼튼하여서 옆으로 뉘어놓고 헝겊을 덮어씌워 책상으로도 사용하였는데 이를 앉은뱅이 책상이라고 하였으며,
설탕이 귀하였던 시절이었기에 대부분의 집에서는 사카린이라는 인공 감미료를 사용하였었는데 그 단맛이 설탕의 몇십 배는 되는 듯하였다.
훗날, 설탕의 공급이 원활하여졌지만, 사카린이 몸에 해롭다는 발표가 있어서 지금은 식용으로는 사용이 금지되어있다.)

오징어를 구워 파는 그곳에서는 숯불을 피워놓고 오징어 다리 한 개를 뜯어서 불 위에 올려놓고는 굽는 냄새가 널리 퍼지라고 부지런히 부채질하던 오징어 장사가 반색하며 한필이와 필운이를 기다렸다는 듯이 반기면서,
"쓰루메 두 마리 줄까?"
"한 개 얼마유?"
"둘이서 한 마리만?"
"야 한 개 유."
"한 마리 5환이여."
오징어 장사는 행여 안 산다고 할까 봐서 말이 떨어지기도 전에 한 마리를 숯불 위에 올려놓았다.
한필이는 뜨겁게 구워진 오징어의 다리를 뚝 떼어서 필운이에게 주고는,
아까 있던 곳으로 돌아와서 윤실이와 하정이에게도 구운 오징어를 찢어서 나눠 주었다.
그리고는 오징어를 찢어서 입안에 넣으니 구수한 맛이 입안에 가득히 퍼지는 순간,
"으잉."
하며 눈을 질끈 감고 얼굴을 찡그리었다.

할아버지 죽던 날부터 쬐끔씩 흔들린 이빨이 딱딱하게 구워진 오징어를 견뎌내지 못한 것이었다.
송으로 한쪽 볼을 감싸고 주저앉아 있다가 아픔이 없어지자, 일어나서 찡그린 얼굴로 손에 들고 있던 오징어 몸통을 송두리채 윤실이에게 내어주며,
"이거 니들 다 먹어."
윤실과 하정은 동그랗게 눈을 뜨면서,
"너는 안 먹어?"
"응 난 안 먹을 껴."
오징어를 받아 쥔 윤실과 하정이는 한필이가 왜 오징어를 안 먹고 주는지 의심스러워 받아 들은 오징어에 무엇이라도 묻혀있을까 하는 생각에 앞뒤를 찬찬히 살펴보았다.

드디어 청군과 홍군으로 나뉘어서 달리기가 시작되는데 한필이 차례가 되었다.
한필은 옆을 돌아보며,
"너 나보다 앞에 가문 가만 안 둬 알었지."
하고 옆 동무에게 미리 엄포를 놓았다.
화약총 신호에 따라 서로 일등 욕심에 흰 가루 선을 따라서 앞으로 내달리기 시작하였다.
범성 아낙도 학부형들 사이에 함께 섞이어서 고개를 내밀고 아들의 뜀박질에 박수를 치며,
"이겨라, 김한필 이겨라."
하고 목청을 높이어 응원하였다.
그런데 처음에는 중간쯤 달리던 한필이 뒤에 어물쩍거리며 필운이가 뒤따라 달렸는데,
오징어 다리 하나 얻어먹은 탓으로 한필이를 앞서지는 않았다.
한필이는 뒤를 흘끔흘끔 쳐다보다가 점점 뒤처지더니 필운이에게도 뒤처지어서 종내에는 꼴찌가 되었고

필운이는 2등으로 달리고 있는데도 한필은 제 뒤에 누가 따라오는지가 궁금하였던지, 또 뒤를 흘끔흘끔 돌아보았다.
그 모습을 보고 있던 범성이 기가 차서 헛웃음을 웃으며,
“저 녀석 지가 꼴등이면서 뭘 뒤를 쳐다봐.”
“아이구 그래두 끝까지 달리는 게 대견하잖어유.”
라고 하며 범성 아낙이 한필이의 역성을 들었다.
한필은 꼴찌를 하였지만, 연필 한 자루를 타 가지고는 어미에게 내주면서 자랑스레 씩 웃으며
“다음번에는 꼭 일등 할꺼여.”
하고 꼴찌를 한 것에 아무렇지 않게 천연덕스레 말하였다.
범성이 기가 차서
“예끼, 그래두 꼴등이 뭐냐.”
하고 말하니까,
“꼴등이 있어야 일등두 있잖어유. 어떻게 다 일등을 한대유?”
한필의 대답에 범성과 아낙은 어안이 벙벙하여졌다.
꼴찌를 하였음에도 전혀 개의치 않고 떳떳하게 자기의 주장을 피력하는 아들의 태연하고 의젓함이 대견스럽기까지 하였다.

점심시간이 지나서 학부형 달리기가 시작되었는데,
운동회에는 역시 학부형들의 달리기가 제일 구경거리였다.
별로 크지도 않은 학교였기에 달리기에 나온 학부형들은 어느 동네 사는 누구인지 아름아름 다 아는 사이였기에 더욱 재미있는 구경거리였다.
“아니, 저 젊은 샥시는 솔메골로 시집간 샥시 아니랴?”
“그려 맞어, 아마두 이 핵교 5회 졸업생일 거여. 그때는 단거리 선수로 이름을 날렸지.”
“저건 순이네 엄마잖여.?”
“맞구먼, 한번 뛰어 볼려는가부지. 순이 엄니두 핵교 다닐 때는 아마 일등 여러 번 했었지.”

"그때는 몸이 날렵했지만, 지금은 나이두 있구 저렇게 몸이 뚱뚱한데 무슨 뜀박질이여?"

"그래두 옛날 생각하며 한번 달음박질 해보려는걸껴."

이윽고 학부형들의 달리기가 시작되어서 어머니들이 먼저 출발선에 나란히 서서 뛰어나가는 신호를 기다리는데, 화약 딱총 소리가 들리고 어머니들은 일제히 자리를 박차고 앞으로 뛰쳐나갔다.

순이 엄마가 제일 먼저 일등으로 달려나갔는데,

몸빼 바지에 맨발로 턱을 위로 치켜들어 하늘을 바라보듯이 내달리다가 점점 뒤로 밀리더니 그나마 앞으로 엎어져서 운동장 바닥에 그만 얼굴을 갈아버렸다.

황급히 일어나서 다시 뛰어서 간신히 꼴찌는 면하였지만, 얼굴에 난 생채기는 면할 수 없었다.

많은 학부형의 웃음소리와 끝까지 뛰는 끈기에 박수를 보내는 속에서, 순이 엄마는 창피스러웠던지 손으로 얼굴의 생채기를 가리고는 얼른 소다 빵을 팔던 자리로 돌아갔다.

운동회가 끝난 날 저녁 밥상 앞에서 할머니가 맛있는 반찬 그릇을 한필이 앞에 놓아주면서,

"우리 한필이 많이 먹고 힘 생겨서 다음번에는 잘 뛰거라."

라고 하는 말에 한필은 창피해서 몸이 오그라지는 것 같았다.

"필운이 갸는 2등을 해서 손목에 도장을 받았는데 집에 와서도 그 도장을 안 씻는다구 하대유."

범성 아낙이 밥숟가락을 들면서 아들이 들으라는 듯이 시어머니에게 말하였다.

그 말에 심기가 꼬일대로 꼬인 한필이가, 밥숟가락을 내동댕이치면서,

"나 밥 안 먹어. 그라구 내가 이빨이 아퍼서 못 뛰었지 안 아팠으문 일등했어."

"이 녀석, 어디 밥숟가락을 집어던지구 그랴?"

범성이 한필의 행동을 엄하게 나무라니 어제저녁에 아버지에게 혼이 났던 생각에 한필은 주눅이 들었다.

"그리구 이 녀석아 뜀박질은 발로 뛰는 것이지 이빨로 뛰는 거냐?"

하는 범성의말에,

"증말이라니깨. 봐 여기 이 이빨이 이렇게 흔들리잖여."

하며 한필은 거짓이 아니라는 것을 증명이라도 하려는 듯, 입을 크게 벌리고 집게손가락으로 흔들리던 이빨을 꾸욱 누르며 움직여 보여주었다.

아까 구운 오징어를 씹었을 때 더 충격을 받았던지 어제 보다 많이 흔들리었다.

"아니 얘가 이 갈이를 하는가 보네유."

범성 아낙이 흔들리는 한필이의 이빨을 보고는 말하였다.

저녁밥을 먹고 난 후에 할머니가 한필이를 불러서 앞에 앉히고는,

"얘 에미야 무명실하고 속헤(목화 솜)를 가져오너라."

범성 아낙이 반짇고리에서 무명실과 솜을 준비하여 시어머니에게 주었다.

"한필아, 할미가 니 이빨 흔들리지 않도록 꼭 쩌매 줄 테니 입을 크게 벌려 보아라."

"싫여 만지문 아프단 말여."

한필은 머리를 도리질치면서 앉은 엉덩이를 뒤로 빼면서 말하였다.

"아녀, 이빨이 더 흔들리지 않게 옆에 있는 이빨하고 꼭 붙들어 쩌매야 안 빠지는 거여."

할머니의 그럴듯한 말에 안심하고 한필은 할머니 앞으로 바짝 다가앉아서 입을 크게 벌리었다.

"아이구 우리 손자 이빨도 참 이쁘게 생겼구나. 이렇게 이쁜 이빨이 빠지면 안되니께 꼭 쩜매줄께."

할머니는 무명실로 흔들리는 이빨을 옭아매고 난 다음, 갑자기 한

필이의 마빡을 '탁' 치면서 손에 잡고 있던 무명실을 낚아채었다.
"?"
순간적으로 무언가 입안에서 따끔하더니 할머니가 쥐고 있는 무명실 끝에 대롱대롱 매달린 이빨을 보고
한필은 그만 우왕하고 울음을 터트리었다.

운동회가 끝나고 한 달이 훨씬 지나 무서리가 내렸던 날,
"얘 에미야 오늘은 볕이좋으니 광목을 삶아두 좋을 것 같구나."
하고 시어머니가 빈 밥상을 치우려 들고 나가는 범성 아낙에게 말하였다.
"그렇네유. 매일 미루다보니 않되겄어유 오늘은 해야 되겄어유."
라고 대답을 하고, 설거지가 끝난 후,
범성 아낙은 벽장속의 광목을 꺼내어 풀어헤쳤다.
쇠죽을 끓이는 큰 가마솥을 깨끗이 씻고 풀어놓은 누르스름한 빛깔의 광목을 넣어 잿물에 우려 삶으려 하는데 시어머니가 아궁이 앞에 쪼그리고 앉아서 풍구(아궁이에 바람을 공급하여주는 수동식 도구) 바퀴에 고무줄을 끼우고 있었다.
그리곤 가마니 속의 왕겨(쌀을 분리하고 남은 벼 껍질)를 덜어내었다.
"엄니 지가 할테니까 추운데 방으루 들어가셔유."
"아니다. 늙은이가 방구석에만 있으면 못쓴다."
"그래두 날씨가 호되게 추워유."
"불 앞에 앉아있는데 춥긴 뭐가 춥겄느냐."
"그럼 엄니, 지는 그동안에 술 담을 누룩을 빻아야겄어유."
"그러려무나. 여긴 내가 알아서 헐테니깐."
범성 아낙은 아궁이를 시어머니에게 맡기고 고방으로 들어가서 초여름에 수확하여 밀가루를 뽑아내고 남은 밀 껍데기로 빚어 만든 잘 뜬 누룩을 두어 개 꺼내 절구에 넣어 거침거침 부쉈다.
"에미야 이거 한번 뒤집어야겠구나."
시어머니의 말에 범성 아낙은 광목을 삶는 가마솥 앞으로 다가서서

뚜껑을 열고 쇠죽을 끓일 때 사용하던 고물개(기억자 모양의 도구)로 가마솥 안의 광목을 위아래로 한번 뒤집었다.

"불을 줄여야 안 되겄냐?"
"그만 때두 되겄어유."
시어머니는 며느리의 말에 따라 아궁이에서 풍구의 주둥이를 빼내고 부지깽이로 타고 있던 왕겨를 헤쳐서 불 화기를 낮추었다.
잿물에 삶은 광목을 꺼낼 즈음에,
"얘 아범아 이리 나와 보거라."
"왜유?"
"이거 무거우니깨 아범이 꺼내어서 우물가로 옮겨 주거라."
삶아진 광목 2필이 물을 함빡 머금어서 무겁기도 하였지만, 또한 뜨거웠기 때문이었다.
(광목 한 필의 규격은 넓이 3자 길이 30자로서 1m X 10m 규격)

우물가에서 두레박으로 퍼 올린 찬물로 몇 번 헹궈 낸 광목은 본디 누르스름했던 색은 어디로 갔는지 새하얗게 표백이 되어 있었다.
텃밭 옆의 깨끗한 마른 풀밭에 길게 펼쳐 놓으니 백옥같은 광목 2필이 마치 흰 눈이 내려 쌓인 듯 보였다.

범성 아낙은 쌀 두되가웃을 내어 고두밥을 지어서 대청에 맷방석위에 골고루 펼쳐 놓았다.
(맷방석. 볏짚으로 엮은 지름 80cm쯤 되는 둥그렇고 가장자리에 위쪽으로 굽 테가 있는 짚공예품)

"얼마나 한겨?"
시어머니가 펼쳐 놓은 고두밥을 보며 분량을 물었다.
"두 어 됫박 했어유."
"하는 김에 조금 더하지 그랬냐."
"이만하면 될 성싶어서요."

"허기야 술 먹을 사람두 벨루 없지만,"
"엄니, 초아흐렛날이 할아버님 기일이잖어유."
"아 참, 그렇구나! 내 정신머리가 이렇구나."
시어머니는 깜짝 놀라 멋쩍어하면서 주먹으로 자기 머리를 쥐어박았다.
만주로 떠나서 생사를 모르는 시아버지의 제삿날을 정하여서 지내는 날을 잊은 것에 대한 스스로의 자책이었다.
맷방석 옆으로 성필이가 다가와 앉아서 고두밥을 한 움큼 움켜쥐고 먹고 있었다.
"에이 이 녀석 탈 난다."
범성 아낙이 성필이를 맷방석 앞에서 떼어 놓았다.
"내비둬라 그 어린 게 먹으면 얼마나 먹겄냐."
시어머니는 그저 손주의 입에 들어가는 것이 좋은지 싱글벙글 웃으며 말하였다.

며칠이 지난 후,
범성 아낙은 시렁 위의 누에고치를 끓는 물에 한소끔 삶아 물레에 걸어서 자아내어 색색으로 물들인 실로 베갯모 마구리에 한땀한땀 정성이 가득 담긴 壽福康寧(수복강녕) 네 글자를 손가락에 골무를 끼고서 날렵하게 수를 놓아 시어머니 베개에 붙여놓았다.
시어머니는 베개를 들고서 한참을 바라보다가 며느리의 얼굴을 한참이나 쳐다보더니
"참 곱기두 하구나. 내가 늙어서 호사를 누리는구나."
라고 하며 몹시도 좋아하였다.
시어머니가 아기처럼 좋아하는 모습을 바라보며 범성 아낙도 마음이 흐뭇하여짐을 느끼며,
그날 저녁,
범성 아낙은 며칠 전 목화솜 가득 담긴 소쿠리 속에서 잡티를 깨끗이 골라놓았던 하얀 목화를 씨아(목화의 씨를 분리하는 도구)에 걸어 씨

를 빼고 무명실을 뽑기 위해 물레에 설주(물레를 고정시키는 기둥)를 세워서 무명실을 자아내어 실방구리에 감는데,
건넌방의 아들 녀석 한필이가 크게 소리내어 국어책 읽는 소리가 등잔불 불빛 흐르듯이 낭랑히 귀에 들렸다.
범성 아낙은 아들의 국어책 읽는 소리를 귀담아들으며 입가에 엷은 미소를 지으며 물레를 돌리던 팔에 더욱 힘을 주었다.
(어미가 자식을 위함은 지금도 마찬가지이지 만,
그때와는 그 형식이 많이 바뀌었다.
삼종지로(三從之路)라 하여, 여자는 태어나서 아비를 따르고 혼인을 하며는 남편을 따르고 남편이 죽으면 자식을 따라야 한다는 암묵적인 규범이 있었기에 어미가 자식에게 쏟는 모성애에 더 보태어져서 대단하였다.
요즘처럼 잘잘못을 구분 못하고 막무가내로 자식을 키우는 일부 몰지각한 어미는 없었다

구장 집 아들

가을 일 끝내고서 집집마다 새경(동네일을 봐 주며 1년에 한 번 받는 댓가)으로 나락 1말을 걷어가는 구장 집 아들 한구는 군대에서 제대를 하고 와서는 한동안 집에 있더니 근래에는 읍내에 무슨 볼일이 그리 많은지 매일 읍내로 나다니기 시작하였다.
아침에 일어나면 위에는 군용 내복 차림으로 칫솔에 치분
(지금의 튜브형 치약이 나오기 전에 분말로 만들어진 치약)

을 묻히어 거품을 입안 가득히 물고서 이를 닦고는 머리는 어디에서 구했는지 찍구(포마드. 머리기름)를 기름 독에 쥐 빠진 듯 잔뜩 발라 빗질로 멋을 내고는 검게 염색한 군용 점퍼에 역시 검정색으로 염색한 군화를 매듭지어 신고서 또 읍내로 나갈 요량으로 채비를 하고 있었다.
인근 동네에서 군대에 갔다가 정식으로 제대를 하고 온 사람은 한구 뿐이라서 사람들은 한구를 높이 추켜 주었기에 그는 어깨가 으쓱하였고 의기양양하였다.
“또 나가는게냐?”
한구의 그런 꼴이 마뜩하지 않은 구장이 핀잔을 주며 말하였다.
“얼릉 돌아올게유.”
“얼릉 온다는 놈이 조선천지 뽄때(모양. 멋)를 내고 나가는거여?”
“금방 온다니께유.”
“오늘 헛간 지붕에 이엉을 엮어 올려야 하는디 언제 할려구 그러는거여?”
“지두 알구 있슈. 금방 돌아 올꺼유.”

『하리골사람들 1부』

한구는 구장의 말을 귓등으로 들으며 부리낳게 밖으로 나갔다.
그런 아들의 뒷모습을 보며 구장은 혀끝을 차면서
"쯧쯧, 저게 사람이 될런지 모르겼네."
하며 중얼거렸다.

한구가 읍내로 나가고 얼마 되지 않아서 중매쟁이가 한구 어머니가 구장 집 안방에서 마주 앉았다.
"아, 그러니께 샤씨도 참하구 하니께 딴 데서 청혼이 오기 전에 얼릉 정하자구유."
"아무리 그랴두 그렇지."
"내가 여기 벌써 멫번째유. 그만큼 좋은 샤시가 없으니깨 자꾸 오능거 아녀유? 오늘은 아예 혼삿날을 잡도록 허면 좋겂시유"
"그렇게 서두는 속 맴이 있는게 뭐유?"
"그렇게 말하문 샤시 쪽에 무슨 흠이 있어서 그러는 모양인디, 내 말이 그짓말이문 하늘에서 벼락이 내리쳐두 난 할 말이 없어유.."

한구가 군에서 제대하고 집에 돌아왔을 때 얼마 되지 않아서 중매가 들어 왔었다.
구장과 구장 댁도 처음에는 서두를 일이 아니라는 듯 지나치다가 한구가 자꾸 집안일에는 소홀히 하며 밖으로만 나돌기 때문에 혼인이라도 시켜서 집안에 붙들어 두기 위하여 관심을 기울이기 시작하였다.
그래서 결국에 양가 측에 의사가 소통되어서 구장이 삼십여리나 떨어진 색싯집에까지 가서 선을 보고는 마음에 흡족하여 사주단자가 오가고 혼인날을 잡고서 구장은 아들에게 말하였다.
"그러니깨 너두 그리 알구 있거라."
아버지에게서 그 말을 들은 한구는,
할 말이 있는 듯 머뭇거리다가,

"왜 내 말은 안 들어보구 그랬어유?"
하고 퉁명스레 말하였다.
"부모가 정해주면 그렇게 하는 거지 좋구 나쁘구 가 어디 있는 거여?"
"그래두 혼인할 사람이, 난디. 맘대루 그렇게 하문 어쩐대유?"
아들의 말에 구장은 벌컥 화를 내며 일언지하에,
"시끄러 암튼 혼인 날짜 잡았으니 시키는 대루 혀."
"아부지 난 못 하겄시유."
"안 허문, 안 허문 어쩌겄다는 게야?"
"다른 사람이 있어유."
"뭐라구? 딴 사람이 있다구?"
"그려유."
"그려? 이 녀석이 바람이 났냐? 그래 그러문 그게 누구냐?"
"안죽꺼지는 말 못 해유."
"뭐? 말 못혀? 괜히 핑곗거리 대지 말고 하라는 대루 혀."
"핑계가 아녀유 증말이라구유."
"그 씰때읎는 얘기 작작하구 애비 뜻대루 하거라. 안 그러문 넌 자식두 아녀."
구장은 한구에게 최후통첩이라도 내리는 듯이 일갈하였다.

우여곡절을 겪은 후에 한구의 뜻은 좌절되고 결국 구장의 뜻대로 혼인은 동짓달 열아흐렛날로 빠르게 진행되었다.
새 식구 맞으려고 집 단장을 하는데 어제 만들어 놓았던 이엉(초가집의 지붕을 덮기 위하여 짚으로 만든 것.)과 용마름(초가지붕의 맨 꼭대기에 얹는'ㅅ' 자형으로 엮은 이엉)을 틀어 앉히고는 새끼 줄로 얽어 묶으니 비바람에도 끄떡없어졌다. (초가지붕은 보통 2년에 한 번씩 새로 한다.)
"얘 애순아 풀 다 쒔냐."
구장 댁이 부엌을 향하여 크게 말하였다.
애순이는 한구의 여동생으로 제 오래비와는 열 살이나 아래였다.

원래 한구 아래로 여동생이 하나 더 있었는데 해방이 되던 해에 홍역을 앓다가 죽었다고 한다.

"이제 끓으니 다 됐어유."

부엌에서 애순이가 대답하였다.

"그려? 다 됐으면 물을 타서 지룩허게 섞어 가져와라."

구장 댁과 애순이가 낡은 벽지를 뜯어낸 곳에 초지(도배 전에 미리 바르는 얇은 종이)를 바른 다음 벽지에 풀을 발라 무늬를 맞추어 빗자루로 쓸어가면서 산뜻하게 도배를 끝내고 모아두었던 비료 포대의 속 종이를

장판지로 마름질을 하여 풀을 발라서 방바닥에 주름 없이 발랐다.

"애순아 방바닥을 빨리 말려야 하니께 아궁이에 불을 괄게 많이 지펴라."

구장 댁은 딸에게 말하고서,

각 방의 방문을 떼어서 벽에 비스듬히 세워놓고 붙어 있던 헌 문종이를 뜯어내고 젖은 걸레로 문 살에 묻은 때와 먼지를 닦아내었다.

그리고서는,

방문 칫수에 맞추어서 마름질한 문종이에 골고루 풀칠하여 문 종이가 쳐지지 않게 조심하여 딸과 함께 붙이고는 빗자루로 골고루 붙으라고 살살 쓸어주고 난 다음,

바가지에 담긴 고인 물을 한입 가득 머금어 문에 뿜어주었다.

"엄니 왜 물을 뿜어주는거유."

애순이가 고개를 갸웃하고 물을 뿌리는 이유를 물었다.

"응 이래야 문 창호지가 마르면 팽팽해져서 구멍두 안 나구 튼튼해지는 거여."

"물 뿜기는 것두 재주가 있어야 되겄네유."

"너두 하나하나 배워야 시집가지."

"원, 엄니두 물 못 뿜긴다구 시집 못 가나유?"

"그래두 안 간다는 얘기는 안 하누먼."

구장 댁의 우스갯 말에 애순이는 귓볼이 빨개졌다.

"자, 다된 것은 번쩍 들어다가 햇볕들은 담벼락에 세워놓거라."

얼마 후,
햇볕이 좋아서 문 창호지는 손가락으로 튀겨보아도 탱탱한 소리가 날 정도로 잘 말라 있었다.
애순은 담장 아래 철 늦게 피어있는 빨강색 코스모스 꽃 이파리와 잎사귀를 뜯어와서 문고리 주위에 문창살에 자리잡아 펼쳐놓고 그 위에 창호지를 한 겹 더 겹쳐 발랐다.
보기에도 좋거니와 문을 여닫을 때 손이 많이 접촉되는 부분이었기에 제일 먼저 뚫어지는 것을 방지하기 위함이었다.
그리고는 앉은키 높이에 조그마한 맑은 손바닥 반 뼘쯤 되는 유리 한 조각을 붙여서 밖의 동정을 살필 수 있도록 하였다.
완성된 방문을 제 자리 찾아서 걸어놓고 이번에는 물에 불려놓았던 콩을 물기를 빼어서 절구에 얼컹설컹 으깨어 두어줌 베 주머니에 넣어 주둥이를 단단히 묶은 다음 그걸로 방바닥에 발라놓은 장판지에 힘을 주어 문지르기 시작하였다.
"엄니 이건 왜 이렇게 하는거유?"
애순이가 무릎을 꿇고 베 주머니를 방바닥에 문지르며 물었다.
"이렇게 하문 콩 찌꺼기에 있는 콩기름이 장판에 배어들어서 매끄럽고 질겨지는겨. 그러니깨 힘을 주어서 골고루 문질러라."
"콩 비린내가 많이 나네유."
"방바닥에 불을 지폈으니 조금 지나면 냄새가 없어질거여."
그날,
구장 댁과 딸 애순이는 방바닥에 콩대미를 허리가 빠지도록 하였다.

잔칫날이 되어서 한구가 색싯집에서 장가를 들고 오는데 많은 사람들이 모였다.
새신랑의 뒤를 따라서 오는 꽃가마 문을 열고 동네 아낙들이 안을

들여다보니,
꽃 가마에는 연지곤지 찍고서 족두리에 원삼 옷을 입은 새 색씨가 살포시 눈을 내리감고서 탔는데,
"새 샥씨가 참 말로 곱기두 하다."
하며 이구동성으로 찬사를 하며 얼굴에 웃음꽃이 활짝 피웠다.
꽃 가마 함께하여 색씨 집안 어른이 후행하며 새살림 보따리는 짐꾼들이 등짐을 지고 따랐다.
(후행. 신부 집에서 첫날 밤을 지낸 다음 날 신부가 신랑 집으로 갈 때 함께 가는 신부 측 보호자 즉 후견인)

동네가 떠들썩하니 잔치가 벌어지고 난 며칠 후,
읍내의 상억이 처제인 옥이 이모가 며칠을 슬피 울다가 헛간에서 목을 매었다는 소문이 돌고 이어서 사람들이 수군대기를 두 사람이 죽은거나 마찬가지라는 소문이 떠돌았다.
그 일로 인하여 옥이 아버지 상억이와 옥이 외갓집에서는, 한구가 저지른 탓이라며 구장 집과 많이 싸웠으며 오랜 세월을 두고 서로 외면하고 지냈다.

그해 섣달,
하늘에 잿빛 구름 가득하더니 초 저녁 무렵부터 함박눈이 앞이 보이지 않을 만큼 쏟아져서 세상이 멈춘 듯 삼라만상이 고요한 속에서 독구가 낳은 강아지 세 마리가 제 어미 따라서 이리 뛰고 저리 구르면서
눈송이를 주둥이로 무는 시늉을 하면서 짖어대기도 하였다.
어둠이 내리자 내리는 함박눈에 문 살에 비치는 등잔 불빛도 희미한데,
방안에서 두런두런 말소리가 들렸다.
"에미야 올해는 보리가 풍년이 되겄구나."
그 에, 범성 아낙의 말이 이어졌다.
"그러게 말이유.눈이 많이 오는걸 보니까 보리 풍년은 맡아놨구

먼유. 그런디 뭔 눈이 이렇게 많이 온대유?"
듣고 있던 한필이가 고개를 갸우뚱하며 할머니를 바라보며,
"근데 할무니 눈이 많이 오무는 어째 보리 풍년이 돼유?"
하고 궁금증을 물어보았다.
할머니는 그런 궁금함을 알아보려는 손자가 대견스럽던지 머리를 쓰다듬어 주면서,
"그건 말이다. 보리밭에 지금 보리싹이 새파랗게 나와 있잖니? 눈이 와서 그것을 덮어주면 보리싹이 얼어 죽지 않는단다. 그러니 보리가 죽지 않고 잘 커서 보리 풍년이 되는거구."
"눈 쌓이문 눈 속이 추워서 얼어 죽을틴디."
"땅 하구 눈 사이에는 얼지 않는단다."
"왜유?"
"그 사이에는 물기가 있기 때문이기도 하구 또 따뜻하단다."
"....?"
한필은 할머니의 말이 믿기지 않아서 거짓말이라고 생각하였다.
(농촌진흥청, '겨울에 눈이 많이 오면 보리농사가 풍년이 든다' 는 속담이 있다. 보리, 밀처럼 추운 겨울을 나는 작물은 눈이 쌓이면 보온 효과가 있고, 수분공급이 잘 되어 안전하게 월동을 한다는 뜻이다.)

범성네 식구들은 화롯불을 가운데 하고 빙 둘러앉아 있었는데,
화로 속의 잿불에 묻어둔 감자가 다 구워졌는지 보려고 범성 아낙이 부젓가락으로 뒤적거려보았다.
잿불에 익은 감자 냄새를 맡던 한필이가,
"할무니 이 감자에서 할무니하구 똑같은 냄새가 난다."
"왜, 그래서 안 먹을껴?"
할머니의 말에,
"아녀, 그기 아니구 구수한 냄새가 난다구유."
손자의 듣기 좋은 말에 할머니는 흐뭇해하며 궁둥이를 툭툭 두드려 주었다.
그리고는 손을 후후 불어가면서 뜨거운 감자의 껍질을 벗기어 주었

다.

“할무니는 손이 안 뜨거워?”

“할미는 손바닥이 두꺼워서 안 뜨거워.”

그렇게 말하면서 껍질을 깐 감자를 쪼개어 후후 불어 식혀서 손자의 입속에 넣어주었다.

“엄니, 지가 먹게 놔 둬유. 버릇 없어져유.”

그것을 보다 못한 범성 아낙이 싫지는 않은 소리로 시어머니에게 말하였다.

“그나저나 요즘 윤실네는 어떻게 지내더냐?”

시어머니는 갑자기 윤실네 생활이 걱정되는지 범성 아낙에게 물어보았다.

“가을 품일두 있었구해서 안죽꺼정은 그냥저냥 한 것 같어유.”

범성 아낙의 말에 시어머니는 말없이 고개를 끄덕이더니,

“자주 디려다 보도록 하거라.”

하고 나지막이 말하였다.

“그렇게 할께유.”

윤실이 엄마는 시어머니의 친정집과 친척이라 할 수도 그렇다고 남이라고도 할 수 없는, 이리저리 얽혀있는 집안이란 것을 범성 아낙은 알고 있기에 그 마음을 알 만하였다.

“그런디 엄니 이상한 일이 있어유.”

“뭔 일인디?”

“며칠 전에 윤실엄마가 아침밥을 하려고 부엌에서 솥뚜껑을 열었는데 그 전날 먹고 남은 고구마를 솥단지 안에 넣어놨던 가봐유. 그런디 고구마는 없구 종이봉투가 하나 있었는데 그 안에 돈이 천원이나 들어 있드래유. 누가 왔다 간 것 같은디 윤실엄마 생각에는 그게 윤실이 아버지가 몰래 왔다 간 것 같은 생각이 들더래유.”

듣고 있던 시어머니가,

“맞구먼, 지 서방이 아니문 누가 그러겄어. 어쨌던 살아는 있는

모양이여.”

“그렇지유? 윤실이 아버지가 왔다 간거 같지유?”

“아니문 누가 돈을 놔 두구 가겄냐 그것두 솥 안에 넣어두겄냐?”

“왔다가 그냥 가는 그 맴두 얼마나 허겄어유.”

“못 난 사람 같으니, 그래두 지 새끼들은 엄청나게 생각하는구먼.”

전쟁 때 춘분이 신랑이 외양간의 소를 끌어갔던 일은 접어 두고라도 자기 식구들을 챙기는 그 마음이 안쓰러워지는 시어머니였다.

“그래서 엄니, 나중 일은 나중 일이구 우선에 그 돈으로 겨우내 먹을 곡석을 우선 사라구 했어유.”

“잘했다. 추운 겨울에 애들하구 우선 먹을 양석이 있어야 하니깨. 그리구 에미야, 아범한테 말해서 청솔가지 나무 한 짐이라두 보내주라구 하려무나.”

“청솔가지는 후루룩 타서 헤푸니깨, 가시나무 몇 단 보내주도록 하지유.”

“그러려무나. 눈이 이렇게 많이 오니 어디 산에 가서 낭구(땔감. 나무)라두 헐 수 있겄냐.”

“애비는 동네 마실 갔냐?”

“새끼줄 꼬려구 짚단 두 단을 들고 갔어유.”

방안 화롯가에서 고부간의 대화가 오가는 도중에도 밖에는 계속 눈이 내리고 있었다.

화롯가에서 손자를 앉혀놓고 할머니는 호연지기를 키워주려고 옛날 이야기를 들려주었다.

(浩然之氣 정직하며 정의롭고 부끄럽지 않은 용기)

이야기는 주로 암행어사 박문수 이야기였는데,

“한필이 너 은석골 이라는데 알지?”

"응, 알어. 내 짝이 은석골에 사는데 별명이 뗏장이라구 혀. 머리에 숟가락만큼 털이 빠져서 없어. 걔는 맨 날 콧구멍 속에서 누런 코가 들락날락 혀. 할머니가 은석골에 암행어사 박문수 묘가 있다구 해서 물어봤더니 읎다구 하대 뭘, 할머니는 맨 날 그짓말 만 혀."

"그짓말 아녀. 증말이여. 할미가 언제 그짓말 하는거 봤어?"

"그럼, 뗏장 그 개새끼가 그짓말을 한겨?"

"이 녀석, 그런 욕을 하면 안 되는겨, 어디 동무에게 그런 쌍욕을 하는겨?"

(실제로 암행어사 박문수(1691~1756)의 묘소는 현재 행정구역으로 충남 천안시 동남구 북면 은지리 산 1-1 에 존재하고 있으며. 1984년 5월 17일 충청남도의 문화재자료 제261호로 지정되었다.)

할머니의 꾸중에 한필이는 움찔하며 갑자기 뒤가 마려웠다.
한필이 방문을 열고 대청마루에 나서보니 함박눈은 잦아들고 하얗게 덮인 온 동네는 고요함 속에 잠겨있었다.
뒷간까지 가려니 무서운 이야기에 오금이 저리어서 마루 밑에 웅크리고 자던 독구를 깨우니 올망졸망한 새끼들까지 우르르 기어 나와서 뒷간으로 가는 한필이의 앞뒤를 촐랑거리며 꼬리치며 따르는데, 범성 아낙이 뒤 따라서 텃밭에 나오더니 겨우내 먹으려고 저장한 무우 구덩이에 짚 마개 뽑고서 허리를 구부려 싱싱한 무우를 꺼내었다.
엇비슷 썰은 무우는 겨울밤의 별미였다.

"엄마! 가지 말구 거기 있어야 뎌."

"알았어! 엄마 여기 있을껴."

그때, 밤늦게 돌아가는 마실꾼들의 인기척에 동네 개들이 짖는 소리가 들렸다.

"엄마, 아직 거기 있는거지?"

"그려, 엄마 여기 있어."

범성 아낙은 무서워하는 아들의 목소리에 빙그레 웃음을 지었다.

이튿날,
굴뚝 위로 날아오른 수탉이 목을 길게 빼어 목청을 높이어 아침을 알리더니 하늘이 활짝 열리고 구름 한 점 없는 푸른 하늘이 열렸는데, 마른 감나무 가지가 푸른 하늘을 찌르고 있었다.
동네 개들이 몰려나와 쌓인 흰 눈밭에서 뒹굴고 찔레나무 덤불 속으로 참새떼 날아들 때,
토담과 장독대에 소복이 쌓인 눈은 동녘 해에 반사되어서 보석처럼 반짝이고 있었는데,
초가집 추녀 끝에는 수정 같은 고드름이 주렁주렁 열리고 눈 쌓인 앞산에는 동양화를 그린 듯이 흰 눈 속에 푸른 소나무는 머리에 흰 수건을 쓴 듯이 한 폭의 진경산수(眞景山水)였다.

설날을 며칠 앞둔 섣달 스무이렛날,
구장 댁 새색시와 시누이 애순이가 등잔불 심지를 올려놓고 마주 앉아서 바느질하고 있었다.
　"언니 그럼, 여기는 어떻게 한대유?"
애순이가 올케의 앞으로 바짝 다가앉으며 고개를 쑥 내밀고 손가락으로 바느질감을 가리켰다.
"여기는 말여유 이렇게 손톱으로 솔 태기 배를 갈라서 물 칠을 조금 해주구 인두질을 해 주문 돼유."
하며 새색시는 화로에 묻어두었던 인두를 꺼내어 얼마나 뜨거운지 코끝에 대고 단 내를 맡아보았다.
그리곤 다림판에 두어 번 쓱쓱 문지르고는 갈라놓은 솔 테기에 다림질을 하였다.
애순은 침침한 등잔불 아래에서도 눈을 반짝이며 올케가 하는 일을 하나도 빠지지 않고 배우고 있었다.
　"그런디 새언니는 언제부텀 이런 걸 다 배웠어유?"
　"아가씨가 지금처럼 배우듯이 지두 친정 엄니가 하는 것을 보구 배웠어유."

"나는 새언니만큼 총기가 없어서 배워질라나 모르겄어유."

"닥치무는 다 하게 돼 있어유. 아가씨두 이제 하나하나 배우기 시작해유. 그래야 시집두 가잖어유."

새색시가 애순이의 얼굴을 쳐다보며 웃으며 말하였다.

"원, 새 언니두…. 난 시집 안 가 유."

애순은 그만 얼굴이 확 달아올랐다.

"아가씨 나두 그랬어유."

새 색씨는 그러는 애순이를 보며 웃으며 말하면서,

시아버지 입으실 마고자(어르신들 한복 조끼)에 따뜻이 지내시라고 넉넉히 솜을 놓았다.

그때, 마실 나갔던 한구가 들어와 아랫목에 앉아서 방안을 한번 휘둘러 보더니,

"야 이 지지배야 너는 니 방에 가서 얼른 잠이나 자빠져 잘 것이지 뭐 한다구 여태까지 여기 이러구 있는거야."

하고 애순이를 향하여 퉁명스레 말하였다.

오라비의 핀잔에 기분이 잔뜩 상한 애순이가

"왜 또, 화투 쳐서 돈 때였구나. 내가 아부지헌티 이를거여."

"시끄러워, 안 가?"

한구가 험악한 얼굴로 노려보며 말을 하니까 애순이는 못 이기는 척하며 방문을 열고 나겠다.

"왜 아가씨헌티 화를 내구 그래유."

"그것두 치워버려 그리구 자리나 펴."

새 색씨가 주섬주섬 바느질감을 한켠으로 밀어놓고 이부자리를 깔아놓으니 한구는 그 위에 벌렁 눕더니 색씨와 외면을 하고 외로 돌아누웠다.

"밖에서 뭔 일이 있었어유?"

걱정스레 묻는 색씨의 말에,

"시끄러워."

짜증스럽다는 듯이 한마디 하고는 더는 말이 없었다.

얼마 전 읍내에 나갔을 때였다.
한구는 마주치는 사람마다 자기를 피하려는 읍내의 시선에 낮 설음을 느끼고 마치 타향 땅에 온 듯한 싸늘한 분위기였는데 별로 대수롭지 여기었다.
옥이 이모가 죽었다는 이야기는 어렴풋이들어서 알고 있던 터였다.
한구는 배가 출출하여져서 막걸리라도 한잔하려고 대폿집으로 들어서니 안에 있던 술꾼 몇몇이서 이야기를 하다가 한구가 들어오니까 하던 이야기를 뚝 끊었다.

"그동안 잘들 지냈어유?"

한구가 순간의 어색함을 메꾸려고 아는 척을 하면서 인사를 건넸으나 아무도 인사를 받지 않고 외면하였다.
그곳에 더 머무르기가 뭐해서 막걸리 한 잔만 하고서 돌아 나오는데 뒤에서 말소리가 들렸다.

"낯짝이 쇠가죽이구먼."

한구는 그 말의 뜻을 알 수가 없었는데,
집으로 돌아오는 길에 있는 옥이 이모가 있던 염색소 앞을 지나고 있을 때, 마침 상억이 처가집에 왔다가 한구가 지나가는 것을 보고는 불러 세웠다.

"이 사람 한구, 사람이 댕기는 길이니께 내가 뭐라구 할 수는 없지만 가급적이문 이 앞으루 다니지
않았으문 좋겄어. 어디 다른 길루 다니도록 햐."

"?"

"내 말 알아 듣겄나? 장인이랑 장모가 싫어 하니께."

"아니, 왜유?"

"하여튼 간에 다른 길루 다니도록 혀."

"성, 그게 무슨 말이래유?"

"증말 몰라서 묻나?"

"그려유. 왜 그래야 된대유?"

"내 처제가 왜 죽었는지 증말 모르는 겨?"
"그걸 내가 어떻게 알어유."
"증말 보자보자 허니 이 사람 이거 아주 몹쓸 사람이네. 그래, 아무 상관도 없다는 겐가?"
"멧 번 만나기는 했지만서두 그게 왜유."
"그럼 남의 집 귀한 딸을 베려놓고 뻔뻔스레 시치미 떼는 겨? 처제가 죽기 전 날밤에 한구 자네와의 일을 장모님에게 전부 말을 했다는데 그랴. 애를 밴지 두 달이나 됐다는데두 양심두 없이 모른 척 하는거여?"
"......."

옥이 이모가 애를 뱄다는 삼식의 화가 난 언성에 한구는 마치 뒤통수를 맞은 듯 머릿속이 멍해졌다.
그때부터 한구는 심한 죄의식의 자책으로 고통을 받기 시작하여 마음을 잡지 못하고 읍내에는 나갈 엄두를 못 내고서 솔메골 어귀에 있는 주막집에서 술과 노름으로 지내기 시작하였다.

설날을 며칠 앞둔 섣달 스무이렛날.
물에 불려놓았던 콩으로 두부를 만들려고 커다란 자배기(둥글넓적하고 입구가 쩍 벌어진 오지그릇이나 질그릇. 고무 함지박) 위에 삼발이(굵은 나뭇가지로 만든 ㅅ 자 모양의 거치대)를 가로질러 걸치고 그 위에 맷돌을 올린 다음에 구장 댁과 새 색씨 고부가 마주 앉아서 함께 어처구니 (맷돌 손잡이) 를 잡고서 맷돌을 돌리니. 뽀얀 콩 물이 맷돌 옆구리에서 흘러나온다.
"두 됫박 했는디 조금 더 할껄 그랬나 싶다."
만드는 두부의 양이 보기에 조금 적은 느낌이 들었는지 구장 댁이 말하였다.
"식구두 많지 않은데 이만하면 넉넉한 것 같은디유."
"그리 생각 드냐? "
"더 해두 겨울이라서 두부가 쉬지는 않으니께 두구 먹는디는 상관 없지유."
그렇게 맷돌을 돌리느라고 허리를 굽혔다 폈다 하는 모양이, 고부가 서로 맞절하고 있는것 처럼 보였다.

사랑채 아궁이에 걸어놓은 가마솥에 맷돌에 갈은 콩물을 부어 넣고 애순이가 장작불을 지펴놓고 부뚜막에 걸터앉아 주걱으로 눌어붙지 않게 저어주다가,
"엄니 콩물 다 끓었어유."
하고 어머니를 불렀다.
구장 댁이 딸의 부름을 듣고는 부엌에서 나오며 며느리에게,
"새 애기야, 가서 아궁이 불 꺼내주구 그리구 간수 물 쳐 봤니?"
"예 친정에서 해 봤어유."
"기특하기두 허지."
하면서 구장 댁은 며느리가 어디 하나 버릴 곳이 없어서 내심 흡족하였다.

가마솥에 골고루 간수 물을 넣고 주걱으로 서서히 저어주니 콩 물이 서서히 몽글몽글 엉겨지며 꽃이 피기 시작하였다.
새 색씨가 커다란 대접에 순 두부를 가득 담아서 양념간장과 함께 쟁반에 받치어서 시아버지가 있는 사랑방으로 가지고 갔다.
"아버님 순 두부 맹글었어유. 뜨듯할 때 얼른 드셔유."
"오냐, 냄새가 구수하구나. 게 놔두거라. 조금 식으문 먹을 테니깨."
구장 댁과 새 색씨 고부가 마주 서서 준비해 두었던 삼베 자루를 벌리고 애순이가 부뚜막 위에 쪼그리고 앉아서 큰 대 바가지로 콩물을 담기 시작하였는데 뜨거운 김이 서리어서 세 사람의 얼굴에는 땀 방울이 송글송글 맺히기도 하였다.

밖에 누가 왔는지 두런두런 인기척이 나더니,
"이 한구씨 계십니까?"
말투로 보아서 서울 사람 같았다.
사랑방에서 순두부를 먹고 있던 구장이 방문을 열고서 내다보니 말끔한 옷차림의 서너명이 집 안을 휘둘러 보며 한구를 찾고 있었다.
"뭔 일루 한구를 찾는가유?"
구장이 한구를 찾는 일행을 훑어보니, 찍구로 바른 머리를 뒤로 넘기고 색안경을 낀 양복쟁이가 앞으로 나서면서,
"아, 한구씨 아버지 되십니까?"
하고 물었다.
"예, 그렇습니다 만, 무슨 일루……."
"이것이 한구씨가 돈 빌려 간 증서입니다. 오늘 이것을 받으러 왔습니다."
하며 종이 한 장을 꺼내 보이며 흔들었다.
그 종이를 받아보니 분명 한구의 이름이 적혀있는 차용증서인 것을 확인하고는 구장은 그만 머리가 어지럽고 다리가 후들거리며 손이 벌벌 떨리었다.
가까스로 정신을 차리고는 고개를 돌리어 건넛방을 향하여 격앙된 목소리로 아들을 불렀다.
"한구, 한구 이리 와 보거라."
예기치 못한 갑작스런 일로 방안에서 숨을 죽이고 바깥 동정을 살피던 한구의 얼굴이 일그러졌다.

한구가 쥐 죽은 듯이 풀이 죽어 머뭇거리며 나와서 차용증서를 확인하고는 아무 말도 못 하고 고개만 수그리고 있는데,
"당신들 노름을 했으니 지서 순경한테 가서 따집시다."
하고 구장이 말하자
"그렇게 합시다. 가서 명명백백하게 따집시다. 우리가 노름하자고 한 것도 아니고 본인이 자기 스스로 한 것이고, 또 우리가

잡혀 들어가는데 이 집 아들은 뭐, 용빼는 재주라도 있어서 안 잡혀 들어갈 수가 있습니까?"

"지금 그만한 돈두 읎구 나중에 돈이 되무는 그때 갚아 주면 되잖어유."

한구가 기어 들어가는 목소리로 말하였다.

"이거 뭐, 똥싸러 갈때하고 똥싸고 나올때 하고 영 딴판이네. 긴말 필요없고 우리도 명절을 쇠러 가야하니까 얼른 갚아주시요."

색안경을 낀 사람이 주위를 둘러보며 완강하게 으름장을 놓으면서 안경을 썼다 벗었다 눈알을 부라리면서 말하였다.

옥신각신 우여곡절 끝에, 며칠 전에 방앗간에서 찧어 온 쌀 두 가마를 돈 대신 값을 치러서 내어 주기로 하였다.
미리 그럴 줄을 짐작하고서 대문 밖에는 소달구지를 끌고 왔는데 이미 달구지 위에는 쌀가마니가 다섯 개나 실려 있었다.
아마 인근 동네를 돌면서 노름빚을 거두고 있었던 모양이었다.

그 들이 쌀 두 가마니를 싣고 간 후,
구장은 속에서 울화가 치밀어 씩씩거리며 지게 작대기를 집어 들고 사정없이 아들 한구를 두드려 패기 시작하였다.
깜짝 놀란 구장 댁과 애순이가 달려들어서 구장이 들고 있는 지게 작대기를 빼앗으려 했지만, 그래도 구장은 화가 가라앉지 않았는데, 부엌 앞에서 어쩔 줄을 모르고 안절부절못하는 며느리를 보고는 슬그머니 아들을 후려 패던 지게 작대기를 내려놓았다.

"아니, 다 큰 자식을 이렇게 개 패듯이 패면 어쩐대유? 더구나 새 애기가 보구 있는디, 이럴 수는 없는 거 아녀유?"

구장 댁이 푸념스레 하는 말을 뒤로하고 구장은 슬그머니 사랑방으로 다시 되들어갔다.

너무나 황망스런 일을 당한 새 색씨가 부엌 뒷문 밖 굴뚝 밑에 쪼그려 앉아서 눈물을 훔치고 있는 것을 본 구장은 마음이 천 갈래 만 갈래로 찢어지듯이 아팠다.
안 그래도 읍내 염색 집의 소문을 듣고는 그때 더 알아보지도 않고 서둘러서 아들 혼인을 시킨 탓으로, 그쪽이나 며느리 쪽으로도 참말로 못 할 짓을 하였다는 죄책감이 있는 터에,
남몰래 숨어서 울고 있는 며느리를 보고는 형용할 수 없는 자책감에 빠져들었다.

"이 봐, 임자."
구장은 마누라를 불렀다.
"왜유?"
구장의 행태에 마음이 풀리지 않은 구장 댁이 통명스레 대답하였다.
"저기 뒤뜰에 메눌애기가 울고 있으니 임자가 가서 마음 상하지 않게 잘 다독거려 줘."
"알기는 아는 모양이구려."
"메눌애기가 불쌍하잖여. 에이 이눔의 자식, 이놈을 어떻게 해야 좋을지……."
구장은 혀를 차면서 아들 한구를 탓하였다.
"지두 인자 정신을 좀 차리겄지유."
"얼능 메눌애기 헌티 가 봐."
구장의 독촉에 구장 댁은 뒷 곁으로 발걸음을 옮기었다.

다음, 다음 그러니까 섣달 스무아흐렛날.
"엄니 큰일 났어유."
애순이가 눈을 동그랗게 뜨고서 아직 자리에서 일어나지도 않은 안방으로 황급히 들어오며 낮은 소리로 말하였다.
"이눔의 지지배, 새벽부터 웬 호들갑이여?"

"아니 그게 아니구."
"안이구 밖이구, 또 뭐가 큰 일이란 거여?"
"글쎄 어젯밤에 오빠 방에서 무슨 소리가 나길래 가만히 들어 보니깨유."
"이 지지배가 왜 남의 말을 몰래 엿 듣구 지랄 하는게야?"
"아 글쎄, 새언니가 집으루 가겄다구 하대유."
"뭐?"
"낼모레 슬 지내구서 친정 집으루 가겄다구 했어유."
"니가 뭘 잘못 들은 거 아녀?"
"아녀유 내가 똑똑히 들었어유."
"니 오래비는 뭐라구 말하더냐."
"패 죽인다구 하대유."
"뭐라구?"
애순이의 말을 듣고 구장은 벌컥 화를 내니까 구장 댁이,
"이 지지배가 또 잘못 알아듣구 입방정을 떠는거유."
하며 구장을 진정시키는데 애순이가 또 한마디 하였다.
"나 같어두 바루 친정으루 가겄다. 노름쟁이에 행패나 부리구 읍내 일 소문까지 쫙 다 났는디 그럼 어떻게 살어."
"이눔의 지지배 그 방정맞은 주둥아리 쳐 닫지 못혀?"
구장 댁이 딸의 등짝을 내리치면서 말하였다.

아침밥 상을 들고 들어오는 새 며느리의 얼굴을 보고 구장은 마음이 에리었다. 짐작컨데,
친정 부모님 생각과 앞으로 살아갈 일을 걱정하며 밤새워 잠 못 이루고 눈물을 흘렸던지 두 눈이 퉁퉁 부어 있었고 수척한 것이 짠해 보였다.

아침 밥상을 물리고 구장은 일찌감치 설 대목 시장이 열리는 읍내로 나갔다.

설 차례상에 올릴 제수용품은 미리 다 사 놓았기에 딱히 또 달리 살 물건도 없었지만, 집에 있자니 심란한 마음을 주체치 못하여 나온 것이다.
여기저기 다니며 기웃대다가 구장은 신발가게 앞에 멈추어 이리저리 살피다가 옥색 바탕에 예쁜 꽃무늬가 새겨진 코고무신 한 켤레를 사고 돌아 나오다가 다시 들어가서 하얀 바탕에 패랭이꽃 무늬가 있는 고무신을 하나 더 샀다.
그리고는 과자 가게에 들러서 센베이 와 나마카시(생 과자) 를 사고 또 미루꾸 (밀크캔디) 도 샀다.

구장이 집에 돌아오니 며느리와 애순이가 절구통 옆에서 함지박에 빻아놓은 쌀가루를 체에 밭쳐 내리고 있었다.
"임자 잠깐, 내 말 들어 봐."
부엌에서 팥을 삶고 있는 구장 댁은 매운 연기에 실눈을 뜨고 흘깃 쳐다보면서,
"왜유?"
"메눌애기헌티 얘기가 있으니 임자두 같이 들어 와"

구장 댁이 며느리를 데리고 안방으로 들어오자 애순이도 무슨 일인가 하고 뒤따라 들어와 앉아서 눈치를 살피었다.

구장은 앞에 앉은 사람들을 훑어보고는,
"얘는 또 어딜 빨빨거리구 나간게야?"
하고 아들의 행방을 물으니 구장 댁이,
"동네에서 돼지를 잡는다구 해서 거기 갔어유. 근디 바쁜디 왜유?"
하고 말하면서 부른 이유를 말하라는 듯이 대답하였다.
구장은 옆에 놓인 신문지 꾸러미를 며느리 앞에 놓으며,
"얘 이거, 네 신발이다."

"예? 웬 신발이래유?"
뜻하지 않은 일에 며느리는 눈이 동그래졌고 애순이의 눈빛도 순간 반짝였다.
"그리구 이건 애순이 신발이구."
구장은 나머지 신문 꾸러미를 딸에게 내주었다.
구장 댁이,
"뭔 갑재기 신발을 사 왔대유?"
"응, 그러니까 낼모레 설이나 지내구, 친정에 가서 사나흘 쉬었다. 오너라. 그 간 부모님도 많이 보고 싶었을게다."
"아니, 시집온 지가 얼마나 됐다구 친정엘 보내유?"
하며 퉁명스런 구장 댁의 말을 귀 등으로 흘려보내며,
"이 신발을 신고서 친정에 갔다가 이 신발을 신고서 꼭 돌아오라는 시애비의 뜻이니 그리 알거라."
하고, 비장한 어조로 나직이 말하였다.
순간, 엊저녁 신랑과 다툰 일이 들통이 나서 며느리는 얼굴이 화끈거려서 어쩔 줄 모르는데,
"그럼, 아부지 내 꺼는 왜 사 왔어유?"
하는 애순이의 말에,
"너는 그 신발 신고서 얼른 시집이나 가라구 사 주는게야."
하는 구장의 말에 잠시 침묵이 흐른 뒤,
"어머님 말씀이 옳아유. 안 가두 돼유."
"말이 안 나왔으문 몰라두 늬 시아부지 뜻이니깨 다녀오두룩혀."
하고 구장 댁이 내키지 않은 듯이 말하였다.
며느리는 그렇게까지 자상하게 생각하여주는 시아버지 마음에 가슴이 울컥하여졌다.
"그라문, 대보름 지내구서 장두 담거야 하니께 엄니하구 상의해서 장 담근 후에나 다녀올깨유."
"그 건 늬 엄니하구 의논하거라."

꽃 신을 신고서 다른 마음먹지 말고 돌아오라는 간곡한 무언의 뜻에, 살림의 기본 요소인 장(醬)을 담그겠다는 말은 뿌리를 내리겠다는 뜻의 며느리 말에 구장은 졸였던 마음이 확 트이는지 얼굴에 미소를 지으며 종이봉지에 담긴 센베이와 미루꾸를 내놓았다.

1955년.

해가 바뀌어 들녘에 밀과 보리 두 뼘 넘게 자랐을 때,
아침 밥상을 물리고 난 후
“애비야 오늘이 멫일인겨? 눈이 침침하여서 잘 안 보이는구나.”
범성은 어머니의 물음에 일 년 치가 한 장으로 되어있는 벽에 붙여 놓은 달력 앞으로 다가앉아 손가락으로 짚어 가면서,
“가만 지셔봐유. 그러니깨 오늘이 3월 5일. 음력으로는 이월 열하룻날 이네유.”
“그럼 모 판두 준비해야 될 때가 됐구나? ”
“멫 일 더 있다가 소금물에 담궈 놓을라구 해유.”
(파종을 할 볍씨는 묽게 희석시킨 소금물에 담가서 병충해를 예방하였다.)

점심때가 지나서 햇빛이 포근해지자 성필이의 손을 잡고 시어머니는 호미를 들고서 대문 밖 텃밭으로 나갔다.
아직은 아무것도 없는 휑한 텃밭에 띄엄띄엄 땅에 납작 엎드린 냉이를 호미로 캐기 시작하였다.
그리곤, 텃밭 언덕배기에 자라고 있는 달래를 캐어 코끝으로 향내를 맡아보고는 달래도 한 웅큼 캐어 범성 아낙에게 주면서,
“나싱갱이 하구 달래가 향이 좋더구나. 저녁에는 나싱갱이 나물이나 무치구 달래루 장이나 끓여 먹자.”
“많이 캐 오셨내유. 향내가 진하게 나네유. 달래는 그냥 양념간장으루 해 먹어두 맛이 있겄어유 엄니.”
“애비두 요즘 입맛이 읎는지 젓가락으루 건건이를 들었다 놨다 하더구나.”

고부가 부엌 앞에서 이야기를 주고받을 때,
　“누님, 기훈이 샥시가 왔어유. 애기두 같이 왔어유.”
하면서 상억이가 대문 안으로 성큼 들어섰다.
　“뭐? 누가 왔다구?”
범성 아낙의 말에 상억은 대문 밖을 돌아보며,
　“기훈이 샥시가 왔어유.”
라고 하면서 상억은 싱글벙글하였다.

상억이 아침에 일이있어서 매곡리에 갔다가 김진사 집에 들렀더니,
　“이따가 하리골루 돌아갈 때, 인사차 다녀와야 하니께 기영이 에미와 함께 가거라.”
　“엄니, 누구를 말여유?”
누구를 말하는지 몰라서 상억이 고개를 갸웃거리자
　“기훈이 색씨 말이다. 혼자 보낼 수도 없고 하였는데 마침 니가 왔으니 잘 됐다.”
그러고 보니 돐은 넘었을 듯한 여자아이가 노마님 손을 잡고 동그란 눈으로 쳐다보고 있었다.
　“얘 가 기훈이 딸 기영이여.”

그렇게 되어서 영주는 딸 기영이를 데리고 상억을 따라서 하리골 범성의 집으로 인사차 오게 되었던 것이다.
그동안 아이를 돌보며 주위 환경이 안정되었던 탓 인지 영주의 정신은 본래대로 돌아와 있었다.

범성 아낙은 대문에 영주의 얼굴이 보이자 후다닥 쫓아 나갔다.
　“아니, 이게 누구야. 응?”
범성 아낙의 반김에 연주는 미소를 지으며 시어머니와 범성 아낙에게 고개 숙여 인사를 하고는,

손을 잡고 있는 딸에게 허리를 굽히어서,

"기영아, 할머니하고 고모에게 인사드려야지. 응?"

어미의 손을 잡고 아장아장 걷던 기영이가 제 엄마를 닮은 커다란 눈망울을 껌벅거리며 범성 아낙과 시어머니를 번갈아 쳐다보았다.

"네 이름이 기영이니? 참 예쁘구나."

범성 아낙은 기영이의 머리를 쓰다듬으며 다정히 눈을 마주치니

잠시 눈을 껌벅거리던 기영이는 범성 아낙의 얼굴을 바라보더니 고사리손을 내밀어 범성 아낙의 손을 잡으려 하였다.

범성 아낙은 두 팔로 기영이를 번쩍 안아서 등을 토닥거려주면서 영주를 보니,

처음 보았을 때처럼 영주는 앞 저고리 앞섶에 그때와 똑같은 나비 브로치를 하고 있는. 그것을 본 순간 범성 아낙은 눈물이 왈칵 솟구치는 것을 가까스로 진정시키며 한쪽 손으로 영주의 팔을 잡아끌면서,

"얼른 안으로 들어가요."

하고 방으로 들어갔다.

방 안으로 들어온 영주는 우선 시어머니에게 큰절을 하고는 다소곳이 한쪽 무릎을 세우고 앉아서

"그때 저를 거두어 주셔서 고마웠어요. 그 은혜를 어찌 갚아야 할런지 모르겠어요."

"그랴, 인자는 몸이 다 낳은겨?"

시어머니가 영주의 손등을 어루만지면서 말하였다.

그러는 동안 기영이는 두발로 아장아장 걸어서 범성 아낙의 품에 파고들어서 보드라운 고사리손으로 범성 아낙의 뺨을 어루만지고 있었다.

보리 밥풀데기 같은 두 아들에게서 느껴보지 못한 감정이 범성 아낙의 마음을 휘저어 놓아서 자기도 모르는 사이에 기영의 볼에 자기의 볼을 대고 비벼대었다.

대청마루에 걸터앉았던 상억이,
"누님, 나 가 볼게유."
"응 갈 껴? 데려오느라고 욕봤어."
범성 아낙의 대답에 상억은 돌아가지 않고 주춤거리기만 하였다.
"왜? 왜 그랴?"
범성 아낙이 의아해하며 물으니 상억은 잠시 눈치를 살피더니,
"이따가 지 집으로 한번 댕겨가셔유."
하고는 영주에게 눈인사하고서 돌아갔다.

상억의 집에서 범성 아낙과 마주한 상억이 말하였다.
"그러니 누님이 잘 말 해보라구 하대유."
"그렇기는 하지만, 아직은 아니잖어?"
"아부지 말씀이 지금두 늦었다구 하던대유. 아주 애기 때 그래야 했는데 그때는 정신이 안 돌아와서 어쩔 수 없었지만 이제는
그렇게 해야만 한다구 하대유."

상억의 말을 듣고, 친정에서 영주를 보낸 이유를 알고나서 범성 아낙은 머릿속이 먹먹하여졌다.
허기야, 앞길이 구만리 같은 젊은 몸으로 어린 계집애를 데리고 남편 없이 살아간다는 것은 끔찍한 일이지마는, 이제 가까스로 정신이 되돌아 온, 그것도 어린 자식이 딸린 사람을 다른 곳으로 혼인을 시키려는 친정 부모님들의 생각을 도저히 이해할 수가 없었다.
아무리 영주가 살아갈 앞날이 걱정이 되어서라지 만,
아직은 때가 아니라고 생각이 들은 범성 아낙은,
"엄니 아부지가 분명 그렇게 말했단 말이지?"
"그려유 마침 좋은 혼처 자리두 나왔다는디유?"
"혼처 자리라구?"
"핵교 선생이라던대유."

"그럼, 오빠 학교 선생님?"
"그런가봐유. 상처하구 재혼인디 시 살 먹은 아들이 하나 있는가 봐유."
"그려? 알았으니까 매곡리로 돌아갈 때는 내가 데리고 가마."

무어가 그리 급 한지, 잎도 피지 않은 노랑 개나리꽃이 춘분네 울타리에서 앙증맞게 뾰족이 꽃망울 입술을 내밀고 있었다.
"성님 가시게유?"
춘분의 말을 뒤로 들으며 집으로 돌아오는 범성 아낙의 발걸음은 무겁기만 하였다.

범성 아낙은 자기를 보고서 뒤뚱거리며 아장아장 걸어와서 품에 안기는. 기영이를 끌어안으며 그만, 코끝이 찡하여 지면서 눈물이 한 바퀴 핑그르르 돌았다.

그날 밤, 친정에서 전 하여 온 이야기를 범성에게 의논하였더니, 범성은 일언지하에 서둘러서 결정하면 안 된다고 딱 잘라
말하였다.
"아이를 데리구 가는 것두 아니구, 그럼 그 어린 것은 어쩌란 말이여?"
"그 것두 맘에 걸리지만, 친정에서는 아기 엄마의 앞날을 걱정하기 때문 아니겄어유?"
"당신 같으문 그렇게 하겠어? 한 번 바꿔서 생각 해봐."
"이미 친정 오빠 밑으루 애기 호적두 올렸나 봐유. 그러니 답답한 노릇 아녀유."
"혼인 신고두 안 되니께 그럴 수두 있지만, 다른 사람들이 보문 애만 빼앗고 내보내는 것 같잖여?"
"무슨 말을 그렇게 해유."

전쟁통에 전사한 동생 기훈이와 짐 보퉁이 하나 옆에 끼고서 정신줄도 놓은 채, 퀭한 눈으로 남산만 한 배를 끌어안고 달랑 주소 하나 들고서 불원천리 찾아온 영주,
그리고 천진스런 얼굴로 아장아장 걸어와서 제 어미인 양, 품에 안기던 기영이 모습에 범성 아낙은 밤이 이슥하도록 잠을 못 이루고 뒤척거리기만 하였다.

아침밥을 지으려 부엌으로 나가기 전에 살그머니 안방 문을 열어보니 시어머니 벌써 일어나서 머리 빗질을 하고 있었고, 기영이를 가운데 두고 한필이와 성필이 셋이서 누가 업어가도 모를 정도로 깊은 잠에 빠져 있었다.
부엌에는 벌써 영주가 나와서 가마솥에 물을 데우고 있다가 범성 아낙을 보고는,
"아니, 눈이 왜 그러세요?"
하고 깜짝 놀라며 물었다.
기실, 범성 아낙은 잠을 못 이루고 뜬눈으로 밤을 지새웠던 터라 눈이 충혈되어 있었다.
"저 때문에 그렇지요?"
아궁이에 마른 나뭇가지를 꺾어 넣으며 영주가 조심스레 말 문을 열었다.
"그게 무슨 말이여?"
"아버님이 여기로 보낸 깊은 뜻도 저는 알고 있어요. 그러니 고모는 깊게 생각하지 마세요. 아버님 생각이, 틀린 것은 아니니까요. 저는 다만, 시간이 필요해요."
"……"
"잊어야 할 것은 얼른 잊어야 하지 않겠어요? 그것이 제가 타고난 운명인걸 어쩌겠어요. 그러나, 저 어린 것을 어쩌면 좋을지 앞이 캄캄해져요. 어른들 생각에는 기영이를 안 내어줄 생각이시구…."

담담하게 말하는 영주의 눈가에 맺히는 눈물이 아궁이의 불빛에 반사되어서 반짝여 보였다.
이미 다 알고 있는 영주에게 더 이상 무슨 말이 필요할지 범성 아낙은 말문이 막히었다.
"고모의 생각도 알고 있으니 너무 신경 쓰지 마세요. 이 일은 저의 앞날이기에 제가 해결해야 만 할 일이거든요."
"......"
범성 아낙은 아무런 할 말이 없어서 불빛에 어른거리는 영주의 옆얼굴을 안쓰럽게 쳐다볼 뿐이었다.

아침밥을 먹고도 학교에 갈 생각을 하지 않고 기영이를 무릎에 앉히고 놀고 있는 한필에게 할머니가,
"한필이는 오늘 핵교에 안 가는게냐?"
하고 얼른 학교에 가라고 독촉을 하니까 그제서야 머뭇대다가
"성필이 너 애기 잘 데리고 놀아 알었지."
하며 동생 성필이에게 눈으로 겁을 주면서 말하고는,
"기영아 오빠 핵교 갔다 이따가 올께. 잘 놀구 있어?"
라고 말은 하면서도 쉽게 발을 떼지 못하고 기영이를 바라보았다.

매곡리 친정 집에서 기영이를 품에 안고서 돌아오는 범성 아낙의 발걸음은 천근만근 무거웠다.
친정 부모에게 영주와 나누었던 이야기를 하며 재촉하지 말라는 이야기를 전하고 돌아오려는데 기영이가 범성 아낙에게 막무가내로 못 가게 울면서 매달렸다.
영주가 달래면서 안으려 하니까, 그 손을 뿌리치며 범성 아낙의 목을 두 손으로 감싸며 더욱 품으로 파고들었다. 아마도, 사촌 오래비인 한필이와 성필이와 함께 놀고 싶은 모양이려니 생각하면서,
"다음에 고모가 한필이 오빠 그리구 성필이 오빠 둘 다 데리고

올께 엄마하구 잘 있어라."
그러는 동안 친정어머니가 다가와서 나지막이 넌즈시,
"아마 정을 떼려고 하는가부다. 그러니 데리구 가거라."
친정어머니의 말에 영주를 보니 영주의 눈에 눈물이 글썽이며
운명을 받아들이는 듯, 고개를 천천히 끄덕이었다.

기영이를 안고서 하리골로 돌아오는 길에 잠시 냇가에 앉아서
쉬다가
"고모 나중에 기영이가 크면은 이걸 주세요."
하며 영주가 손에 꼭 쥐여주던 나비 브로치를 다시 꺼내 보면서
만감이 교차되는 범성 아낙은 그만 흑, 하고 눈물을 쏟았다.
아무것도 모르는 기영이는 고사리손을 뻗어서 범성 아낙의 뺨에
흐르는 눈물을 닦아주었다.

하리골 집에 도착하니 학교에서 돌아온 한필이가 기영이 없어진
것을 알고는 울고불고 할머니에게 난리 치다가 기영이 다시오니,
좋아서 어쩔 줄을 모르고,
시어머니도 얼굴에 미소를 띄웠다.
손녀딸이 다시 온 듯한 느낌이었으리라.
기영이가 하리골로 오고 나서 닷새 후에,
영주가 밤 새 울다가 서울로 간다는 편지 한장을 남기고 매곡리를
떠났다고 하였다.

파란색 빨간색 감자꽃이 피고 옥수수에 수염이 나오려고 할 때,
읍내에 연설하러 높은 사람이 온다는 날,
구장은 안마당에 동네 사람들을 모아놓고 술대접하는데,
"가기는 뭘 가? 연설 들어봐야 다 헛소리지."
하면서 동네 사람들이 읍내로 못 나가게 말렸다.
그래도 동네 사람들은 구장의 눈을 피하여 몰래 읍내로 향하였다.

농번기 한창 바쁜 시기였지만, 일손을 뒤로 미루고 중절모에 흰 고무신을 신고, 또는 땀에 젖은 베 잠뱅이를 걸치고서 읍내로 잰걸음을 옮겼다.
서로가 담소를 나누며 낮은 산 고개를 굽이돌아 내를 건너 읍내에 도착하니 근동의 많은 사람들이 구름같이 모여 있었는데, 검정 색 모자에 검정 옷을 입은 지서 순경들도 군데군데 눈에 띄었다.
“바쁜디 왜 들 나왔슈?”
사람들 뒤쪽에서 서성이던 읍사무소 서기들이 사람들에게 퉁명스레 말하면서,
“일단 나왔으니 이쪽으루 와유.”
하며 사람들을 불러모아 뒤쪽 구석진 곳에 있는 술집으로 안내하고서는 막걸리 주전자를 몇 개 갖다 놓더니 각자의 얼굴을 훑어보면서,
“한 잔씩 하구서 돌아들 가슈. 뭐 들을 것두 없구 볼 구경거리두 없어유. 농사짓는 사람들이 농사 팽개치구 오문 어떡해유?”
하며 핀잔을 주면서 말하였다.
학교에서도 때맞추어 학부형 회의를 한다고 하였지만, 참석한 사람은 손가락 숫자였고 모두가 읍내 장터에 있었다.

많은 사람들이 웅성거리던 장터가 갑자기 조용하여지고 높은 단상에 흰 머리에 안경을 낀 사람이 올라섰다.
줄무늬 양복에 점잖은 풍채로 눈매에 기품이 있는 노인이 중절모를 벗어들고 공손히 허리 굽혀 인사하였다.
장터에 모인 많은 사람들이 우렁차게 박수를 치면서 만세삼창을 하였다.

나흘 후, 논에서 김매기를 하던 날 읍내에 있는 양조장에서 새 참

때를 맞추어서 자전거에 술 두 통을 뒤에 싣고서 배달을 와서 하는 말이,

"저번 장날 읍내에서 높은 사람이 와서 연설 하구 갔잖어유. 아, 그 사람이 기차 타구 가다가 죽었대유."

"기차 타구 가는디 왜 죽어?"

"뭐? 기차에 치였다구?"

"그기 아니구유. 저 쪽, 그러니깨 전주루 가는 기차 안에서 갑자기 심장마비인가 뭔가 그기 와서 죽었대유."

(민주당 대통령 후보였던 해공 신익희가 이리에서 대통령 후보 연설을 마치고 전주로 향하는 기차에서 심장마비로 숨을 거두었다. 1956년 5월 5일(61세)별세.

*1955년 9월 18일: 호헌동지회의 자유민주파가 주축이 되어 민주당을 창당 하였는데 첫 번째 대통령 후보였다.)

그 말을 들은 일꾼들은 아낙들이 내어 온 새참 광주리 앞에 둘러앉아 밥 수저는 들지도 않고 막걸리만 마시더니 눈가에 흐른 눈물을 슬그머니 거치른 손바닥으로 훔치는데,

"아, 뭣들 혀. 얼른 밥들 먹어야 일을 허지."

하는 논 주인의 독려 속에 마지못해 한술 뜨고는 풀밭에 벌렁 누워 흘러가는 구름을 멍하나 쳐다보고 있었다.

"어째 또 난리가 날려구 그러는거 아녀 ?"

"그게 무슨 뚱단지 같은 소리여?"

"가만 생각혀 봐. 그 분두 갑자기 돌아 가시구 또, 지난번에는 강원돈가 어디에 눈이 엄청나게 많이 와서 사람들두 많이 죽었다던디 이게 무슨 징조가 아녀?"

(3월 2일 영동 지방에 적설량 3m의 사상 유례 없는 폭설이 일어나 120명의 사망자가 발생했다.)

"다 생각하기 나름이여. 전쟁 얘기는 하지를 말어 말만 들어두 몸서리 쳐지니깨."

누워서 바라보는 하늘에는 흰 구름 한 조각이 아무런 생각도 없이

덩그러니 떠 있었다.

범성 조부 소식

아침부터 아까시나무에서 목이 찢어지도록 울어대던 여름 어느 날, 하리골 범성의 집으로 말쑥하게 차려입은 60대 후반의 남자가 한쪽 발을 절름거리며 찾아왔다.

"계십니까?"

들에 나갔다가 들어오던 범성이 이를 보고서,

"누구셔유."

방문객은 몸을 돌려 범성을 보고는,

"혹시 이 댁이 함자가 김 찬자 우자 씨가 계셨던 집입니까."

"누구라구유? 지 조부님 되는데유. 어디서 오신 분이래유?"

갑자기 오래전의 할아버지 이름을 알고 찾는 방문객에게 범성은 그를 아래위로 살펴보면서 조심스레 물었다.

"아, 찾기는 잘 찾아왔군요."

그러면서 범성에게,

"그러면 댁이 그 삼대독자라고 하던 사람인가요?"

"어떻게, 그걸, …"

밖의 인기척에 부엌에 있던 범성 아낙이 앞치마에 젖은 손을 닦으면서 나와 보았다.

"실례지만, 냉수 한 그릇 부탁합니다. 날씨가 보통이 아니군요."

방문객은 범성 아낙에게 냉수 한 그릇을 청하였다.

"우선, 안으로 드시지요."

범성은 방문객을 대청마루로 청하였다.

그는 자기의 이름은 방선우이며 해방 전 만주에서 김찬우 어른을 모셨던 사람이라고 소개하면서,

이곳에 찾아온 연유를 말하였다.
일찌기 찾아오려 하였으나 이곳 주소를 기억하지 못하였다가 얼마 전에야 옛날 기억이 떠올라서, 더 늦기 전에 찾아왔다는 것이었는데 이야기인 즉,
얼마 전 자기가 운영하는 복덕방에서 이웃과 장기를 두게 되었는데 장기판을 앞에 두고 골몰하는 도중에 문득 옛 기억이 살아올라. 즉시 찾게 되었다고 하였다.

중국 봉천(심양)에서동북쪽으로 십 여리쯤 더 가면 앞으로는 큰 호수가 있고 뒤로는 棋盤山(기반산)(중국발음 기판산)이라는 험준한 산이 있는데, 그곳에 高麗城(고려성)이라는 흔적만 남은 토성이 있다고 하였다.
일행 세 명이 왜놈들의 추적으로 그곳까지 피신하였다가, 만주 벌판의 혹독한 추위를 견디지 못하고 두 명이 얼어 죽고 자기 혼자만 중국 농촌의 민가에 도움을 받아 살아남았지만, 발에 심한 동상이 걸려서 오른쪽 발가락을 일부 잘라내었다고 하였다.

"그것이 쇼와 17년(1942년.단기4275년) 11월 29일 이었는데 두 사람의 시신도 거두지 못하고 혼자 살아서 돌아왔다는 것에 그동안 많은 자책감에 힘들었는데 이제야 마음에 짐을 내려놓게 되었어요."

시어머니가 자초지종 이야기를 듣고서, 내외를 할 겨를도 없이 그의 손을 덥석 잡아 흔들면서,

"아이구 증말루 고마워유. 이 보답을 어떻게 해야 할지 모르겄네유."

하며 그동안 소식도 모르던 시아버지의 마지막 비참한 이야기를 듣고는 눈물을 주르르 흘렸다.

"이제서야 저도 마음속에 있던 짐을 내려놓아서 후련합니다."

"얘 에미야 얼른 잡술거라두 준비하거라."

"아닙니다. 저는 또 다른 한 분의 소식도 전해드려야 하니 이만 가 보겠습니다."

"아녀유 그러는 벱이 아니지유."
"아닙니다 정말입니다."
한사코 대접을 마다하는 데. 범성이,
"정히 그러시문유 연락처 라두 알려줘유."
그러자 방문객은 들고 있던 조그만 손가방에서 명함을 한장 꺼내주었다.

방 선우,
그는 경기도 이천 사람이며 나이 28살 때 고향에서 일본 순사의 앞잡이인 같은 조선인을 때려죽이고,
만주로 피신하여 있다가 김찬우를 만나서 그의 인품에 이끌리어 마치 아비처럼 따르며 함께 움직이면서 독립군 군자금을 마련하고 하였다.
중국 봉천 (현. 심양) 남쪽에 흐르는 渾河(혼하) 라고 하는 강을 건너서 조선 사람들이 많이 모여 사는 蘇家屯(소가둔)이라는 곳에 은신하며 활동을 하였었다.
(그 곳은 아주 오래전 소현세자와 봉림대군이 청나라의 볼모로 끌려가서 지낼 때.함께 갔던 백성들이 모여서 지냈던 곳이기도 하였다.)

봉천에서부터 남쪽으로는 단동 신의주 북쪽으로는 장춘 할빈으로 활동하다가,
어느 날 상해에서 사람이 왔다는 연락을 받고 만나기로 한 약속 장소인 北陵(북릉. 청나라 태조 누루하찌의 묘가 있는 곳) 에서 만나는 중,
누군가의 밀고로 왜경에게 발각되어서 상해에서 온 연락책과 함께 김찬우 방성우는 피신하여 동릉 쪽으로 길을 잡다가 기판산까지 들어가게 되었다.
그곳에서 천신만고 끝에 살아남은 방선우는 자신을 구하여 살려준 중국인 집에서 몇 년 동안 일을 거들며 생활하는 도중에 그는 중국 팔로군 조선 의용대에 들어가게 되었고, 그 후 해방이 되었지만, 곧바로 들어오지 못하고 있다가, 중공군이 필요에 의하여 만들은

의용대에 지원하여 훈련을 받고 조선인들로만 구성된 척후병으로 선발되어서 남쪽으로 밀파되었는데 남쪽으로 오는 도중에 계획한 대로 스스로 자기 다리에 가해하여 다치고서, 방첩대에 자수하여 얼마간의 형을 채우고 자유의 몸이 되어 고향 이천에 은거하다가 전쟁이 나고 휴전이 되어서 사회가 어느 정도 안정이 되면서 서울로 옮기어 정착하게 되었다.
이때 그는 김창룡의 방첩대에 들어가서 많은 공을 세웠다.
(김창룡(金昌龍, 1956년 1월 30일 암살됨.)은 일본군과 대한민국 국군에서 복무를 한 대한민국의 군인이다. 호(號)는 옥도(玉島)이며 창씨명은 다마시마 쇼류(玉島昌龍). 헌병 출신으로 일제하 공산주의 계열 항일조직을 무너뜨리고 독립군을 체포하고 고문한 것으로 유명하다. 해방 전 2년 동안 적발한 항일조직은 50여 개에 달한다. 그러나 해방 후에는 이승만 세력에 가담해 반공 투사로 전향하여 자유민주체제를 전복하려고 간첩 활동을 하던 남로당 등을 색출하여 처벌하는 등 혁혁한 공을 세우고 국립대전현충원 장군1묘역 69호에 묻혔다.)

그리고는, 고향 이천에 있는 가산을 정리하여 청계천 주변의 낡은 집과 적산가옥 (해방이 되어서 일본이 버리고 간 집)을 헐값에 사들였다.

윤실이 아버지

그 해,
추수가 끝 난 어느 날 밤이었다.
윤실엄마는 온종일 품팔이에 지친 몸을 뉘이고 좌우로는 윤실이 남매를 끼고서 잠이 들었는데,
누군가 문밖에서 문고리로 조용히 문을 두드리는 기척이 있었다.
오싹 무서움이 들은 윤실엄마는 옆이 남매를 꼭 껴안으며 겁에 질린 낮은 소리로,
"누구유?"
밖에서는 아무 대답 없이 잠잠하더니, 다시 문고리로 문을 두드리었다.
분명 귀신이 아니고 사람인 것을 확인하고는,
"누구유?"
하고, 윤실엄마가 재차 또 물었다.
그제서야, 사내의 나지막한 대답 소리가 들렸다.
"윤실아. 나 아부지다."
그 말을 듣는 순간 윤실엄마는 가슴이 철렁하고 내려앉았다.
분명히 윤실 아버지의 쉰 듯한 목소리였다.
윤실엄마는 정신을 가다듬고서,
"누구라구유?"
"윤실엄마. 나여 나."
분명한 윤실 아버지의 목소리를 확인하고서 윤실엄마는 떨리는

손으로 방문 고리를 젖히고 문을 열었다.
문밖에는 평소에도 광대뼈가 나왔던 사람인데, 비쩍 말라 광대뼈만 남아서 꾀죄죄해 보이는 윤실이 아버지가 주위를 두리번거리며 서 있었다.
윤실엄마는 덜컥하고 가슴이 내려앉는 것을 느끼며,
친정아버지한테서도 빗자루로 얻어맞고 쫓겨나던 일과 저수지에 뛰어들어 빠져 죽으려 하였던 원망과 서러움이 겹치게 한, 윤실 아버지의 그 몰골에 짠 한 애증이 생기었다.
"정말, 윤실 아부지 맞어유?"
"지 서방 얼굴두 잊어버린 겨?"
"애들 잠 깨니께 얼른 들어 와유."
윤실 아버지는 주위를 둘러보고는 잽싸게 방안으로 들어섰다.
그리곤 잠자고 있는 남매의 얼굴을 한동안 바라보더니,
"먼발치로 한 두 번 봤지만, 애들이 많이 컸구먼."
"소리 낮춰유. 애들 깨겄어유. 그래 그동안에 어디서 뭘 하다가 이제야 오는거유?"
"그건 차차 지내문서 얘기 하도록 혀."
"그러문, 이제 아주 온다는 거유?"
"내가 가 봐야 어디루 간다는 말이여?"
잠시 침묵이 흐른 뒤,
"애들이 깨면 놀랄 테니 윗방에 이불 깔아 놓을 테니 거기 가서 자도록 해유. 그런디 저녁밥은 먹기나 한거유?"
"안 먹어두 애들 보니깨 배가 고프지 않구먼."

윤실엄마는 부엌으로 가서 솥 안에 넣어둔 고구마를 섞은 밥 한 그릇과 김치를 가지고 윗방으로 들어갔다.
전번에 솥단지 안에 돈을 넣어놓고 간 것이 필경 윤실 아버지의 소행임을 짐작한 윤실엄마는 그날 로부터 매일 저녁밥 한 그릇을 솥 안에 넣어두고 반찬 한 두 가지는 부뚜막에 놓아두었었다.

"아이구, 이 웬수야. 앞으루 어떻게 할거유?"
허겁지겁 밥을 먹고 있는 서방이 안쓰러워 보여서 물그릇을 앞으로 밀어주면서 윤실 엄마가 나직이 물었다.
"응, 글쎄 우선에 어떻게 해야 할지 그게 걱정이여."
"윤실 아부지는 집안에 가만 있어유. 내가 먼저 한필이네 집에 가서 물어 볼 테니까유."
"범생이 말이여? 그 집 소두 내가 끌구 갔는데. 가만 있겄어?"
"그건, 나중 일이구 윤실 아부지 편들어줄 사람은 그 집뿐이 없어유."

다음 날 아침,
해도 뜨기 전에 윤실엄마는 범성네 집으로 갔다.
"아니, 이 새벽에 어쩐 일이래유?"
아침밥을 짓기 위해 부엌으로 들어가려던 범성 아낙이 윤실엄마를 보고는 물었다.
"조용히 할 얘기가 좀 있어서 왔어유."
"그려유? 뭔 얘기래유?"
"할머니 일어나셨나요?"
"벌써 일어나셨어유. 그럼, 할머니 방으루 들어 갈까유?"
"그래유, 한필이 아부지두."
윤실엄마의 말에 범성 아낙은 뭔가 심상찮은 일이 있음을
직감하였다.

할머니의 주위로 둘러앉은 범성 내외에게 윤실엄마는 어젯밤부터의 일을 자세히 이야기하며 어떻게 해야 할지 물어보았다.
한동안 듣고 있던 범성이,
"이 일은 우리끼리 얘기해서 될 일두 아니구, 우선 구장님하구 얘기를 해야 될거 같네유.
빠를수록 좋으니깨 우선 정만이 성한티 이리 와서 지 하구

같이 구장님한티 가 보두룩 하는 게 좋겄어유."

"그려, 우리는 지나간 그때 일에는 서운한 것 없으니깨, 윤실 어멈 자네 내외하구 구장헌티 가서 빌어."

하고 시어머니가 한 마디 거들었다.

"그래유 그렇게 해서 우선 동네 사람들 맘두 가라앉혀야 되잖것 어유? 윤실이 엄마두 같이 가유. 그동안 윤실이 엄마가 동네 사람들에게 인심은 안 잃었느니 구장님두 그걸 알꺼유. 아침이라서 나다니는 사람두 없구 하니, 지금 바루 윤실이 아부지하구 가 봐유. 그리구 올 때 애들 데리구 와유 핵교에 가야 하니께 여기서 아침밥 멕여서 한필이 하구 함께 핵교 보낼께유."

윤실아버지 이정만은 인민군에 붙어서 부역하다가 패주하는 인민군을 따라서 도망 중, 평택 근처에서 북진하는 국군에게 포로로 잡히었는데, 그 당시 민간인복은 벗어버리고 인민군복을 입고 있었기에 북한군 포로로 간주되어 거제도 포로수용소로 보내졌다.

그 후, 휴전이 성립되고, 1953년 6월 18일 당시 대통령 이승만의 결단인 반공포로 석방으로 풀려나서, 친공포로들의 보복을 피하여 마산 쪽 어느 농가의 나이든 노부부가 그를 숨겨 주었는데 그 집의 두 아들은 전쟁터에서 전사하고 늙은이 둘이서 어렵게 농사를 짓고 있었다.

이정만은 노부부의 처지가 안타깝기도 하거니와 자기를 자식이 살아 돌아온 듯이 거두어주는 늙은 농부에 고마움을 느끼어 그 집에서 친척인 척하면서 가을 일까지 끝내주고서, 자기가 지은 죄를 알고 있기에 고향인 하리골로 오지를 못 하고 청주 근처의 어느 농가에서 머슴으로 숨어 지내고 있었다 한다.

한바탕 꾸지람에 숨소리도 못 내고 머리를 푹 수그린 이정만에게 다시 구장의 타이르는 듯한 부드럽지만 단호한 목소리가 들렸다.

"그래두, 지가 태어난 곳이라구 도루 돌아오니 더 뭐라구

하지는 않겄네만,
사람은 말이여 원래 태어날 때에는 모두 다 착하게 태어나서
살아가다 보며는 힘든 일두 있구 살기가 만만치 않기두 허구
그러는겨.
그러다 보니 잠시 나쁜 맴도 생기구해서, 그 짝으루 가며는
조금 더 나아질까 하구 생각허기두 하는겨.
우리 동네에서 있었던 일은 내가 어떻게던지 헐 테니깨 새 맴
단단히 먹고 지내도룩허구,
문제는 다른 동네가 어떻게 생각할런지가 맴이 쓰이는구먼."
구장의 준엄한 타이름에 이정만은 고개를 수그린 채
"찾아가서 잘못을 빌구 죽으라문 죽는 숭내라두 내야허지유."
하고 기어 들어가는 목소리로 말하였다.
"그라문 찾아 댕기면서 빌어야 된단 말이유?"
윤실엄마가 근심스레 구장에게 물었다.
"뭐, 그래야 되겄지. 그러나, 우리 동네에야 덜 허지 만, 다른
동네까지 그렇게까지는 헐 수 없고 마주치게 되무는 사죄하는
게 나을거여. 찾아갔다가 뭔 봉변이라두 당헐지 모르니깨."

며칠 후 윤실아버지가 이마에 철철 흐르는 피를 손으로 막으면서
집으로 돌아왔다.
그것을 본 윤실엄마는 가슴이 덜컥 내려앉았다.
필경 무슨 사달이 나도 단단히 난 듯하였다. 얼른 수건으로 피가
흐르는 이마를 틀어막으면서,
"아니, 이게 어떻게 된거유?"
하고 겁에 질린 목소리로 물으니,
"아녀, 괜찮여."
"괜찮키는 뭐가 괜찮다는거유?"
"돌맹이에 조금 맞았을 뿐이여."
"어떤 화상이 돌 팔매질을 했단말이유?"

"너무 시끄럽게 하지를 말어 그럴 만했으니 그런 거지 뭘."
"그래, 이 지경인데 가만 있었어유?"

동네 초입 장승배기 모탱이에 있는, 범성네가 부쳐 먹으라는 밭때기에 밑 거름을 주러 나갔다가,
마침 지나가던 옆 동네에 사는 사람들과 마주치게 되었다,
그 들은 이정만이 빨갱이들과 함께 와서 행패를 부리며 닭을 빼앗아 간 것을 잊지 않고 있다가 달려들어서 두드려 팬 것이었다.

자초지종을 듣고서 윤실엄마는 몸을 부르르 떨면서,
"사람을 죽일라구 작정을 안 하구서야 이렇게 할 수가 있는거여? 내 가만 안 둘 껴여."
하더니 윤실아버지가 말릴 겨를도 없이 눈에 쌍심지를 세우더니 옆에 있는 지게 작대기를 들고 뛰쳐나갔다.
한달음에 옆 동네로 달려간 윤실엄마는 동네가 떠나갈 듯한 큰 소리로 그들을 찾았다.
"어떤 눔의 손모가지가 사람을 죽이려 했나? 얼른 여기루 기어나와라."
평소의 조신하였던 윤실엄마의 모습은 온데간데없고 악에 받친 야차 같았다.
그동안 빨갱이 마누라라고 외면받고 손가락질받으며 멸시받으며 마치 죄인처럼 눈치를 보며 고개를 수그리며 지내던 몇 해 동안에 윤실엄마는 살아나가는 강인한 억척스러움에 적응되었던 모양이다.
"이 빨갱이 에펜네가 왜 남의 동네까지 와서 행패여?"
한 사내가 나서면서 말하였다.
"뭐? 빨갱이 에펜네라구? 그럼 니가 사람을 죽이려구 했다는게야?"
"빨갱이는 죽여야지 암 패 죽여야지."
사내도 지지 않고 큰 소리로 말했다.

"오냐, 이눔 그래 네 눔은 빨갱이가 아니었더냐?"

"이 빨갱이 에펜네가 지금 뭔 소리를 하는겨?"

"이 눔아, 내가 이 두 눈깔루 똑똑이 봤어. 빨갱이 군대가 왔을 때, 니 눔 그 대가리에 뻘건 띠를 하구서 만세 부른 눔이 니 눔 아녀?"

"이 에펜네가 지금 뭔 말을 하는거여?"

윤실엄마의 말에 사내는 주춤거리며 말했다.

"아니면, 왜 아니라구 말을 못 혀. 여기 모인 이 동네 사람들두 다 아는 거 아녀?"

사내가 윤실엄마의 기에 눌려서 뒷걸음을 치려고 하자,

"이 눔아 어디를 도망가려구 하는거여? 사람을 죽이려 했으니 이 길루 지서 가막소 에 가야 헐 거 아녀?"

하며 지게 작대기를 높이 치켜들어 사내를 향하여 휘둘렀다.

"가막소는 니 년 서방이 가야지 내가 왜 가?"

"이눔아 우리 서방은 가막소에서 벌을 다 받고 왔는데, 니 눔은 사람을 죽이려 했으니 지서에 가서 따지자. 이눔아."

윤실엄마의 성 난 고함에 그만 사내는 구경하는 사람들의 사이로 빠져서 자취를 감추었다.

그런 일이 있고 나서부터는, 인근 동네에 소문이 나서 윤실네 앞에서는 누구 하나도 나서서 말을 하지 못하였다.

그 후, 윤실아버지 이정만은 지난 잘못을 크게 뉘우치고서, 동네뿐만 아니라 인근 동네까지도 젖은 일 궂은일 마다하지 않고 팔을 걷고 나서서 도와주니 그에 대한 적개심도 엷어져 갔지만, 처가집 장인과의 관계는 요원하였다.

1957년 8월 초부터 여름 장마가 시작되더니 전국에 대홍수가 일어나서 들이며 밭이며 완전 쑥대밭으로 만들어 버려 농작물을 못 쓰게 만들어서 민심이 흉흉하여졌고 247명의 큰 인명피해를 내더니,

다음 해인 1958년, 8월 말에는 전국에 뇌염이 창궐하여 전국의 국민학교에는 휴교령이 내려지기도 하였으며 뇌염으로 인하여 생명을 잃은 사람이 650여 명이나 되었다.

"한필이는 핵교 안 가는거여?"

아침밥을 먹고 나서도 멀뚱거리며 학교 갈 생각을 안 하는 손자를 보며 할머니가 말했다.

"응 선생님이 3일 동안 핵교 쉰댜. 그리구 모기에 안 물리게 하라던디?"

"얘 에미야 저게 무슨 소리냐? 핵교가 쉰다니 무슨 말이냐?"

"엄니 지금 뇌염이 온 나라에 퍼져서 메칠 동안 핵교 문을 닫는대유."

"그려? 뇌염이 뭐냐?"

"모기가 옮기는 병이라구 하대유. 그래서 모기에 안 물리도록 하래유."

"그거, 큰일이구나. 저녁만 되문 사방팔방이 모기 구댕이인데 어떻게 안 물릴 수가 있겄냐."

"그러게 말이유. 쑥대 해 와서 모깃불을 많이 놓는 수밖에 없지유."

"작년에는 큰물이 나서 배탈들이 많이나구 설사병이 돌더니 올해는 또 무슨 그런 병이 돈 다는거냐?"

"그게 애들헌티 많이 걸린다는 데유."

"뭐? "

시어머니는, 애들한테 많이 걸린다는 말에 가슴이 덜컥 내려앉으며 무의식중에 옆에 있는 기영이의 손목을 잡아끌어 자기의 무릎 위에 앉히었다.

이제는, 영주의 딸 기영이는 범성네 일가족이 되어있다시피 하였다.

몇 대째 여자애라고는 없는 집에 기영이가 있으니 할머니는 마치 친손녀처럼 애지중지하였고 집안 식구 모두 기영이를 끔찍이도 귀

여워하였다.
한필이는 밀짚으로 여치 집을 만들어 그 안에 여치 두 마리를 잡아 넣어서 기영이에게 주었는데,
성필이는 댑싸리 비를 거꾸로 치켜들고 낮게 날아다니는 밀잠자리를 잡으려고 쫓아다니며 휘두르기도 하였지만, 밀잠자리가 어찌나 빠른지 휘두르는 댑싸리 빗자루를 요리조리 피하면서 잡힐 듯, 말 듯 약을 올리기만 하였다.
그래서 성필이는 밀잠자리를 달래주기라도 하려는 듯, 흥얼거렸다.
  "나마리 동동 파리동동 멀리멀리 가지마라 멀리멀리 가며는 오줌통에 빠진다."
별짓을 다 하여 겨우 밀잠자리 한 마리를 잡았는데 그만 휘두르는 빗자루에 맞아서 꽁지가 부러졌다.
꼬리가 없는 밀잠자리를 그대로 기영이에게 줄 수가 없어서 성필은 부러진 꽁지를 떼어내고 그곳에 가느다란 밀짚 목을 끼워 넣어서 기영이에게 주다가 그만, 놓쳐 버렸다.
그러자 꼬리에 밀짚이 매달린 채로 밀잠자리는 쏜살같이 하늘 높이로 날아가 버리자, 기영은 그만 울상이 되었다.
 "괜찮어 오빠가 또 잡아줄껴."
성필은 기영이를 달래면서 흘러내린 바지를 추켜 입으며 다시 댑싸리 빗자루를 거꾸로 치켜들고 마당을 이리저리 뛰어다녔다.

뜨겁던 여름의 삼복더위에 푸른 논에는 벼꽃이 하얗게 피더니 어느 사이에 벼가 여물어가면서 고개를 숙이더니,
가을 해가 서산마루에 걸릴 때마다 붉은 저녁노을에 조금씩 황금색으로 물들어가고 있었다.
  "아니, 승골닥 현수가 몇 살인데 벌써 장가를 보낸다구?"
상억이 아내 춘분을 돌아보며 어이없다는 웃음을 지으며 물었다.
  "증말이래니까유. 승골닥에 대를 이어나갈 손이 읎잖어유. 그래서 얼릉 장가를 보낸다는 가 벼유."

"그려? 허기야 현수두 이제 스무 살이 되어가니께 장가갈 때두 되었지."

"조석을 끓여대는 늙은 엄니 생각두 해야 되잖어유."

춘분의 말에 상억은 고개를 끄덕이며 긍정하였다.

승골닥 현수가 장가들기 전날,
하리골 쪽으로 들어가는 장승배기가 서 있는 갈림길에 처음 보는 파란색을 칠한 네모진 차가 한 대 들어오고 있었다.
(1955.8월. 국제차량제작사가 시발택시를 출시하였다. 이는 우리나라에서 처음으로 만든 자동차가 되었다.)
차 안에는 윤철우와 아야꼬 미실이가 타고 있었고 운전수는 좁고 울퉁불퉁한 시골길을 조심스레 운전하느라고 눈을 크게 뜨고 있었다.
중학생이 된 미실이는 짙은 곤색에 흰 줄이 두 개나 있는 세라복 교복을 입고 있었는데,
어엿한 숙녀티가 나 있었다.

첫 대면은 서먹서먹하고 어리둥절하였지만,
부산에서 떠나 올 때, 아버지 철우에게 그동안의 대강 이야기는 들었지만, 실감이 가지는 않았었다.
그러나 막상 하리골에 도착하여서 두 팔을 벌리며 눈물로 맞아주는 할머니를 보자 어렴풋이 옛 기억이 떠오르면서 미실이는 할머니가 벌린 두 팔 안에 안기었다.
피는 못 속인다. 라는 말, 그대로였다.
어렸을 때 떠나서, 9년 만에 돌아왔지만,
끊길 듯 말 듯, 마치 조각이 나서 흩어진 꿈처럼 희미한 기억이 떠올랐다.
미실이는 할머니의 두 팔 안에서 두리번거리며 방안을 휘둘러 보았다.

안개같은 기억속의 엄마 아버지가 어디에도 안 보이기 때문이었다. 뭔가 잃어버린듯한 허전함이 미실이의 머릿속을 혼란스럽게하였다.

철우는 차에 싣고 온 짐을 미실이 할아버지 앞에 내려놓으며,
"형님, 변변치 못하지만, 가져 왔습니다."
하면서, 빨간 동그라미가 그려져 있는 양 담배 LUCKY STRIKE 2 보루와 간스메(통조림) 덴찌(손 전등) 을 꺼냈는데,
"형님, 이 빨간 그림이 있는 것은 미국 궐련 담배입니다."
"그려? 그걸 조선 사람이 피워도 되는거여?"
"그러문요."
"탈이 읎다는 말이여?"
"네, 걱정 안 해도 됩니다."
그중에서 생전 처음 보는 목침(퇴침. 통나무로 만든 베개) 크기의 물건도 있었다.
"아니 뭘, 이런 걸 다 … 이렇게 와 준 것만 혀두 고마운디."
미실 할아버지는 목침같이 생긴 물건을 쳐다보면서,
"낮잠 잘 때 안성맞춤이겠구먼."
하고 두 손으로 들어 올려 이리저리 살펴보았다.
"하하하, 형님, 그거 목침이 아니고 라지오라고 하는 겁니다."
"라지오? "
미실 할아버지는 손에 들었던 물건을 내려놓으면서 다시 이리저리 살펴보았다.
철우는 옆에 있는 현수를 더 가까이 다가와 앉으라 하면서 미실 이에게 말하였다.
"미실아, 이 라지오 사용하는 방식을 잘 설명하여 드려라."
철우의 말에 미실은 현수에게 라지오의 조작 방법을 알려주었다.
라디오에서 노랫소리도 나오고 또 이야기 소리도 나오고 하니까 할아버지와 할머니 그리고 현수까지도 입을 쩍 벌리고 그 신기함에 놀랐다.

"그 안에 사람이 들어 있는거냐?"
할머니가 신기해하며 미실이에게 물었다.
"아입니더. 방송국에서 방송 하는기라예."
미실이가 할머니를 보며 웃으며 대답하였다.
"요술이네, 우리 미실이가 이런 것도 할 줄 알고 증말 총명하게 컸구먼."
할머니는 손녀딸이 대견스러웠다.
"이것은 미국 글자인디 뭐라구 쓴 거니?"
현수가 호기심이 가득하여서 묻는 말에,
"메이드 인 코리아."
"그게 무슨 말인데?"
"우리나라에서 만들었다는 말이라예."
하고 알려주는 미실이의 얼굴을 쳐다보며 현수는 쑥스러운 웃음을 지으며,
"니가 미국 글자를 어떻게 아는디?"
"매일 저녁에 집에서 화자 이모가 가르쳐 준다 아입니꺼."
"화자가 누구여?"
"아버지 비서 인데예, 화자 이모라고 캅니더."
현수는 미실이가 무슨 말을 하는지 도대체 이해가 되지 않아서 그만 입을 다물었다.
(다음 해, 1959년 부산에 있던 금성사에서 국산 진공관 라디오 A-501을 처음으로 정식 생산 시판하기 시작하였다.)

미실이 할아버지와 철우, 두 사람이 마주 앉아서 매우 진지한 표정으로 대화를 나누고 있었다.
"그러니, 형님 생각은 어떠세요?"
철우의 물음에 미실 할아버지는 깊게 생각하더니,
"허~ 거 참,"
하고 막막한 심경을 토로하였다.
이야기의 내용은 미실이의 이야기였는데,

전쟁 때 죽은 미실이의 부모를 대신하여 철우가 미실이를 양녀로 거두어서 후에 철우의 호적에 입적시켰는데, 철우와 미실이 할아버지는 외척으로 재종간 사이여서 항렬로는 형과 동생 사이였다.
미실이 할아버지 입장에서는 미실이가 손녀가 되지만, 철우의 입장에서는 미실이가 딸로 되어있기에 계보가 엉클어져 있고 또 한 부르는 호칭도 난감하였다.
결국, 두 사람은 명쾌한 의견을 못 내고,
"형님, 그러면 이렇게 합시다. 이때까지 지내 온 대로 그냥 놔둡시다."
하고 철우가 말하였다.
"그게 뭐 큰 대수겄나? 어차피 지지배라서 족보에두 올리지 못 허는디. 그냥 뭐 즌쟁 통에 그렇게 됐다는 것만 알구 있으문 되지 않겄나?"
그 시절만 하여도 남존여비의 사상이 팽배하였었다.
"형님! 그럼 그렇게 알겠습니다. 그 대신 미실이에게는 여기가 뿌리라는 것을 항시 알려주도록 하겠습니다."

철우가 미실이를 수양딸로 삼고서 키우다가 입학 나이가 되었을 때야 자기의 호적에 정식으로 입적시키고서, 친부모의 일도 대강 알려 주었다.
전쟁 후 많은 전쟁고아들과 어수선한 행정 탓으로 미실이를 양녀가 아닌 친자로 입적을 시킨 것이다.

범성의 집에서는, 철우 범성 상억이 작은 술상에 둘러앉아 반가운 만남을 즐기고 있었고, 그 한쪽에서는 범성 아낙과 춘분이 그리고 아야꼬 셋이서 그간의 이야기에 여념이 없었다.
"아야꼬 아줌니."
춘분이 말에 범성 아낙이,
"아니, 하정이 엄마, 언제까지 아야꼬라고 부를거여. 이제는 미실이 엄마라고 해야 맞지.”

“아 참, 그러네유. 입에 발린 말이라서 그러네유.”

범성 아낙의 미실엄마라는 호칭이 꽤나 마음에 들었던지 아야꼬는 활짝 미소를 띠고는,

늘상 갖고 다니는 빨간 색 바탕에 하얀 매화꽃으로 수를 놓은 손수건으로 입을 가리면서,

“고마스무니다.”

하고 아직도 서투른 말로 화답하였다.

“아이구 안죽꺼정 조선 말을 다 못혀나 봐유.”

춘분의 웃음 수다에,

“그것이노 자리 아니되무니다. 조서니노 사람 일보니노 사람 마리하는 헤가 다르다 하무니다.”

“맞아유. 입안의 혀가 조금 틀려서 발음이 차이가 있는거유.”

범성 아낙이 아야꼬의 서툰 발음을 이해하며 아랑곳하지 않았다.

“미실이 지지배 오늘 보니깨 엄청나게 이뻐졌내유. 참 잘 키웠어유.”

춘분이 미실이를 칭찬하여주자 아야꼬가,

“마니 커스무니다. 지그무는 삐야노 가르치무니다.”

“삐야노? 그게 뭐래유?”

춘분으로서는 처음 듣는 말에,

“핵교에 가문 노래시간에 풍금이라고 하는거 있잖어 그런거여.”

하고 범성 아낙이 알려주었다.

춘분은 순간적으로 딸 하정이가 검댕 칠을 한 얼굴로 아궁이 앞에 쪼그리고 앉아 불을 때며 매운 연기에 눈물을 흘리는 모습이 떠올라, 미실이와 비교되어서, 가슴이 먹먹하여졌다.

그때, 기영이가 들어와서 범성 아낙의 품에 안기는 것을 보고,

“あなたの赤ちゃんですか?(당신의 아기입니까?)”

라고, 아야꼬가 눈을 동그랗게 뜨고 무의식중에 일본말로 물었다.

"그래요. 우리 딸입니다."
"きれいです(예쁩니다)"
아야꼬는 손뼉을 치고 좋아하면서,
미실이 동생이 생겨서 자기의 마음이 기쁘다고 하였다.

상억이 철우에게 물었다.
"그럼, 포천에서 오는 길이래유?"
"아니야, 내일 현수 혼인식 보구 나 혼자서 포천에 다녀오려 구해."
"성 혼자서유?"
이번에는 범성이 물어보았다.
"응. 미실 엄마하구 미실이가 오랫동안 차를 타니까 무척 힘 들어 해서 차는 여기에다 두고 나 혼자 서울까지 기차로 가서 포천으로 가려고 하네. 경부선에 급행열차도 생겼고 하니까."
(1954년 8월 15일 경부선 급행열차 통일호 개통되어서 서울~부산 간의 소요시간 9.30분)

현수의 혼인식도 끝나고 철우네 식구는 타고 왔던 자가용차를 타고 떠났다.
오래전 부산역에서 그랬던 것처럼 범성네 식구와 상억네 식구가 헤어짐의 아쉬움에 눈물을 글썽거렸고, 부산역에서 동무들을 떠나보내며 울음을 터트렸던 미실이는,
한필이와 하정이에게
"잘 있그레이. 여름 방학에 내사 마 또 온데이."
하고 웃으며 손을 흔들어주며, 뽀얀 흙먼지 속으로 떠났다.
(그 해, 11월 26일 - 민주당은 정/부통령 후보자 지명대회에서 조병옥 박사를 대통령 후보로, 장면 박사를 부통령 후보로 각각 선출하였고. 12월 14일 - 북송교포 제1진 975명이 일본 니카타에서 북한 청진으로 향하였다.)

생활전선

눈에 넣어도 아프지 않을 어린 딸을 맡겨놓고 에이는 가슴을 끌어안고서 떠 난 영주는 고향 양구로 갔다.
그리곤 그곳에서 자기를 도와주었던 촌로를 찾아서 그간의 사정을 이야기하고 부모의 남겨진 재산을 찾아보았으나, 대부분 토지는, 영주가 정신줄을 놓았을 때 정신병원에 보내려고 하였던 먼 친척의 소유로 둔갑하여버렸다.
그러한 상황에서 젊은 여자의 혼자 몸으로는 어찌 해결할 방도가 아득하여서 군더더기 남은 토지를 헐값에 정리하여서 다시 서울로 향하였다.
서울로 향하기 전,
　"아씨 부탁이 하나 있으우다."
하고 촌로가 간절한 어조로 영주에게 말하였다.
　"무슨 말씀인가요?"
　"다름 아니우다. 아씨 서울로 갈 때 우리 손주를 데려가우다."
　"할아버지 손주를요?"
　"그러하우다. 사람은 낳아서 서울로 보내고 망아지는 제주도로 보낸다고, 여기에 있어 봐야 머리가 깨이지도 않고 평생 나나 제 애비처럼 땅만 파고 살아야 되니 아씨가 서울까지만 데려다 주우다."
하며 손자를 손짓으로 불렀다.
영주가 얼굴을 보니 오래전, 기훈이의 부대로 안내를 하여주었던 아이였는데 그 사이 키도 크고 체격도 듬직한 총각으로 변해 있었다.

"너로구나. 그동안 많이 컸구나. 그럼 올해 몇 살이 되는거지?"

"올게 열 여섯이우다. 덩치만 크지 숙맥이우다."

촌로가 대신 대답하였다.

영주는 속으로 여러 가지 생각을 하였다.

홀홀 단신 여자의 몸으로 사회로 뛰어들려 하니 걱정도 되어서,

"그럼, 너는 이제부터 나를 누나라고 불러야한다. 그럴수있어?"

영주의 말에 촌로가 반색하면서,

"아이구 아씨 말이라문, 그렇게 해야지요. 이놈아 얼른 예 라고 대답하거라."

"그런데 네 이름이 뭐니?"

"진태라고 하우다. 박진태. 아씨."

이번에도 촌로가 대답하였다.

"진태? 너는 원체 말이 없니?"

"첩첩 산골에 살다 보니 숙맥이 다 됐드랬시요."

촌로가 또 대답하였다.

영주는 진태를 데리고 서울로 왔다.

그리고는 청계천 변에 있는 판잣집을 구입하여 깨끗이 손질을 하여서 음식 장사를 하기로 하였다.

서울로 오는 차 안에서 진태와 이야기 도중에,

"아씨 누나, 서울 가서 뭘 할거래요."

진태가 무엇을 하여서 먹고 살런지 궁금하였던 모양이었다.

"아씨 소리는 빼고 그냥 누나라고 부르래도… 글쎄 뭘 해야 할지 아직은 모르겠구나."

영주도 무엇을 하여야 할지 막막하기만 하였다.

무슨 말을 하려는지 잠시 머뭇거리던 진태가,

"아씨 누나."

"아씨 소리는 빼라니까 그러네."
"서울 가서 먹는 장사 함 해보면 어떠하오?"
"뭐? 음식 장사?"
"그러하오. 내 다른 재주는 없어도 추어탕 하나만은 자신 있우다."

그리하여 영주와 진태는 서로 도와가며 추어탕 장사를 시작하게 되었는데,
시작한지 얼마되지 않아 소문이나면서 손님들로 북적거렸다.
어느 날,
"누나, 손님들이 너무 많아서 일손이 모자라오."
"아무래도 일할 사람을 구해야 되겠구나."
"그래서 말이오. 양구에 있는 우리 어무이 오라 하면 어떠오?"
"어머니를?"
"그러하오. 그까짓 농사라야 형이 하면 될 것이고, 어무이는 음석도 맛있게 잘 만드우다."
그렇게 하여 양구에 있는 진태의 부모까지 서울로 오게 되었다.

점심때가 지나서 손님들이 뜸한 시간이면 어김없이 찾아오는 손님이 있었다.
좋은 옷은 아니지만, 깔끔하게 옷을 입고 절름거리며 한쪽 다리를 지팡이에 의지한 환갑이 될 듯싶은 노인이었는데, 안광이 무척이나 날카로웠다.
영주가 내어놓은 추어탕 한 그릇을 맛있게 먹고는 돌아갈 생각 없이 오랫동안 앉아 있다가 자리를 뜨고는 하였는데,
어느 날 영주를 부르더니,
"가게 터가 작은데 손님들이 많아서 많이 불편하지?"
라고 말을 붙이면서 자기가 가지고 있는 가게 터로 이사를 하면 어떻겠느냐고 하였다.

늘어나는 손님으로 인하여 가게가 비좁아서 좀 더 넓은 가게가 필요하지만, 아직은 그럴만한 여력이 안 된다고 말하였다.
그러자 그 노인은 가겟세는 걱정하지 말고 나중에 돈을 벌면 갚으라고 하면서 굳이 자기가 가지고 있는 가게로 옮기라고 권유하였다.
"내가 그동안에 쭉 봐 왔는데 젊은 여자가 예의도 바르고 장사를 아주 잘하더군. 큰돈을 벌 것 같아서 내가 미리 투자하고 싶어서 그러는 게야."

그 노인은 다음 날도 또, 그다음 날도 찾아와서 아무 말 없이 추어탕 한 그릇을 먹고 한동안 앉아 있다가 가곤 하였는데, 어느 날에 평소보다 조금 늦어서 저녁 장사가 끝 날때 쯤 다리를 절면서 가게로 들어섰다.
안 그래도 오늘은 왜 안 오나, 무슨 언짢은 일이라도 생겼나 하고 궁금하던 차에 영주는 노인을 반가이 맞이하였다.
"어르신, 오늘은 늦으셨네요."
영주의 말에 노인은 아무 표정 없이 고개만 끄덕이어 인사에 답하고는 자리에 앉았다.

추어탕을 식탁 위에 내려놓자 노인이 나직하게 묵직한 소리로,
"쐬주 한 잔 줘."
여태껏 드나들면서도 술을 청 한 적이 없었던 노인이라 영주는 잘못 들었나 하고,
"술 말씀이에요?"
"응, 쐬주 한 잔."
그러고 보니 노인의 안색이 평소보다는 조금 어두워 보이는 것 같기도 하였다.

노인은 영주를 불러 맞은 편 자리에 앉히고는,

"전에 내가 말하던 것은 어찌 생각해 봤어?"
하고 가게를 옮기라고 했던 말을 상기시켰다.
"어르신 말씀은 고마우신 말씀이지 만, 저를 어떻게 믿으시고 그런 제의를 하시는지요."
"이런, 이런, 그럼 아직까지 생각을 안 했다는거야?"
"좋은 말씀으로 여기고 있겠습니다."
영주의 공손한 대답에 노인은 낮은 소리로,
"어떻게 믿느냐구 그랬어? 맞는 말이지. 사람을 허투루 믿으면 안 되지. 그러나, 이 늙은이가 쓸데없는 헛소리를 하는거는 아니야. 나는 색씨를 믿으니까."
노인은 잠시 영주의 얼굴을 응시하더니,
"최경실 이라구 알지?"
"최경실이라구요?"
"그래 대학교 다닐 때 동무였던 최경실하고 박민숙이를 알고 있잖어?"
영주는 깜짝 놀랐다. 어떻게 그런 것을 알고 있는지 겁이 나기도 하여서 노인의 얼굴을 자세히 살펴보았다.
"알기는 아는 모양이구먼."
노인은 아무렇지 않은 듯 말하였다.
"그걸 어떻게… "
"최경실이는 지금 내무부 치안국의 높은 사람 며느리가 되어 있고, 박민숙이는 큰 회사 사장 아들과 결혼 했지."
노인은 중얼거리듯이 하는 말에 영주는 대경실색하였다.
"아니, 어르신 어찌 그런 것까지 알고 계세요?"
"내가 알고 싶으면 다 아는 수가 있지."
"도대체 어르신은 누구세요?"
"나? 나는 그저 색씨하고 동업하였으면 하고 생각하는 사람이야."
"저를 어찌 믿고 동업을 하신다는 거예요?"

"내가 말했잖아 다 알아보고 믿을 만하니까 그러는거야."
"어르신께서는 무슨 사업을 하세요?"
영주는 노인의 정체가 궁금하여서 조심스레 물어보았다.
"그건 차차 알게 될거구, 색씨 지내 온 얘기나 해 봐. 내가 알기로는 아마 애기가 하나 있을 거라던데?"
"네?"
영주는 또 한 번 까무러치게 놀랐다.
온몸에 소름이 끼치면서 숨이 막히고 뭔가 몸이 짓눌리는 듯한 압박감은 있었지 만, 앞에 앉아 있는 노인에게서 인자한 따스함을 느끼기도 하였다.

영주는 노인에게 지나온 몇 년 동안의 일을 이야기하면서 눈시울이 붉어지더니 하리골에 딸을 떼어놓고 온 대목에서는 흐르는 눈물을 주체치 못하고 흐느끼기도 하였다.
아무 말 없이 눈을 지그시 감고 고개만 끄덕이며 듣고 있던 노인은 영주의 이야기가 다 끝나자 조용히 나직하게 물었다.
"양구에 있는 부모 재산은 찾지 못하였나?"
가까스로 진정한 영주가,
"지금 내 힘으로는 어찌 해 볼 도리가 없어요."
"알았어, 내가 다시 찾을 수 있게 해 줄 테니 걱정하지 말고, 하리골 이야기를 하는것 같았는데, 그 이야기를 해 봐."
"하리골에 김범성이라는 분이 계시는데 그 집은 저를 살려 준 은인이기도 하지요. 그 부인에게 제 딸을 맡겨놓았지요."
딸 기영이의 생각에 영주는 또 눈물바다가 되었다.
"그럼, 그 부인이 안고 있던 여자애가 색씨의 딸이었단 말이지?"
영주는 또 놀라서 입만 벌리고 말을 하지 못하였다.
노인은 하리골에 김찬우의 부음을 전하러 갔던 방선우였다.

얼마 후 영주는 방선우의 호의로,
조금 떨어져 있는 곳에 빨간 벽돌로 지은 큰 건물이 보이는 안마당이 있는 넓은 한옥을 음식점으로 꾸며서 옮기게 되었다.
(빨간 벽돌 건물은 종로 4가 쪽에 있었던 전매청 건물)

나중에 알게 되었지만,
방선우가 늦게 추어탕집에 왔던 날은 그의 가족이 모두 학살을 당한 날이라서 이천에 있는 묘소에 다녀오던 날이었다.
1.4 후퇴 때, 중공군에 의하여 반동변절자의 가족이라 하여 보복을 당한 날 이기도 하였다.
그러한 일로 방선우는 영주에게 동병상련의 아픔을 느끼고 영주를 수양딸로 삼았고 영주 또 한 그러한 방선우를 친정아버지처럼 각별히 모시었다.

사라 호 태풍

己亥年(기해년) 1959년. (단기 4292년)
50년대의 마지막 해, 무더운 폭염 아래, 감나무 가지에서 매미가 목이 쉬도록 울어댈 때,
인자한 할머니가 그만 덜컥하니 자리에 누웠다.
머리맡에 앉아서 울상이 된 한필이는 할머니 손을 움켜쥐었다.
한필이의 눈에 괴인 눈물을 할머니는 앙상한 뼈마디에 가죽만 남은 손을 힘겹게 뻗어서 손 등으로 닦아 주면서 힘없는 미소를 얼굴에 띄웠다.
화롯가에 앉아서 감자를 구우면서 옛날이야기를 들려주며,
배가 아프면 배를 쓸어주며,
체 하면 손가락에 무명실을 감고서 바늘로 따 주고,
다래끼 생긴 눈에 속 눈썹을 뽑아주며,
돌팔매에 터진 이마에 된장을 발라주고,
썩은 이빨 빼어서 지붕에 던져주던 할머니,
한필이는 무릎 걸음으로 한 걸음 더 다가가서 주름만 남은 할머니의 두 볼을 어루만지면서,
"할무니 많이 아퍼?"
하고 눈물을 뚝뚝 흘렸다.

더위도 한풀 꺾이어 새파란 하늘에 구름 한 점 없던 날,
기영이에게 잡아주려고 성필이와 둘이서 떼 지어 낮게 날아다니는 빨간 고추잠자리의 뒤를 이리저리 정신없이 뛰어다닐 때,

방 안에서 들려오는 울음소리에 방안으로 들어서니 그동안 편치 않던 할머니가 세상을 떠났다.

뒷집의 삼식이가 할머니 눈을 손으로 몇 번 내리 쓸어 눈을 감기고, 솜으로 입과 코를 막고서 팔다리 주무르며 곧게 펴서 가슴 위로 왼손에 오른손을 가지런히 포개 얹었다.
이튿날 아침 일찍 윤실이 엄마가 와서 향나무 삶은 물로 할머니의 몸을 씻긴 후,
몇 년 전 윤실엄마가 베틀로 짜냈던 삼베로 범성 아낙이 만든 수의를 고이 입히어 앞섶을 여미면서 눈물을 뚝뚝 흘렸다.
다음 날,
한평생 살면서 손때가 안 묻은 곳이 없는 집에서 할머니는 손자에게 많은 슬픔을 남기고 꽃 상여를 타고, 바람 속을 훨훨 날아 할아버지가 있는 장승배기로 떠났다.

1959년 (단기 4292년) 9월 17일, 목요일,
우리나라 고유 명절날인 한가위 추석날에, 나무가 쓰러지고 천지가 뒤집힐 듯 태풍 사라호가 금수강산을 덮쳤다.
아무런 방비도 없이 발만 동동 구르는데, 박 넝쿨 올린 초가지붕은 검불대기 날아가듯 솟구쳐 뒤집히고 돼지우리의 돼지도 겁에 질리어 구석에서 웅크리고 있었다.
누렁이는 잔뜩 겁에 질린 눈으로 마루 밑 깊숙이 들어가서 머리를 처박고 있었고,
탐스레 주렁주렁 열린 감은 땅바닥에 모두 내동댕이쳐졌다.

태풍이 지나가고, 논바닥에 쓰러진 벼를 일으켜 세우며 구장님네 논에서 품앗이하던 상억이,

"아니, 현수 늬네 집에는 라지오가 있는데 태풍 온다는 얘기 못 들었어?"

"라지오에서 그 딴것두 얘기해 주는 겨?"
하고 옆의 사람이 허리를 펴며 말을 하였다.
"허 참, 이 사람 이거 증말루 촌 띠기 헛것이구먼."
하고 상억이 웃으며 말했다.
"덴찌 약 (건전지)이 다 닳아서 소리가 안 났어유."
현수가 변명 비슷이 말하였다.
"아 읍내에 가문, 덴찌 약을 파는디, 하나 사 넣으문 되는 걸 가지구. 라지오가 아깝구먼."
"그래두 소용 없어유. 아부지가 틀지두 않구유. 어쩌다 틀으문 약 닳는다구 소리두 아주 작게 해서 옆의 사람헌티는 들리지두 않어유."
"아부지 혼자만 듣는다는 거여?"
"그러게 말이유. 근디 라지오가 쌀 두 가마 값이라구 하면서 아껴야 된다며 라지오를 안틀어유."
"그럼 라지오 있는 늬 집이나, 라지오 없는 우리 집이나 같은 거 아녀?"
상억의 말에 모두 허리를 펴고 웃으면서,
"자빠진 김에 쉬었다 간다구 했잖어유. 허리두 아픈디 조금 쉬었다가 해유."
하고 누군가 말을 하였다.
"그려, 우선에 사람이 살고 봐야지. 이걸 다 할라무는 내일까지도 힘들꺼여."
"베가 아직, 들 여물었는데 썩지는 않을런지 모르겄네."
"그런건 베어다가 찐쌀을 맹글어야지. 그냥 놔 둘수두 없잖여?"
(찐 쌀. 벼가 다 여물기전에 솥에 쪄 말리어서 절구에 빻으면 알곡이 나오는데, 향이 있고 맛이 구수하여 아이들이 학교에 갈 때,한 웅큼씩 주머니에 넣고가기도 하였다.)

"쭉쟁이(껍데기)가 더 많이 나올 것 같은디?"
"벨 수 없지. 다른 수가 있는 겨?"

"근디 삼식이네는 안 왔나벼?"
이수 아버지의 말에 상억이가 옆구리를 쿡 찌르며,
"이 논이 구장님네 논 이잖어유."
하고 나직이 말하였다.
상억의 말에 이수 아버지는 멋쩍게 웃으면서,
"한 동네 살문서 언제꺼정 그렇게 살 껀지"
하며 혼잣말하고는,
"솔메산 아래로 지나가는 큰 행길에는 산에서 흙이 밀려 내려와서 차두 못 다닌다고 하대."
"그건, 나라에서 어떻게 하겠지유. 땅크차(불도저)가 와야 되지 지게질루는 안 되는 일이지유.
그리구 거기는 사방공사(녹화사업)를 해야 되겄쥬. 워낙이 민둥산이잖어유. 난리 때 맞은 폭탄으루 나무는 다 죽구, 또 불 땐다구 작은 나무까지도 죄다 비여 갔으니 흙이 무너져 내렸겄지유. 땅크차가 오무는 또 부역하러 나오라구 하겄쥬 뭘."
(솔메산뿐이 아니고 전국의 모든 산이 전쟁의 포화로 나무는 모두 고사 상태였었고, 민가의 땔감으로 무분별하게 도벌되었기에 벌거숭이 민둥산 그 자체여서 비가 오기만 하면 쓸려나는 토사가 냇가로 쌓여 높아지면서 제방이 자주 무너졌다.)

"베 농사가 이렇게 됐으니 올겨울 양석 할 것이 모자라 탈 났구먼."
"어쩌것슈, 장리 쌀이라두 내야지유."
(장리 쌀. 長利쌀. 마을의 공동체인 대동계에서 빌려주는 공동기금)

"그게 어디 한 두 집이라야지."
"나라에서 배급이라두 나오겄지유."
서로의 딱한 사정을 위로하면서 모두들 다시 쓰러진 벼를 세우기 시작하였다.
(태풍 '사라'가 불어닥쳐 전국에서 약 900여명의 사망자가 발생했고 많은 피해를 입

혔다)

상억의 말대로 각 동네에서 한 집에 한 사람씩 부역을 나가게 되었다.
모두들 삽과 곡괭이 그리고 조그마한 삼태기를 들고 나왔는데 지게를 지고 나온 사람은 한명도 없었다
부역을 나가서 지게로 무거운 흙을 져 나르기에는 너무 많은 힘이 든다는 것을 미리 알고 있기 때문이기도 하였다.
모인 사람들 중에는 호미를 들고서 윤실이도 나왔다.
인솔하던 구장이 말하였다.
　“얘, 너는 너무 어리니까 안 나와도 돼. 그냥 돌아가거라.”
　“안 뎌유. 아부지가 나가야 된다구 했어유.”
　“핵교는 어떡하구?”
　“오늘 결석 했어유.”
　“허 이거 참, ”
구장은 윤실이의 머리를 쓰다듬으며,
　“다음번에는 안 나와도 돼, 핵교를 빠지면 안되는게야.”
하고 동네 사람들을 인솔하여 솔메산 무너진 행길 쪽으로 갔다.
동네 사람들은 왜 어른들 대신 어린 윤실이가 학교에도 가지 않고 부역에 나왔는지 알고 있기에 안쓰럽게 생각하며 줄지어서 구장의 뒤를 따라갔다.

부역할 행길가에는 인근 동네 사람들이 벌써 많이 나와 있었다.
동네마다 부역할 구역을 배정받고 일을 하려 하는데, 구장이 윤실이를 불렀다.
　“너는 힘드니까 하지말구, 동네 사람들 물심부름이나 하거라.
　그리구 땅크차가 오며는 멀리 물러서 있거라. 알었지?”
그렇게 해서 윤실이는 물 주전자를 들고서 물을 찾는 동네 사람들의 주위를 한 바퀴 돌고 나서 길옆의 커다란 돌멩이 위에 앉아 있

는데, 어떤 아저씨가 윤실의 옆에 쪼그리고 앉았다.
윤실이 쳐다보니까,
"너 내가 누군지 아니?"
하고 윤실이를 아는 척하였다.
윤실이는 그 아저씨를 한참 쳐다보다가,
"오 삼춘?"
하고 말하니,
"그려, 내가 늬 오 삼춘이다. 윤실이 많이 컸구나. 근디 왜 니가 나왔니?"
윤실이 외 삼촌은 주전자의 물을 따라 마시며 아버지나 엄마가 오지 않고 왜 어린 네가 나왔느냐고 물었다.
그때 구장이 다가와서,
"누구유? 얘를 알어유?"
"예 내 생질입니다."
윤실이 외삼촌의 대답에 구장은 더 묻지 않고 다른 곳으로 갔다.
"엄마는 바람 불 때 헛간이 무너져서 다리를 다쳤어유."
"그럼, 아부지는?"
"아부지는 지서에서 오라구해서 갔어유."
"그랬구나. 엄마는 많이 다쳤냐?"
(이정만은 관할지서의 사찰 대상자였음)

"다리가 뿐질러 졌는디 침을 맞구서 집에 있어유."
"이따가 집에 가문 오 삼춘이 메칠 있다가 한번 가 본다구 엄마헌티 말하거라."
윤실이 외삼촌은 그렇게 말하면서 허리춤에서 꼬깃꼬깃한 십 원짜리 하나를 꺼내 윤실이 손에 쥐여주며,
"공책이랑 연필을 사는 데 써라."
하고 말하면서 윤실이의 머리를 쓰다듬어 주었다.

저녁에 구장네 사랑방에는 마실꾼들이 모여서 나라에서 주는 쌀 배급 이야기를 나누는데,

"아니 무슨 쌀이 그런 쌀이 다 있댜?"

"그러게 말여. 나두 처음 보는 쌀 이여."

"아무래두 꽁짜루 주는 거라구 그러는 가 벼."

"알랑미(안남미) 라구 하던데 입으루 후 불으문 다 날러갈라구 하던디."

태풍 사라호 탓으로 피해를 입은 농가에 정부에서 무상으로 내어주는 구호미 이야기였다.

안남(월남.베트남)이라는, 나라에서 생산되는 쌀이었는데 찰기가 없고 맛이 없이 호밀처럼 길쭉하였다.

"읎는거 보다 낫지. 그나마 그것두 읎으문 어쩔껴."

"그렇기두 허지만, 앞으루 긴 겨울을 지낼께 걱정이여."

"그란디, 이번에 대통령으루 조병옥 박사가 나온다며?"

"그럼 이승만 대통령은 뭐를 하구?"

"둘이서 투표에서 이기는 사람이 대통령이 되는거지 뭐."

"누가 되든 말든 당장 먹을 양석이 생기는 것두 아니구, 우리 촌사람들과 뭔 상관이여."

(11월 26일 - 민주당은 정/부통령 후보자 지명대회에서 조병옥 박사를 대통령 후보로, 장면 박사를 부통령 후보로 각각 선출하였다.)

"엄니, 엄니는 재일동포가 누군지 알어?"

학교에서 돌아온 한필이가 책 보따리를 내려놓기 바쁘게 물었다.

"재일동포? 그게 누군데?"

"엄닌 다 알구 있는 줄 알았는데 재일동포는 모르는가벼."

"글쎄 엄마는 잘 모르것는데 그게 누구니?"

"에이, 엄마는 그거두 몰라? 오늘 선생님이 그라는데 일본에 사는 우리나라 사람들이랴."

"그려? 그런디 그 사람들이 왜?"

"일본 나라에서 그 사람들을 이북으루 보낸댜. 그래서 지금 우리나라에서는 보내지 말라구 재일동포북송반대 막 그런댜."
(1959년 12월 14일. 재일북송교포 제 1진 975명이 일본 니카타에서 북한선적 만경봉호를 타고 북한 청진으로 향하였다.)

범성 아낙은 윤실네가 걱정되어서 보리 반말을 자루에 담아 나서려는데 기영이가,
"나두, 엄마 따라갈거여."
하면서 고모라고 부르지 않고 엄마라고 불렀다.
"추워서 고뿔 걸리면 안 돼, 그러니 방에서 오빠들하구 놀구있어."
그렇게 달랬지만 기영은 막무가내로 따라 나섰다.
윤실네 집에 도착하니 윤실아버지는 없었고 윤실엄마는 아이들과 함께 마악 저녁을 먹으려 하고 있었다.
"아니 웬 저녁을 이렇게 일찍 잡숴유."
윤실엄마는 저녁상을 한켠으로 밀어 놓으며,
"즘신 겸 저녁이래유."
"다리는 좀 어떠유?"
"뒷간 하구 부엌에는 살살 다니구 있어유."
"윤실 아부지는 어디 갔나유? 이거 조금 가져왔어유."
범성 아낙은 가지고 온 보릿자루를 윤실엄마 앞으로 밀어 내놓았다.
"아이구 자꾸 이러시문 어쩐대유?."
윤실엄마는 그런 범성 아낙이 고맙기도 하고 미안스럽기도 하였다.
"애 아부지는 아까 친정 동생이 와서 함께 나갔어유. 친정 아부지가 양석거리두 조금 보내 주면서 윤실 애비 데리고 오라구 했다내유."
"그려유? 잘 된 얘기네요. 노여움이 풀어지셨나 봐유."

윤실 엄마가 한켠으로 밀어 놓은 밥상을 보니 고구마를 썰어 넣은

호박 풀데기였는데,
어느 사이 윤실이가 쥐여준 숟가락을 들고서 기영이가 윤실이와 함께 호박죽을 먹고 있었다.
아이들은 역시 아이들이구나 하고 생각하며,
"기영아 언니꺼 뺏어 먹으면 어떻게 해."
하고 어처구니 없다는 듯이 웃으며 말했다.
"내비둬유. 또 있으니깨."
윤실엄마가 기영이의 엉덩이를 두드려주며 말했다.

윤실네 집에서 돌아오는 응달길이 얼어서 미끄럽기에 범성 아낙은 기영이를 번쩍 안아서 가슴에 품었다. 기영이의 고사리손이 범성 아낙의 귓볼을 만지작거리는데, 불현듯, 전사한 기훈이며 소식이 없는 영주와 매곡리 친정집에서 어린 기영이를 안고 오다가 냇가에 앉아서 한없이 울던 생각이 머리에 떠올랐다.

짧은 겨울 해는 아는지 모르는지, 솔메산 산등성이에 걸터앉아서
그런 범성 아낙을 쳐다보고 있는 듯하였다.

1부 끝.

50년대 총평

이 시기 대한민국은 1950~1953년까지 6.25 전쟁으로 인해 연대 초부터 전쟁의 격랑과 시련을 겪게되는 시기였다. 3년 간의 전쟁으로 인해 국토가 황폐화되었고, 경제상황도 초토화된 상황이었으며, 공권력 수준의 범죄조직들이 우후죽순 생겨나고, 실제로도 정치에 뛰어들던 시기였다.

전쟁으로 얼룩졌던 1950년대 초 이후 한국은 국가를 처음부터 완전히 재건설해야 하는 과제에 직면했던 시기이기도 했다. 전쟁으로 피폐화된 전기, 전화, 교통, 행정체계등 기본 인프라 시설을 복구함은 물론이고 기존 지주/소작 체계를 해체하고 현대적인 경제구조를 구축했으며 일본군식 체계, 제식, 전술을 따르던 대한민국 국군의 시스템을 점차 미군식으로 바꿔갔다. 또한 일제강점기에 소실된 조선시대의 전통을 복구하는 한편 국악, 불교, 유교, 궁중문화, 조선왕조실록 등 문화유산들은 조선왕조나 조선총독부가 남긴 폐습들은 미국식으로 고쳐나갔다.

학기제도 많이 변해 1950년에는 6월 학기제, 1951년에는 9월 학기제, 1952년 이후에는 4월 학기제가 되었다.

정치상황에 있어서는 이승만 대통령이 이 시기 초에는 압도적인 지지를 받으며 선거에서 승리하고 미국식으로 국가시스템을 구축해갔지만, 이 시기 말기가 되며 측근 관료들의 부패와 실책으로 몰락해갔다. 지지율이 떨어진 이승만 정권이 부정선거와 독재로 장기집권을 시도하며 국민들과 충돌하여 정치적으로 혼란스러웠던 시기이기도 하다. 정치적으로 1950년대는 이승만 정권 집권기 그 자체였으며, 이승만 정권의 전성기 정점인 동시에 몰락의 시대였다.

사회 경제적으로는 전후 베이비 붐의 시작과 북한에서 내려온 실향민의 유입으로 인구가 폭발적으로 늘어났으나, 이를 뒷받침할 수 있는 산업 구도는 농업 수산업의 1차 산업과 미국의 원조물자를 가공하는 내수 경공업 위주였고, 이를 개편하기 위해 경제계획을 실시해 수출 주도 위주로 재편하고자 시도하던 시기였다.

출산율의 경우 6명대라는 높은 수치를 기록했으며 출생아 수는 1950년대 초반에는 가임기 여성의 수가 적었고 6.25전쟁의 혼란도 있었기에 60~70만 명대 정도를 기록했지만 6.25 전쟁의 혼란이 어느정도 수습된 1955년부터 출생아 수가 폭발적으로 증가해서 90만 명대를 기록했고, 1959년에는 100만 명대를 기록하게 되었다. 따라서 1955년생부터 1974년생까지 연간 출생아 수 90만명 이상의 세대를 베이비 붐 세대라고 부른다.

筆을 놓으며

내가 그 어르신을 만난 것은 낚시터에서였다.

"그때는 여기 이 물도 맑고 깨끗했었지!"
그렇게 말하면서 낚싯바늘에 미끼를 달아서 던져 놓고는,
고개를 들어서 앞산을 보면서,
"저기 저산은 지금처럼 푸르게 우거진 숲이 없었고, 그냥 민둥산이었는데 산 아래 길에는 피난가는 사람들이 많이 있었지.
전쟁통에, 참! 많은 사람이 죄도 없이 죽어 나갔지. 왜 죽어야 하는지 그 이유도 모르면서…"
잠시 말을 끊더니,
"지금 세상이야 살기 좋은 세상이지만, 그때 그 난리를 겪었던 사람들도 이제 하나둘씩 다 세상을 떠나고 나니, 그때의 일을 알고 있는 사람들도 이제 등 따습고 배가 불러서 잊어버렸는지 되돌아보려고 하는 사람도 없어졌지.
아무리 새 세상이라지만, 온고지신(溫故知新)이라는 말도 있듯이 옛것을 잊지않고 새것을 알아야 하는데,
어느 누가 나서서 후대에 알려주지도 않으니 참말로 딱한 노릇이지."

그 후,
세월이 많이 흐른 어느 날. 그때의 그 낚시터에 갔더니,
그때의 어르신이 앉아서 망중한을 보내며 낚시를 하시던 자리에는, 그 어르신은 안 보이고,

내가 아닌 또 다른 내가 백발이 되어 구부러진 허리를 곧추세우고 낚시를 하고 있었다.

『하리골사람들 1부』